POUR MIEUX AIMER LA MUSIQUE

édité et distribué par
France-Amérique
170 Benjamin Hudon
Montréal, H4N 1H8
Tél. : (514) 331-8507

ISBN : 2-89001-057-0

VINCENT RADISSON

POUR MIEUX AIMER LA MUSIQUE

FRANCE-AMÉRIQUE

Dessins des musiciens : Patrice Pellerin
Dessins des instruments de musique : Bernard Thomazeau

Il est des musiques qui creusent le ciel.

Maurice RAVEL.

La musique a été une des plus grandes passions de ma vie. Elle m'a apporté des joies et des certitudes ineffables. La preuve qu'il existe autre chose que le néant auquel je me suis toujours heurté partout ailleurs.

Marcel PROUST.

PRÉFACE

La musique, c'est une aventure, une histoire d'amour.

Il est bien malaisé d'en parler et une plume n'est pas le meilleur instrument pour la présenter. Un clavier, un archet, une anche... une simple baguette même, seraient plus efficaces.

Autrefois, ceux qui connaissaient la musique avaient eu tout le temps de l'apprivoiser, c'était une amie d'enfance. Pendant de longues heures, ils l'avaient côtoyée dans un coin du salon, perchés sur un tabouret, bien trop haut pour des jambes de six ans.

La musique, c'est maintenant devenu une aventure qui commence brutalement par une rencontre à 15 ans, à 20 ans, ... à 40 ans. Une première rencontre avec une œuvre, un musicien. Au hasard d'une soirée, d'un après-midi, on est séduit, car la musique est partout, omniprésente. Les radios la livrent à domicile.

Et la rencontre qui sera suivie d'autres rencontres devient la découverte de la musique que de plus en plus de gens sont désireux de vivre.

Loin des salles de concert où, dès l'entrée, on était trop impressionné par le craquement de ses souliers, loin des tenues sombres et des robes du soir, le public vient nombreux.

Lorsque l'Orchestre symphonique de Montréal s'est produit hors de la Place des Arts, en une seule saison plus de 60,000 personnes étaient fidèles au rendez-vous pour l'écouter. Jamais la promotion de l'art musical n'a été aussi forte et le public aussi attentif. Jamais il ne s'est vendu autant de disques classiques, autant d'abonnements aux concerts.

Pourtant, si l'on veut que cette aventure se transforme en histoire d'amour, il faut y mettre du sien. Comme le Petit Prince avait apprivoisé sa fleur, il faut apprivoiser la musique, apprendre à la connaître.

Volontairement simple, cet ouvrage ne décevra pas le nouveau public qui n'a reçu aucune formation musicale. Il s'adresse à ceux qui veulent connaître, ceux qui refusent de se laisser exclure parce que certains détails leur échappent, parce que certaines notions ne leur sont pas familières.

Les premières pages sont consacrées aux outils indispensables : les instruments. On les découvrira, regroupés selon l'habitude à l'intérieur de leurs trois grandes familles, en fonction du principe qu'ils utilisent pour produire un son : les cordes, le vent ou les percussions. Chaque instrument a une histoire, des origines, des ancêtres, et l'histoire des instruments, qui est inséparable de l'histoire des hommes, remonte le cours du temps, mêlant affirmations scientifiques et belles légendes.

Lorsque le chasseur découvrit qu'avec son arc, il pouvait reproduire des sons à volonté, il fit naître l'un des instruments les plus vieux du monde. La flûte commença par n'être qu'un tube de roseau perçé de trous. Cependant, c'est au dieu Pan, dont le nom est indissociable de cet instrument, que les Grecs attribuaient la paternité de la flûte. On découvrira aussi les variantes successives qui ont permis encore récemment de donner naissance à des instruments : la musique serait privée d'une de ses plus belles sonorités si, en 1856, un monsieur Adolphe Sax n'avait inventé le saxophone.

Une fois présentés, voici les instruments réunis en trio, en quatuor, en quintette, ... en grand orchestre, auxquels s'ajouteront plus loin dans le livre les voix humaines, ténor, soprano ou basse. Un des intérêts de cet ouvrage est de fournir les bases de la connaissance musicale pour les mélomanes avec les noms des formations musicales, des interprètes, des voix célèbres. On connaîtra ainsi l'histoire du Quatuor Amadeus, ou bien, sur le nouveau continent, de Beaux Arts Trio, ou encore, de la Grande Écurie et La Chambre du Roy, ou bien, plus près de nous, de l'Orchestre symphonique de Montréal.

La musique de chambre, qui se jouait chez les particuliers, d'où son nom de «musica da camera», conserve encore aujourd'hui un charme tout particulier. Cependant, elle semble le plus souvent bien aride aux néophytes. Le fait de pouvoir nommer les formations musicales, ou les ensembles, donnera de l'assurance à l'apprenti mélomane et le conduira à mieux apprécier ce qu'il entend.

Il en est de même pour le chapitre consacré à la voix humaine où sont présentés les interprètes les plus marquants que le monde de la musique ait connus.

Après ces pages d'introduction, l'essentiel de ce livre est consacré aux compositeurs et à leurs œuvres. L'histoire de la musique qui s'étend sur près de 200 pages a le mérite de présenter simplement l'évolution de cet art. Chaque compositeur y trouve sa place naturellement. On fera sa connaissance à travers une courte biographie et un commentaire sur ses œuvres maîtresses. Un portrait à la mine de crayon a été réalisé pour un bon nombre de compositeurs, et laisse transparaître les aspects les plus caractéristiques de leur personnalité. Devenu un visage, un compositeur avec son style romantique, classique ou contemporain, s'inscrira plus facilement dans la mémoire du lecteur.

C'est grâce à des ouvrages tels que celui-ci, mis à la portée des jeunes, que se gardera vivante la grande tradition musicale. Les amateurs de musique, qu'ils soient néophytes ou avertis, trouveront ici un ami érudit et de bon conseil qu'il me fait plaisir de leur recommander.

CHARLES DUTOIT
Directeur artistique
Orchestre symphonique de Montréal

INTRODUCTION

Jamais la promotion de l'art musical n'a été aussi forte que depuis quelques années, à tous les niveaux. Jamais il ne s'est vendu autant de disques classiques, jamais autant de concerts, de spectateurs, d'abonnés.

Nouvelle forme de snobisme, recherche d'une promotion sociale, conformisme culturel, dernière récupération de la société de consommation ? Au-delà de ces travers auxquels un certain public n'échappe pas, le réveil de la musique exprime fondamentalement un besoin, un appétit pur et spontané qui vaut toutes les définitions.

Répondre à ce besoin de connaissance, tel est le projet de cet ouvrage. Volontairement simple, abordant différents aspects de la musique, il s'adresse à ceux qui veulent connaître, à ceux qui refusent de se laisser exclure parce que certains détails leur échappent, parce que certaines notions ne leur sont pas familières.

Ce livre est un guide pour ce nouveau public qui n'a reçu aucune formation et veut acquérir les notions de base essentielles pour mieux comprendre et mieux aimer la musique. En renseignant clairement, en précisant des détails, en palliant des lacunes, cet ouvrage élargira le front des connaissances et des goûts du lecteur.

Quels sont les instruments, leurs rôles et leurs possibilités ? Comment est composé un orchestre, quel est le travail du chef ? Quels sont les principaux compositeurs, leurs œuvres considérées comme essentielles ? Qui sont ces interprètes sans lesquels la musique ne serait qu'une grande dame muette ? Que signifient ces termes musicaux qui rebutent trop souvent ? Voilà quelques-unes des questions simples auxquelles ce livre répond.

Une des premières questions que l'amateur se pose est celle de savoir comment aborder la musique classique. Par la musique symphonique ou la musique de chambre, la musique concrète ou le chant grégorien ? Faut-il écouter d'abord Beethoven ou Couperin, Schönberg ou Wagner, faut-il suivre la genèse du langage musical ou se laisser porter par le hasard ? En fait, il n'existe pas de recette miracle, mais une règle essentielle dans la formation du goût, la pratique musicale. Ecouter et réécouter une œuvre qui touche afin d'en connaître toutes les richesses, impossibles à percevoir dès la première audition. L'émotion et le plaisir ressentis amèneront l'auditeur à vouloir en connaître plus sur le compositeur, sur ses autres œuvres, sur ses contemporains, sur les influences qu'il a subies et sur les disciples qu'il a suscités. En mélangeant les genres et les styles, petit à petit, sans précipitation car la musique est un art difficile, exigeant — certaines œuvres ne se laissent pas découvrir facilement — le mélomane étendra ses goûts, élargira le cercle de ses admirations.

Cet ouvrage a pour but de faciliter le voyage au pays de la musique, voyage où la curiosité est sans cesse mise à l'épreuve et où la sensibilité trouve merveilleusement à s'épanouir.

VADE MECUM

Cet ouvrage peut :

— soit se lire d'une seule traite pour acquérir le plus rapidement possible une vision globale du monde de la musique,

— soit se consulter ponctuellement pour obtenir un renseignement, une précision, un conseil.

C'est un ouvrage de *référence*, dans ce but il a été conçu aussi clairement que possible. Il n'en est pas pour autant un ouvrage de vulgarisation qui ne donnerait qu'une vue imparfaite d'une réalité complexe.

Il est divisé en trois parties.

Dans la première partie, il est traité des instruments, des orchestres, de la voix humaine et des artistes.

— Chaque instrument est présenté. Pour les principaux d'entre eux sont citées des œuvres qui permettent d'en découvrir et d'en apprécier les richesses.

— Une liste des principaux virtuoses, chefs d'orchestre et artistes lyriques suit chaque rubrique dont ils dépendent. Certains d'entre eux sont présentés. Pour des raisons bien évidentes d'espace, il a fallu faire un choix. Celui-ci n'a pas pour but de classer hiérarchiquement les artistes, choix qui serait par définition subjectif, mais d'évoquer certains d'entre eux en fonction de critères différents : renommée, génération, spécialisation, artiste français que l'on a plus facilement l'occasion d'écouter en concert, etc.

Dans la deuxième partie sont présentés les compositeurs et leurs œuvres.

La rubrique EN VEDETTE propose un choix d'œuvres populaires et représentatives de l'univers musical de chaque compositeur. Lorsque c'est nécessaire, elles sont classées par genre : musique vocale, musique symphonique, etc. Dans le cas où il n'existe qu'une seule version, les références du disque sont données.

Dans la troisième partie sont expliqués les principaux termes musicaux. Pour éviter les répétitions inutiles, si nécessaire, le lecteur est renvoyé à un chapitre ou à un article dans l'ouvrage.

Première Partie

Les instruments

La lutte entre les paroles et le silence, la lutte entre le silence et les notes de musique, c'est une guerre étonnante et pour laquelle il faut des soldats.
Jean COCTEAU.

Le goût pour la musique se manifeste en particulier par un développement de la pratique musicale non seulement au plus haut niveau où l'on voit naître toute une génération nouvelle de brillants solistes, mais aussi chez des jeunes qui font tout simplement de la musique par plaisir.

Il ne s'est jamais vendu autant d'instruments de musique. En tête on trouve le piano et la guitare, mais aussi la flûte et de plus en plus le violon.

Identifier chacune des sonorités propres aux différents instruments, voir quelles possibilités les compositeurs ont su en obtenir, est un plaisir réservé à une part finalement assez restreinte du public. Il est pourtant aisé de se familiariser avec chacun des instruments ; en débutant par un trio, un quatuor, un quintette, etc., en écoutant des œuvres concertantes, en mélangeant les genres et les styles il est aisé de se familiariser avec toutes les différentes sonorités. L'entrée de la petite flûte au cours d'une exécution symphonique ne laissera plus l'auditeur pris au dépourvu.

Chaque instrument a une histoire, des origines, des ancêtres, et l'histoire de la musique est inséparable de celle des instruments.

On distingue les instruments à cordes, les instruments à vent et les instruments à percussion.

INSTRUMENTS A CORDES

Ils sont de trois sortes, ceux où les cordes sont pincées, ceux où les cordes sont frottées et enfin les instruments à cordes et à clavier.

A) Instruments à cordes pincées

Un des premiers instruments dans l'histoire du monde est sans doute un instrument à cordes pincées. L'arc du chasseur lui permit de produire des sons à volonté. La mythologie nous présente *la Lyre,* ou « cithare d'Apollon » comme se composant de quatre cordes tendues et mises en vibration par le pincement des doigts. La lyre se retrouve chez les Egyptiens, les Assyriens, les Hébreux, etc.

Cithare

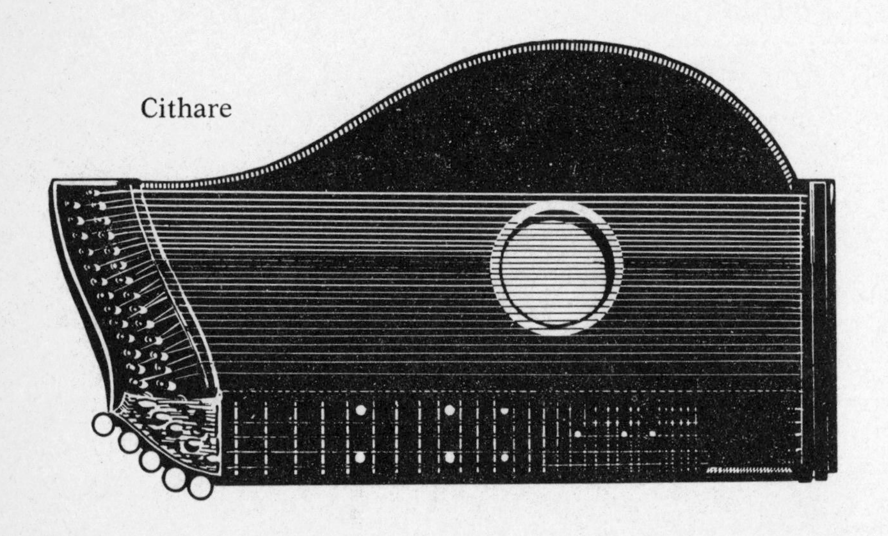

La CITHARE est l'instrument national de la Grèce antique. Sans manche, elle se compose de cinq à onze cordes vibrant à vide. Aujourd'hui. c'est en Autriche que cet instrument est particulièrement populaire. Citons encore *la Rota* qui jusqu'au XIe siècle fut à cordes pincées et *le Monocorde* dont l'unique corde ne fut frottée qu'à partir du XIVe siècle.

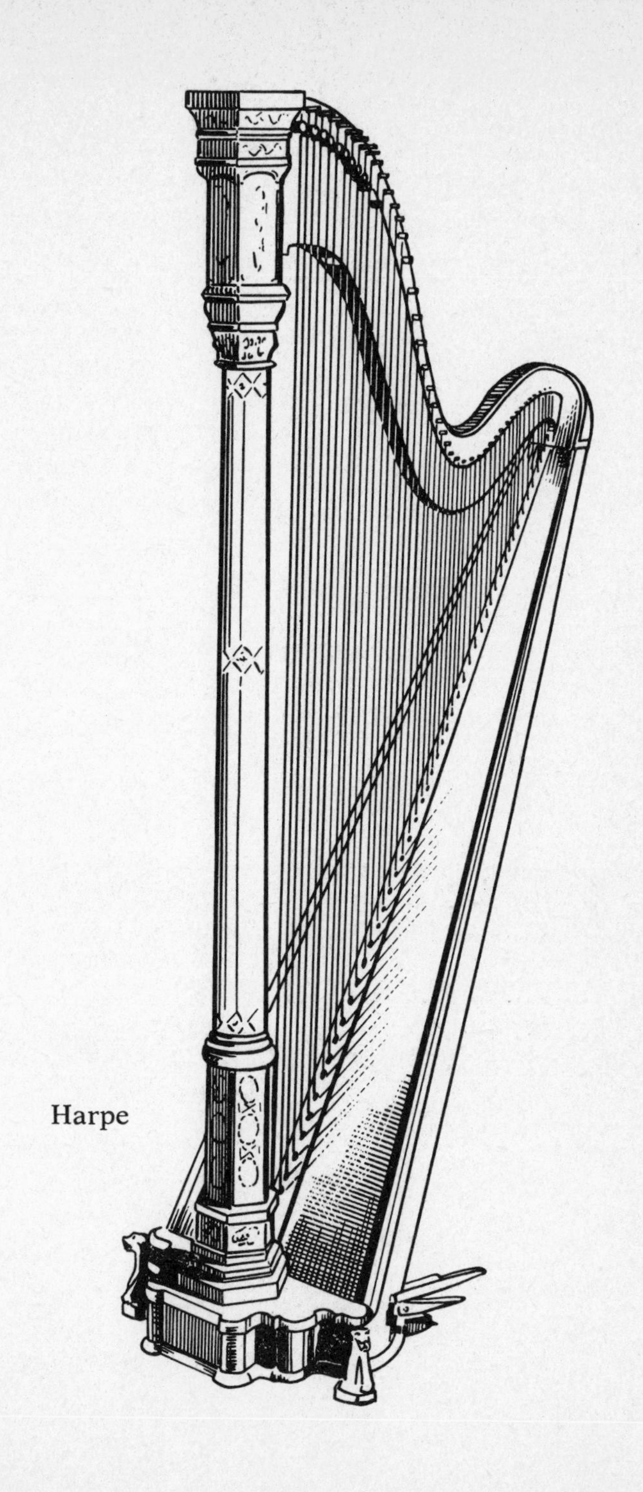

Harpe

La HARPE a des origines très anciennes. David s'accompagnait d'une harpe, le « Kinnôr », pour calmer les fureurs du roi Saül. Cet instrument fut très en vogue au Moyen Age.

De taille plus petite que notre harpe d'aujourd'hui, les Ménestrels s'en accompagnaient pour chanter. Monteverdi le premier, dans son *Orfeo* sut en tirer toutes les richesses.

La harpe a longtemps servi à soutenir le chant soliste. Elle ne s'est associée à l'orchestre que vers le XVIIIe siècle. Elle en est d'ailleurs le seul instrument à cordes pincées. Elle a la forme approximative d'un triangle. Sur deux de ses côtés sont attachées des cordes, en métal et en boyau, disposées par ordre de longueur décroissante. La harpe possède sept pédales qui modifient chacune le son de toutes les cordes du même nom. C'est le luthier allemand Hochbrucker qui introduisit ce système de pédales et donna ainsi à l'instrument des capacités beaucoup plus étendues.

Monteverdi : *Orfeo* (acte III).
Mozart : *Concerto pour flûte et harpe.*
Jolivet : *Concerto pour harpe.*
etc.

Principaux harpistes :

Bernard GALAIS (né en 1930, Français).

Martine GELIOT (née en 1948, Française).
« L'aisance avec laquelle elle se joue des pires difficultés de cet instrument est absolument déconcertante. » Maurice Fleuret.
Dans le peloton de tête des harpistes de la jeune génération.

Lily LASKINE (née en 1893, Française).
La harpiste par excellence. Toutes les interprétations qu'elle donne deviennent versions de référence.

Francis PIERRE (n. c. Français).

Nicanor ZABALETA (né en 1907, Espagnol).
Zabaleta commença à vingt-six ans une brillante carrière de soliste aux Etats-Unis. Il cherche constamment des œuvres nouvelles pour élargir le répertoire de son instrument, et en particulier fait appel à des compositeurs contemporains tels que Milhaud, Villa-Lobos ou Rodrigo.

Le LUTH est aussi un instrument très ancien, avec manche. Il s'apparente à la guitare. Il a un corps bombé et est composé de cinq doubles cordes et d'une corde simple dite « chanterelle » pincées souvent à l'aide d'une petite pièce triangulaire d'ivoire ou d'écaille appelée « plectre ». Il existe

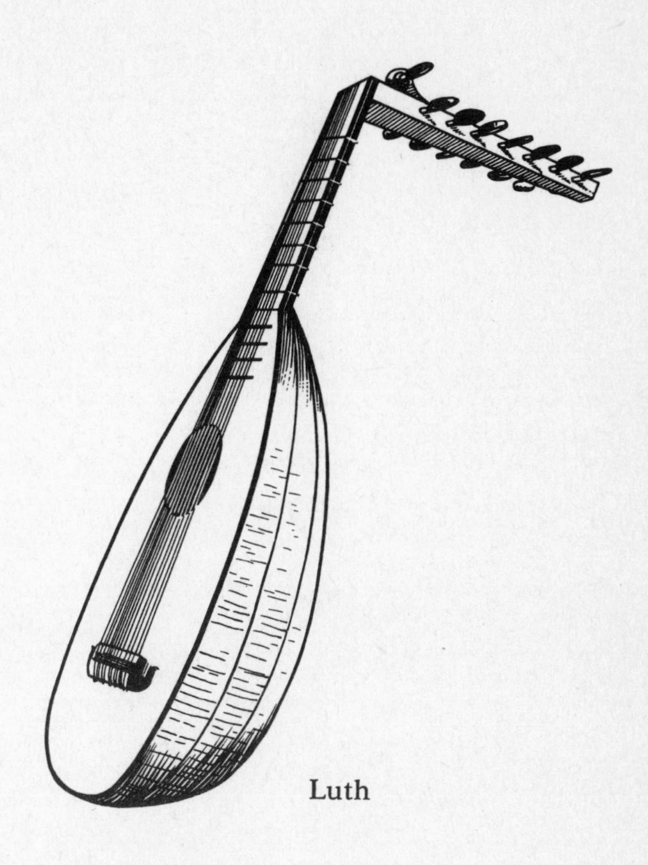

Luth

différentes variétés de luth : *le cholachon, la vilinella, l'archiluth,* le *théorbe,* le *chitaronne.*

Vivaldi : *Concerto pour luth et cordes.*
Bach : *Œuvres pour luth.*
etc.

La MANDOLINE, est un instrument de la famille du luth, comportant quatre cordes doubles qui reproduisent l'accord du violon. Elle ne prit son nom, sa forme et sa taille définitives qu'au début du XVIIe siècle. Son ancêtre direct est la *mandore* ou *mandole.*

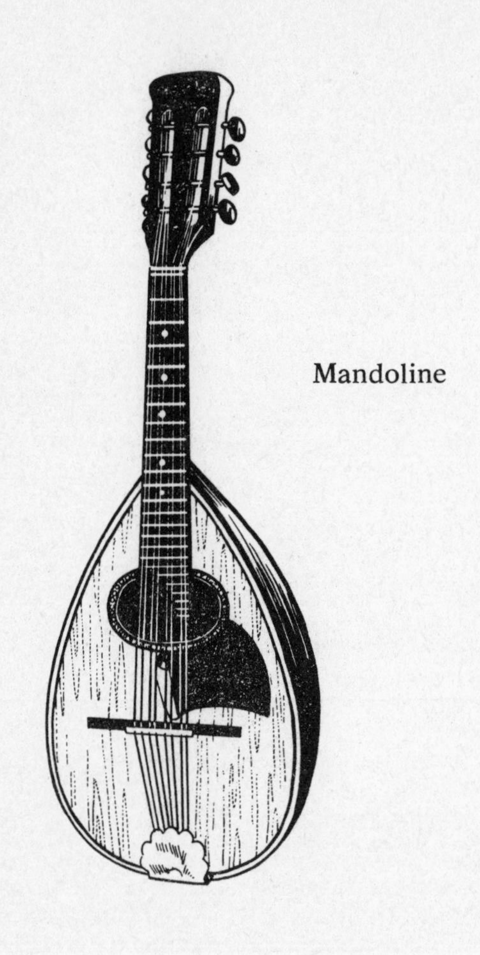

Mandoline

Vivaldi : *Concertos pour une et deux mandolines.*
Beethoven : *Pièces pour mandoline.*
etc.

La GUITARE, ou guiterne, est d'origine très ancienne. On trouvait au XIIe siècle deux sortes de guitares. La première, dite « mauresque », à fond bombé, proche de la mandoline. Et la guitare latine, à fond plat assez semblable à celle qui est utilisée aujourd'hui. Elle comporte six cordes simples dont trois sont en boyau (sons graves) et trois en métal (sons aigus). Ses possibilités musicales sont très étendues. Elle couvre trois octaves plus une quinte. De très nombreuses pièces sont écrites pour guitare. C'est un instrument particulièrement populaire.

Guitare

(Parfois des œuvres écrites pour mandoline sont jouées à la guitare.)

Sor : *Etudes.*

Rodrigo : *Concerto de Aranjuez.*
Fantaisie pour un gentilhomme.
etc.

Principaux guitaristes :

Ernesto BITETTI (né en 1943, Argentin).

Julian BREAM (né en 1933, Anglais).
De formation classique, pianiste, violoncelliste, luthiste, Julian Bream est d'abord un guitariste hors pair. A quinze ans, il donna à Londres un concert avec son instrument de prédilection ; c'était la première fois qu'un récital de guitare avait lieu dans la capitale anglaise. Il fut encouragé par Segovia qui eut l'occasion de l'entendre. Dix ans plus tard il était connu dans le monde entier. Il a fondé en 1961 le « Julian Bream Consort » (un luth, un violon, une flûte alto, une basse de viole, une mandore et une cithare), principale formation anglaise d'instruments d'époque élisabéthaine.

Alexandre LAGOYA (né en 1929, naturalisé français).

Ida PRESTI (1925-1967, Française).
Ida Presti devint en 1952 la femme de Lagoya. Ensemble, ils ont enseigné à la Schola Cantorum. Depuis 1969, année de création de la classe de guitare, Alexandre Lagoya est professeur au Conservatoire de Paris. « Il n'est pas seulement un gentilhomme de la guitare, c'est un maître de la musique et un extraordinaire praticien de son instrument. » (*Diapason.*)

Alberto PONCE (n. c. Espagnol).

Andrés SEGOVIA (né en 1894, Espagnol).
Sans lui la guitare classique n'occuperait pas la même place. Il lui a redonné ses lettres de noblesse et l'a servie constamment avec un extraordinaire talent de virtuose.

John WILLIAMS (né en 1941, Australien).

Narciso YEPES (né en 1927, Espagnol).
Narciso Yepes s'est formé pratiquement seul. Il a révolutionné totalement la technique du jeu et a substitué à l'instrument traditionnel une guitare à 10 cordes dont les possibilités sont voisines de celles du violon ou du piano.
Le célèbre thème de *Jeux interdits* qu'il créa pour le film de René Clément consacra un talent déjà connu. Yepes se produit partout dans le monde « excepté en Chine et en U.R.S.S. » précise-t-il.
« C'est un poète tourné vers l'intérieur ; sa merveilleuse virtuosité, la gamme extraordinairement déliée des toucher et des sonorités ne concèdent rien à l'effet, tout enrichit la nuance et creuse l'expression » *(Le Monde).*

B) **Instruments à cordes frottées.**

L'ancêtre des instruments à cordes frottées est la *vièle* utilisée au Moyen Age. Le son était obtenu grâce à un archet que l'on promenait sur les cordes. Au XIe siècle environ, la vièle fut remplacée par la *viole.*

Viole de gambe

La VIOLE est semblable par la forme, à peu de chose près, à notre violon actuel. Elle s'en distingue cependant par le nombre de cordes. (La viole a six ou sept cordes) et par la tenue de l'instrument (la viole se tient sur ou entre les genoux). Les cordes sont mises en vibration par un archet en forme d'arc et dont la tension des crins peut être réglée par l'artiste.

Il y eut de nombreuses variétés de violes.

Les petites violes aux sons aigus se tenaient parfois dans la saignée du bras, d'où leur nom de violes de bras. On les appelait aussi : *fidèle, vièle, rebec* ou *gigue.*

Les grosses violes produisant des sons graves reposaient par terre, entre les genoux. Ce sont la *viole de gambe* et la *basse de viole* dite aussi *violine.*

Purcell : *Musique anglaise pour flûtes et violes.*
Suite pour cinq violes.
Vivaldi : *Concerto pour viole d'amour et luth.*
etc.

Le VIOLON. L'ancêtre direct du violon est la *viole de bras* à quatre cordes accordées par quinte allant du grave à l'aigu.

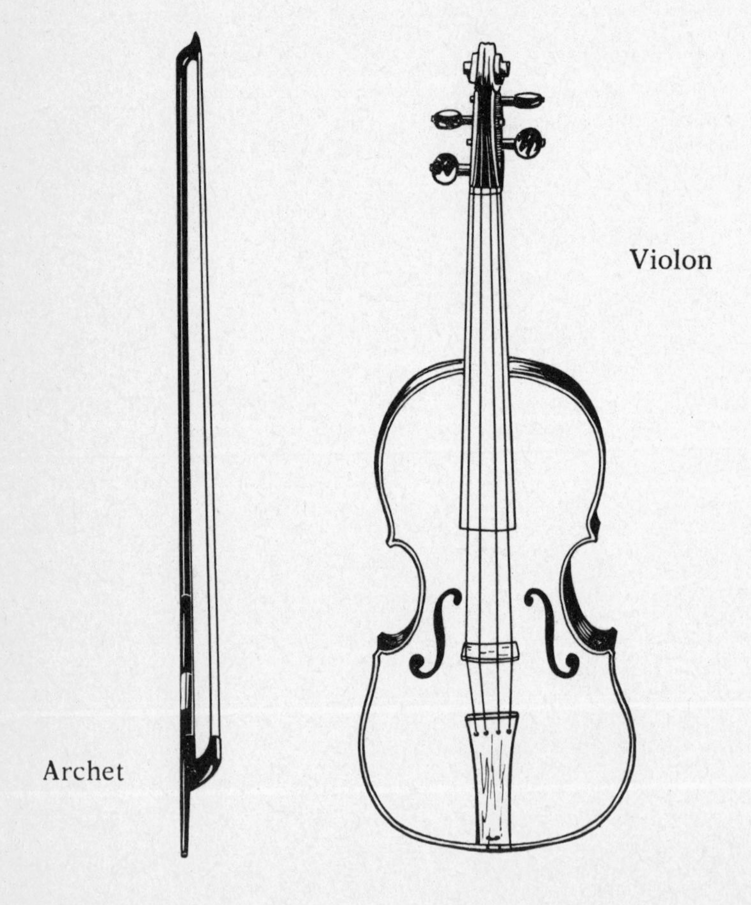

Il fut mis au point par les luthiers de Crémone, perfectionné et peaufiné par les Guarneri, Amati et autre Stradivarius. C'est un instrument très complexe, qui comporte plus de [illegible] permettant à l'instrumentiste de briller dans les soli et de retirer les éloges de son talent mis ainsi en évidence, eut pour le violon la conséquence immédiate d'en faire l'instrument roi. Il connut alors une immense vogue qui ne se démentit pratiquement jamais. Au XIXe siècle, Paganini, remarquable virtuose, écrivit pour son instrument des pièces aux difficultés techniques les plus diverses.

Bach : *Sonates et partitas pour violon seul.*
Mozart : *Sonates pour violon et piano.*
Beethoven : *Concerto pour violon et orchestre.*
Paganini : *Caprices pour violon seul.*
Concerto pour violon et orchestre.
etc.

Principaux violonistes :

Georges ENESCO (1881-1955, Roumain).

Christian FERRAS (né en 1933, Français).

Patrice FONTANAROSA (né en 1942, Français).
Patrice Fontanarosa, premier violon solo de l'Orchestre National de France, consacre le reste de son temps à défendre la musique de chambre au sein du Trio Fontanarosa, et à donner des concerts en soliste à l'étranger.

Zino FRANCESCATTI (né en 1902, Français).

Ivry GITLIS (né en 1927, Israélien).

Arthur GRUMIAUX (né en 1921, Belge).
Considéré comme l'un des plus grands violonistes de notre temps, Arthur Grumiaux est aussi à l'aise avec des œuvres classiques que modernes. « La transparence de sa sonorité, l'authenticité de son style, l'ont de tout temps distingué parmi les Mozartiens (intégrale des concertos). » *Les Nouvelles Littéraires.*
Il est aussi, avec la pianiste Clara Haskil, l'interprète idéal des sonates pour violon et piano de Beethoven et Mozart.

Jascha HEIFETZ (né en 1899, Lituanien naturalisé américain).

En 1959, à la suite d'un accident, Heifetz renonça aux grandes tournées qu'il n'avait cessé de faire depuis l'âge de dix-huit ans. Tous les grands chefs se le sont disputé. Il n'a cessé de parcourir le monde et de jouer avec les plus grands orchestres. Ses qualités techniques, son intelligence musicale sont exceptionnelles. Lorsqu'il prend son stradivarius, le monde devient musique. « Il y a beaucoup de violonistes, déclarait David Oïstrakh, et puis il y a Heifetz. »

Il est aussi un grand professeur à l'Université de Los Angeles, intransigeant, difficile, mais ses élèves ne songeraient pas à le quitter : cette rigueur, il l'applique à lui-même. Beaucoup de ses enregistrements sont des « repiquages », mais de bonne qualité.

Léonid KOGAN (né en 1924, Russe).

Fritz KREISLER (1875-1962, Autrichien naturalisé américain).

« Kreisler est le roi du violon, Heifetz est son prophète et tous les autres ne sont que des violonistes » (Herbert Peyser).

Yehudi MENUHIN (né en 1916, Américain d'origine russe).

Nathan MILSTEIN (né en 1904, Américain).

David OISTRAKH (1908-1974, Russe).

« Le violon de David Oïstrakh était une source inépuisable de joies musicales. Une technique éblouissante, mais sans la moindre ostentation et toujours au service de l'expression la plus noble et la plus pure. La phrase était toujours merveilleusement modelée, le son resplendissait dans la plénitude de sa beauté » *Le Quotidien de Paris.*

Igor OISTRAKH (né en 1931, Russe).

Itzhak PERLMAN (né en 1945, Israélien).

Wolfgang SCHNEIDERHAN (né en 1915, Autrichien).

Isaac STERN (n. c., Américain).

Sa carrière de concertiste commencée à l'âge de dix-sept ans à New York, l'a porté aux plus hauts sommets. Il forme avec le violoncelliste Rose et le pianiste Istomin un très remarquable trio. (Beethoven, Brahms...) Ce déraciné trouve dans la musique une unité intérieure où sa sensibilité peut s'épanouir.

Joseph SUK (né en 1929, Tchécoslovaque).

Zoltan SZEKELY (né en 1903, Hongrois).

Henryk SZERYNG (né en 1918, Mexicain).

D'origine polonaise, Szeryng a choisi le Mexique comme pays d'adoption. Remarquable interprète des œuvres consacrées, il tient beaucoup à élargir son répertoire et à présenter des œuvres inconnues ou nouvelles. C'est ainsi qu'il découvrit le 3e concerto de Paganini, et qu'il interprète des compositions de Manuel Ponce, de Racine Fricker, de Camargo Guarnieri, etc.

Jacques THIBAUD (1880-1953, Français).

Jean-Pierre WALLEZ (né en 1939, Français).
Premier violon solo de l'orchestre de Paris, directeur artistique du Festival de musique d'Albi « Jean-Pierre Wallez est un des plus remarquables violonistes de la jeune génération » (Henryk Szeryng).

Pinchas ZUKERMAN (né en 1948, Israélien).

L'ALTO. De dimension supérieure au violon, l'alto, anciennement *quinte de violon* produit des sons d'une quinte plus

Alto

bas que ceux du violon. Il fut longtemps négligé par les instrumentistes. D'un accent facilement mélancolique, l'alto crée une atmosphère poignante et retenue.

Mozart : *Symphonie concertante pour violon et alto.*
Debussy : *l'Andantino du Quatuor.*
Bartok : *Concerto pour alto.*
etc.

Violoncelle

Le VIOLONCELLE. De forme identique aux deux précédents instruments, mais de taille supérieure, le violoncelle est accordé à l'octave basse de l'alto. Stradivarius lui donna sa forme et ses caractéristiques définitives. Son chant est pathétique, mais aussi sensuel et puissant.

Bach : *Suites pour violoncelle seul.*
Beethoven : *Sonates pour violoncelle et piano.*
Dvorak : *Concerto pour violoncelle et orchestre, en si mineur.*

Principaux violoncellistes :

Pablo CASALS (1876-1973, Espagnol).
Extraordinaire virtuose, homme d'une grande humanité, son génie musical imposa Casals au sommet même de la gloire.

Jacqueline DU PRE (née en 1945, Anglaise).

Pierre FOURNIER (né en 1906, Français).
« Il chante mieux que tout ce qui chante » Colette. Avant de devenir le virtuose mondialement connu qu'il est aujourd'hui, Pierre Fournier débuta au Vieux Colombier de Jacques Copeau, Arthur Honegger tenait la batterie.

Maurice GENDRON (né en 1920, Français).

Gregor PIATIGORSKY (né en 1903, Américain).

Léonard ROSE (né en 1918, Américain).

Mstislav ROSTROPOVITCH (né en 1927, Russe exilé).
« J'ai presque déjà joué la quasi-totalité du répertoire violoncelle. En revanche, j'ai presque tout à découvrir dans le domaine symphonique et lyrique. » « Rostro » cumule ainsi les deux activités de violoncelliste et de directeur d'orchestre. Il accompagne également au piano, sa femme, la cantatrice Galina Vichnevskaïa : tous deux ont choisi de quitter leur pays. Il faut, au concert, autant voir qu'écouter Rostropovitch : la musique le rend tellement heureux et passionné que c'en est un plaisir pour tout le public. Pour deux années, à partir de la saison 1977-78, Rostropovitch a accepté de succéder à Antal Dorati au poste de premier chef et directeur artistique de l'Orchestre National Symphonique de Washington.

Janos STARKER (né en 1924, Américain).

Paul TORTELIER (né en 1914, Français).

Christina WALEVSKA (né en 1945, Américaine).
« Une sonorité magnifique d'ampleur, de couleur, de mordant et d'un style où la verdeur de la jeunesse le dispute à la sincérité de l'élan lyrique » (*Combat*). Elle joue maintenant dans le monde entier et est considérée à juste titre comme une des meilleures violoncellistes de la jeune génération.

La CONTREBASSE. La contrebasse est la base de l'orchestre. Elle soutient et lie les instruments auxquels on l'associe. C'est le plus grand des instruments à cordes frottées ; il a la hauteur d'un homme. La contrebasse est accordée par quarte et non par quinte et sonne à l'octave inférieur du violoncelle.

Contrebasse

Elle ne fut introduite dans l'orchestre que dans la deuxième moitié du XVIIe siècle, en remplacement de la basse de viole, on *lira di gamba*. A l'opéra, elle dut attendre la seconde moitié du XVIIIe siècle.

Schubert : Quintette *la Truite* pour piano et cordes.
Saint-Saëns : Dans le *Carnaval des animaux*, la contrebasse s'identifie à l'éléphant.
etc.

C) **Instruments à cordes et à clavier**

L'ancêtre de tous les instruments à cordes et à clavier est *le psaltérion* médiéval. On distingue les instruments à cordes pincées et ceux à cordes frappées.

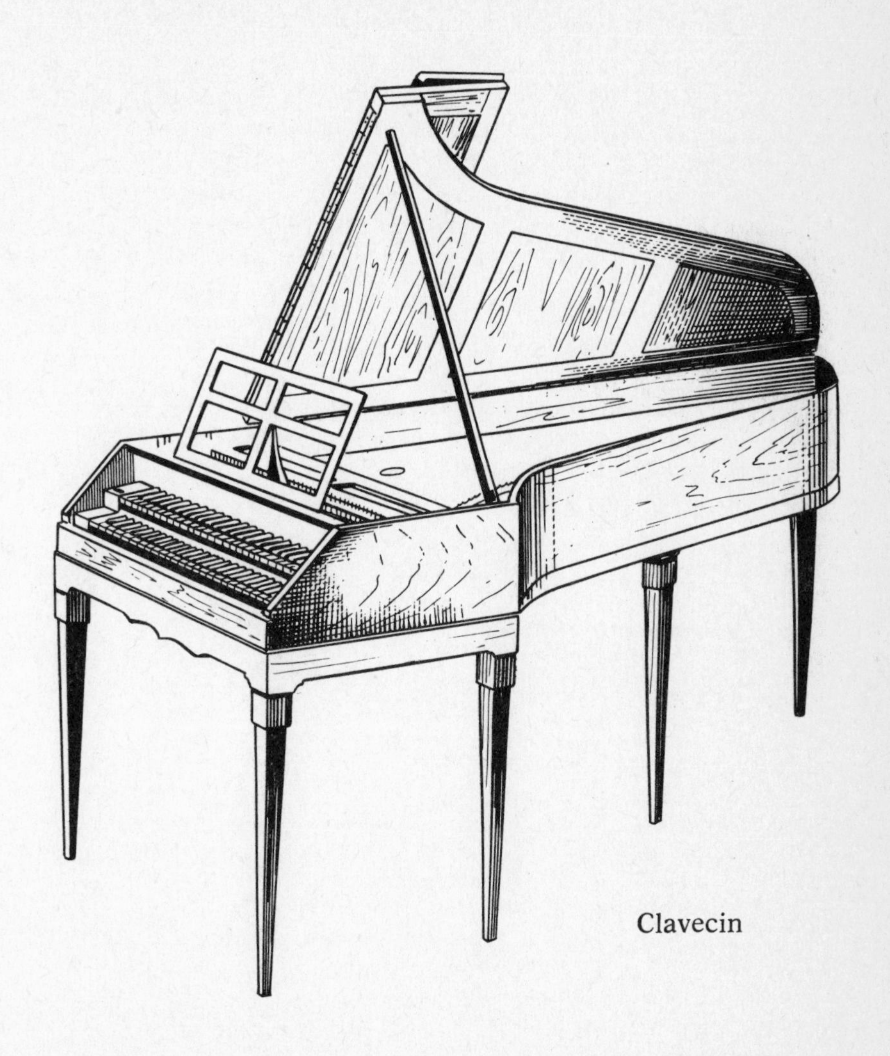

Clavecin

Le CLAVECIN est un instrument à clavier, généralement double. Chaque touche actionne un bec de corbeau ou épine — d'où le nom d'*épinette* parfois donné au clavecin —, qui pince la corde au lieu de la frapper. Le clavecin, par suite du mode d'ébranlement de ses cordes, ne permet pas de nuancer les sons. Mais ses deux claviers d'intensité différente, peuvent, grâce à des tirants et à des pédales, subir des modifications de timbre, s'accoupler ou se séparer. Ces différentes et nombreuses combinaisons offrent ainsi à l'exécutant toute une gamme de ressources propres à l'instrument.

Les Anglais utilisaient jusqu'au XVIIe siècle un instrument de forme très réduite, *le virginal* qui s'apparente au clavecin.

Le clavecin occupe parmi les instruments de musique une place importante. De très nombreux compositeurs ont écrit pour lui. Certes il n'a pas les capacités du piano, mais il a un charme particulier. Jusqu'au milieu du XVIIIe siècle il fut à la fois un instrument accompagnateur et un instrument concertant. Aujourd'hui les pièces écrites pour clavecin sont aussi jouées au piano.

Couperin : *l'Art de toucher le clavecin.*
Bach : *les Concertos brandebourgeois.*
etc.

Principaux clavecinistes :

Le clavecin, le piano et le hammerflugel (piano-forte) sont des instruments très proches les uns des autres. Certains interprètes jouent indifféremment des trois.

Laurence BOULAY (née en 1925, Française).

Huguette DREYFUS (née en 1928, Française).

« Le clavecin, comme toute chose nouvelle, m'a immédiatement passionnée. J'ai toujours aimé la musique romantique, mais déjà je m'intéressais à la musique baroque ; je connaissais Bach et Scarlatti bien sûr, cependant Rameau et Couperin m'étaient encore fort peu familiers. » Huguette Dreyfus raconte ainsi les débuts de son histoire d'amour avec le clavecin. Histoire fructueuse puisqu'elle allait collaborer avec Paul Kuentz, avec Edward Melkus et interpréter les chefs-d'œuvre connus ou inconnus de Haydn, de Bach, de Leclair, de Rameau, de Corelli...

Kenneth GILBERT (né en 1932, Canadien).

Ralph KIRKPATRICK (né en 1911, Américain).

Wanda LANDOWSKA (1877-1959, Française d'origine polonaise).

Gustav LEONHARDT (né en 1928, Néerlandais).

Raymond LEPPARD (né en 1927, Anglais).

Rafaël PUYANA (né en 1931, Colombien).

Souvent considéré comme l'égal de Wanda Landowska « Puyana détient au plus haut degré l'instinct d'une musique souple, vivante, aérée » (*Le Figaro*). Son répertoire va de la musique baroque à l'époque moderne.

Zuzana RUZICKOVA (n. c., Tchèque).

Blandine VERLET (née en 1942, Française).

« La nouvelle étoile du clavecin français » (*Combat*). Ses compositeurs préférés : Couperin, Frescobaldi, Bach, Haendel, Scarlatti et Rameau.

Robert VEYRON-LACROIX (né en 1926, Français).

Le PIANO est l'instrument roi. A lui tout seul il est un petit orchestre. Dès le IXe siècle on trouve un instrument s'apparentant quelque peu au piano. Au XVIe siècle, contemporain donc du clavecin, apparut *le clavicorde*. Celui-ci possède un clavier dont chaque touche actionne un marteau qui vient frapper la corde. Les clavicordes ont eu différents noms : *clavicembalum*, *manichorde*, ou *manicordion*.

Le mot piano est une abréviation de *piano-forte*. Il est le premier instrument à clavier et à cordes frappées, capable de nuances du piano au forte. C'est vers 1711, que le moine florentin Bartolomeo Cristofori mit au point le premier piano à marteaux. Dès 1730, le piano-forte se répandant à travers l'Europe devint un concurrent sérieux du clavecin. Mais avant de devenir ce qu'il est aujourd'hui, il devait subir une longue évolution. Le premier facteur à le transformer sensiblement fut un Allemand nommé Silbermann que J. S. Bach encouragea, après avoir hésité un certain temps avant de reconnaître dans le piano « l'instrument sans fautes ».

Il est intéressant de noter que les grands facteurs — l'Anglais John Broadwood, Camille Pleyel, l'ami de Chopin, la famille Erard qui protégea Liszt — ont eu dans l'histoire de la musique une place plus importante qu'on ne pourrait s'y attendre. A l'écoute des désirs et des aspirations des compositeurs de leur époque, ils ont donné au piano, chacun à leur tour, des possibilités nouvelles qui ont excité les capacités créatrices des artistes.

Un piano se compose de quatre éléments distincts : le bloc instrumental, la mécanique, le clavier et le meuble. Les caractéristiques du piano moderne sont : un cadre en fonte aciérée, des cordes métalliques croisées, des marteaux en feutre. La pièce essentielle est la table d'harmonie, ou table de résonance, généralement en bois d'épicéa. Les touches noires sont en ébène, les blanches en ivoire ; chacune commande un marteau. L'étendue du piano est de sept octaves un quart.

Piano

Le piano est plutôt un instrument soliste. Le nombre immense de pièces pour piano seul en témoigne. Pratiquement tous les grands compositeurs ont écrit pour lui :

de Haydn à Schönberg, en passant par Mozart, Chopin et Liszt. Le piano accompagne la voix humaine et il s'associe à d'autres instruments, en général à cordes, pour la musique de chambre. Il occupe aussi la première place dans les œuvres concertantes.

Principaux pianistes :

Devant le nombre très important de pianistes, nous les avons classés en trois groupes distincts : les grands anciens, la génération moyenne, la jeune génération.

Les grands anciens :

Claudio ARRAU (né en 1903, Chilien).
Virtuose de qualité, mal connu et étrangement boudé du public français. Et pourtant « Arrau est le dernier représentant de la lignée beethovenienne » (*Harmonie*).

Stefan ASKENASE (né en 1886, Belge).
Wilhelm BACKHAUS (1884-1969, Allemand).

Robert CASADESUS (1899-1972, Français).

Alfred CORTOT (1877-1962, Français).
Nombreuses sont ses interprétations qui font encore référence.

Edwin FISCHER (1886-1960, Suisse).
On cherche à l'imiter. Ses versions des plus grands chefs-d'œuvre seront-elles un jour surpassées ?

Walter GIESEKING (1895-1956, Allemand).
Merveilleux dans Mozart, dans Debussy et dans bien d'autres compositeurs, ses versions font toujours référence.

Clara HASKIL (1895-1960, Roumaine).
La grandeur de Clara Haskil repose sur l'exceptionnelle sensibilité musicale dont elle témoignait, sur le don qu'elle avait de faire part des expressions les plus subtiles par le biais d'une technique dont la clarté était presque lumineuse.

Wladimir HOROWITZ (né en 1904, Américain d'origine russe).
Celui qu'on a surnommé le « Paganini » au piano est sans conteste l'un des tous premiers virtuoses vivants sinon le plus grand. « Il joue, déclarent ses admirateurs, comme personne n'a, sans doute, jamais joué, même pas Liszt. » Le succès vint à lui tout naturellement, d'abord en Europe, puis aux Etats-Unis. Rubinstein, lorsqu'il l'entendit pour la première fois à Carnegie Hall, voulut abandonner le piano, incapable, croyait-il, de pouvoir seulement approcher la maîtrise du jeune soliste.

Un certain nombre de concerts historiques ont jalonné la carrière de Wladimir Horowitz. Mais celui-ci devait cesser de se produire en public en 1953. C.B.S. installa alors, au domicile même du virtuose un système d'enregistrement automatique qui nous permet ainsi d'apprécier — sur disque — le talent du maître.

« Anéantissant par sa présence l'usage de cet instrument plat, sec et ignorant que les compositeurs et trop d'interprètes modernes ont voulu accréditer, Horowitz plus que tout autre artiste de ce siècle, a exalté dans le piano la fantastique expression de toutes les puissances intérieures et c'est l'univers tout entier qui sous ses doigts résonne » Jacques Lonchampt.

Wilhelm KEMPFF (né en 1895, Allemand).

Une carrière commencée à vingt ans et menée toute une vie de passion pour la musique. Merveilleux virtuose, au niveau des plus grands ; ses interprétations de Beethoven sont parmi les meilleures.

Lili KRAUS (née en 1905, Anglaise d'origine hongroise).

Yvonne LEFEBURE (née en 1904, Française).

Dinu LIPATTI (1917-1950), Roumain).

Marguerite LONG (1874-1966, Française).

Liée par l'amitié à Ravel, à Debussy et à Fauré, en particulier, elle a été l'interprète passionnée et inspirée de leurs œuvres. Professeur remarquable, elle a formé toute une génération de jeunes pianistes par l'étude d'un répertoire qui allait de Bach à Ravel en passant par Liszt et Mendelssohn.

Gerald MOORE (né en 1899, Anglais).

Célèbre accompagnateur des plus grandes voix.

Yves NAT (1890-1956, Français).

Le pianiste beethovenien par excellence.

Ignacy Jan PADEREWSKI (1860-1941, Polonais).

Sergueï RACHMANINOV (1873-1943, Russe).

Arthur RUBINSTEIN (né en 1886, Américain d'origine polonaise).

Un immense talent et une complicité humaine qui le rend encore plus attachant. Rubinstein c'est bien sûr ce toucher merveilleux ; c'est aussi ce visage aux yeux rieurs et cette éclatante chevelure blanche.

Arthur SCHNABEL (1882-1951, Autrichien).

Rudolph SERKIN (né en 1903, Américain d'origine tchèque).

Merveilleux virtuose qui débuta avec le quatuor Busch.

Génération moyenne :

Geza ANDA (1921-1976, Suisse d'origine hongroise).

Paul BADURA-SKODA (né en 1927, Autrichien).

Lazar BERMAN (né en 1930, Russe).

Formé par les difficiles tournées dans les provinces de l'U.R.S.S., Berman, « bon gros ours à la démarche chaloupée » possède un jeu extrêmement fin et une maîtrise que rien ne peut faire dévier.

Son nom était totalement inconnu en 1976 lorsqu'une tournée à travers les Etats-Unis le rendit du jour au lendemain célèbre.

Youry BOUKOFF (né en 1923, Français).

Alfred BRENDEL (né en 1931, Autrichien).

Longtemps ce Viennois resta un homme sans visage, malgré l'éclectisme de son choix (de Haydn à Schönberg) et de très nombreux enregistrements dans des séries économiques (Vox). Lorsqu'enfin son regard de myope, plein d'humour, de sérieux et de simplicité, devint familier derrière les verres épais de ses lunettes, Alfred Brendel avait à juste titre conquis le public que son talent méritait. Comme le note justement André Tubeuf, « on avait reconnu dans le toucher profond, charnu, incarné absolument, si illuminé pourtant de spiritualité, le maître disparu, et qui n'a guère d'autre héritier aujourd'hui, Edwin Fisher ».

Aldo CICCOLINI (né en 1925, Italien naturalisé français).

La musique, pour Ciccolini, Français de cœur et d'adoption, est d'abord l'expression d'une mystique.

France CLIDAT (n. c., Française).

Spécialiste de l'œuvre de Franz Liszt dont elle est une des meilleures interprètes au monde. Elle a obtenu pour *l'Intégrale pour piano* de ce compositeur le Grand Prix de l'Académie du Disque Français.

Gyorgy CZIFFRA (né en 1921, Hongrois naturalisé Français).

« A travers Cziffra, les dieux de la musique deviennent immédiatement les créateurs du monde » René Huyghes. Extraordinaire technicien, ce virtuose est capable de surmonter les difficultés les plus terribles. A son crédit, il faut aussi porter un sens profond de l'humanité.

Samson FRANÇOIS (1924-1970, Français).

« Qu'il joue Debussy, Chopin ou Prokofiev, c'est-à-dire des hommes et des œuvres bien différents, Samson François leur accorde son don suprême : cette souplesse féline, cette intimité sensuelle de la touche et de la pulpe du doigt, cette langueur enchanteresse que rompent des sursauts nerveux... » Bernard Gavoty.

Emil GUILELS (né en 1916, Russe).

Friedrich GULDA (né en 1930, Autrichien).

Ingrid HÄBLER (née en 1926, Autrichienne).

Byron JANIS (né en 1928, Américain).

Julius KATCHEN (1926-1969, Américain).

Arturo BENEDETTI MICHELANGELI (né en 1920, Italien).

Enfant terrible du piano, sportif, coureur automobile, Michelangeli est l'un des tous premiers virtuoses au monde. Il est cependant préférable d'acheter ses disques que d'aller écouter en concert, car il a la fâcheuse habitude de les annuler les uns après les autres, quelques heures seulement avant le début de la représentation, sans même donner de raison. Cela n'empêche pas les réservations d'être complètes à peine le concert annoncé. On pardonne beaucoup à ceux qui donnent beaucoup.

Sviatoslav RICHTER (né en 1914, Russe).

« La rigueur, la coordination, la discipline, l'harmonie, l'autorité et la maîtrise : voilà la liberté ! Chez un artiste de la classe de Richter, deux ou trois digressions rythmiques ont plus de portée, sont plus expressives que des centaines de libertés rythmiques prises par un pianiste qui ne possède pas le véritable sens de l'équilibre », Heinrich Neuhaus, son professeur à Moscou.

Daniel WAYENBERG (né en 1929, Néerlandais).

Alexis WEISSENBERG (né en 1929, Français).

Elève d'Arthur Schnabel, de Wanda Landowska, et de la Juillard School de New York, Weissenberg fit ses débuts en 1947 au Carnegie Hall avec l'Orchestre Philharmonique de New York sous la direction de George Szell. Depuis, il n'a cessé de jouer avec les meilleurs chefs (Karajan, Celibidache, Ozawa, Prêtre, etc.) et avec les plus grands orchestres du monde.

Weissenberg, chaque fois qu'il aborde une œuvre « repart à zéro » et apporte une vision nouvelle et très personnelle. Certains lui reprochent un jeu sec, excessivement technique, presque glacial ; il est certain que Weissenberg rejette tout romantisme factice.

La jeune génération :

Martha ARGERICH (née en 1942, Argentine).

Les femmes virtuoses de tout premier plan sont assez rares. Raison de plus pour parler de Martha Argerich qui fait parfois penser à Clara Schumann. Superbe à tous les niveaux, d'une personnalité volontaire et passionnée, elle n'est pas — loin de là — une simple exécutante. Elle participe à la musique qu'elle joue, elle est présente à chaque note.

« Tout m'intéresse, déclare-t-elle. A l'âge de huit ans, j'ai su que je serais musicienne en écoutant à Buenos

Aires le quatrième concerto de Beethoven. Mais Debussy et Schumann sont mes préférés, et Bach et Chopin sont uniques. Il est ridicule de se spécialiser. Quant on a atteint l'âge, la science, le génie d'un Rubinstein on peut se consacrer à un compositeur d'élection, pas avant. »

Daniel BARENBOIM (né en 1942, Israélien).

Michel BEROFF (né en 1951, Français).

Stephen BISHOP (n. c., Anglais).

Jean-Philippe COLLARD (né en 1948, Français).

Issu des Jeunesses Musicales de France, Jean-Philippe Collard obtint à seize ans, le premier prix du Conservatoire de Paris. Un toucher fin, nuancé permet d'espérer le meilleur de ce jeune pianiste qui eut l'occasion de jouer avec l'orchestre de San Francisco, Seïji Ozawa au pupitre.

Philippe ENTREMONT (né en 1934, Français).

Elève de Marguerite Long, ce pianiste a joué sous la direction des plus grands chefs (Bernstein, Krips, Munch, Boulez) un répertoire très vaste, puisqu'il va des classiques à Stravinski et à Marius Constant.

Christoph ESCHENBACH (né en 1940, Allemand).

L'un des meilleurs instrumentistes de la jeune génération allemande. Totalement occupé par la musique, il a comme il le dit lui-même « discipliné sa vie pour elle ». Dans sa maison de Hambourg, et quand il n'est pas en tournée, trois pianos Steinway sont à sa disposition.

Bruno GELBER (né en 1941, Argentin).

Glenn GOULD (né en 1932, Canadien).

Extraordinaire technicien, cet « avant-gardiste » du piano décida à trente-deux ans de se retirer de la vie publique et de ne plus donner de représentation publique. Son idée est que le concert n'a plus de sens aujourd'hui, et que la communication se fait mieux grâce à un support technologique. Glenn Gould se consacre donc à l'enregistrement en studio, dont il contrôle tous les éléments (de l'enregistrement au montage).

Le résultat peut paraître quelquefois froid, excessivement technique et mécanique. Il n'empêche que Gould a le mérite d'avoir introduit une dimension nouvelle que personne ne peut lui dénier. « Glenn Gould est un pianiste unique au monde, aucun autre ne peut lui être comparé » écrivait en 1955 le critique du *Washington Post*. Le public américain et canadien attend la sortie de ses disques avec impatience.

Le magnétisme charmeur de Glenn Gould révélé par les quatre émissions que la première chaîne de télévision lui consacra, enthousiasma le public français qui le lendemain se précipitait pour acheter ses enregistrements.

Eric HEIDSIECK (né en 1936, Français).

Zoltan KOCSIS (né en 1952, Hongrois).

Maria-Joaô PIRES (n. c., Espagnole).

Maurizio POLLINI (né en 1941, Italien).

Lorsqu'à dix-huit ans, en 1960, Mauricio Pollini décrochait le premier prix au concours Chopin de Varsovie, Rubinstein déclara : « il joue mieux qu'aucun d'entre nous ». Mais le jeune artiste renonça alors provisoirement à une carrière de virtuose pour travailler et mûrir sa vision des œuvres. Il est considéré aujourd'hui comme un des tous premiers pianistes au monde. Aussi à l'aise dans Chopin que dans Schönberg, il enregistre peu, mais chacun de ses disques est un événement.

Jean-Bernard POMMIER (né en 1944, Français).

Excellent soliste qui a joué sous la direction des plus grands, Jean-Bernard Pommier a une prédilection pour la musique de chambre. Malheureusement sa discographie n'est pas assez abondante et l'on attend avec impatience de pouvoir entendre son interprétation des sonates pour piano de Mozart et du clavier bien tempéré de Bach.

Dezso RANKI (né en 1952, Hongrois).

Bruno RIGUTTO (n. c., Français).

Elève de Marguerite Long, il obtint en 1965 un des premiers prix au Concours International Marguerite Long-Jacques Thibaud. Bernard Gavoty devait dire de lui : « Du plus sincère de moi-même, je crois qu'il ira loin. »

En France, il a joué comme soliste avec les Orchestres de Radio-France, avec l'Orchestre de Paris, etc. Il joue aussi dans différentes formations de chambre et forme avec Jean-Pierre Wallez un duo piano-violon.

Gabriel TACCHINO (né en 1934, Français).

De nature légèrement timide, il ne sait pas se mettre en avant. Mais les mélomanes ne s'y sont pas trompés. Tacchino possède un très beau talent de virtuose que les spectateurs du Palais des Congrès en avril 1976 ont eu l'occasion d'apprécier pour son interprétation du concerto en fa de Gershwin avec l'Orchestre de Paris.

INSTRUMENTS A VENT

On distingue deux catégories d'instruments à vent :

A) Les instruments en bois, qui ont un timbre plutôt doux.

B) Les instruments en cuivre, qui ont un son clair et éclatant.

A) **Instruments en bois.**

L'ancêtre des instruments en bois est le tube de roseau percé de trous qu'on appelait *chalumeau.* En se compliquant à travers les années, il devint la flûte et le hautbois. Les anciens *cornets,* appelés parfois *serpents* en raison de leur forme en « S », sont aussi de la même famille.

La FLUTE. Les Grecs attribuaient au dieu Pan la paternité de la flûte. *La flûte de Pan* se composait d'un assemblage de plusieurs roseaux de longueurs différentes dans lesquels le musicien soufflait, chaque roseau donnant un son propre. C'est cette flûte qui fut la cause de la déchéance du roi Midas qui avait préféré la flûte de Pan à la lyre d'Apollon. Apollon, irrité, dota Midas de deux oreilles d'âne.

La flûte est d'un principe très simple : c'est un tube cylindrique percé de trous. Elle est aujourd'hui soit en métal, soit en bois. La flûte dite de « Boëhm » est percée de trous qui sont bouchés et débouchés par un système de clefs.

Flûte traversière

On distingue les *flûtes à bec* et les *flûtes traversières* ainsi appelées parce que l'instrumentiste doit les tenir « en travers ».

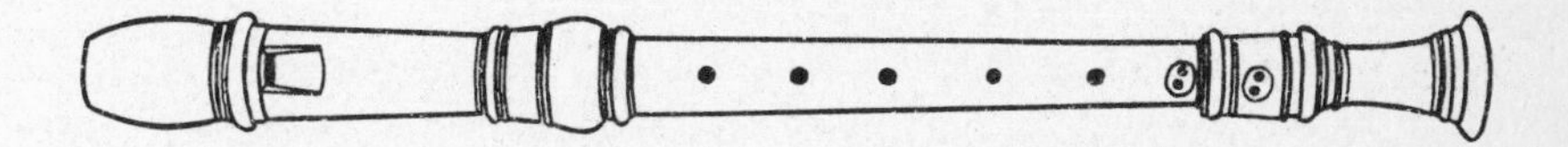

Flûte à bec

Flûte traversière ancienne

De tous les instruments à vent, la flûte est le plus agile, et celui qui permet le mieux les combinaisons de notes rapides.

La petite flûte, ou PICCOLO sonne à l'octave supérieure de la grande. C'est dans l'orchestre l'instrument le plus aigu.

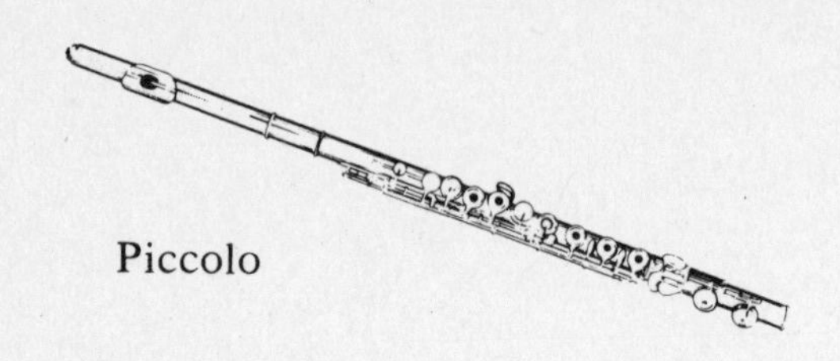

Piccolo

Bach : *Sonates pour flûte et clavecin.*
Mozart : *Les trois concertos pour flûte et orchestre.*
La flûte enchantée.
Telemann : *Sonates pour flûtes.*
Sonates pour flûtes à bec.
etc.

Principaux flûtistes :

Roger BOURDIN (1923-1976, Français).

Michel DEBOST (né en 1934, Français).

Severino GAZZELLONI (né en 1919, Italien).

Christian LARDE (né en 1930, Français).

Maxence LARRIEU (né en 1934, Français).
Flûte solo de l'Orchestre de l'Opéra de Paris, Maxence Larrieu fut l'élève de Jean-Pierre Rampal. Il participe régulièrement aux Festivals de Menton, d'Aix, de Salzbourg, etc. « C'est un brillant virtuose, mais aussi un artiste fin et sensible » (*La Tribune de Genève*).

Hans Martin LINDE (né en 1930, Allemand).

Aurèle NICOLET (née en 1926, Suisse).

Jean-Pierre RAMPAL (né en 1922, Français).
Le flûtiste mondial. Avec lui tout le monde y gagne, le compositeur, l'œuvre, le mélomane et l'instrument qu'il sert.

Le HAUTBOIS. Le hautbois est composé d'un tuyau conique à l'embouchure duquel se trouvent deux morceaux de roseau, collés ensemble, appelés « anches » et entre lesquels passe le souffle de l'exécutant. L'anche peut aussi être en métal. Son ancêtre le plus direct est *la bombarde.* Au XIVe siècle, il existait des hautbois de toutes tailles. Ils servaient principalement pour la musique militaire. Le hautbois ne fit son entrée à l'orchestre qu'au XVIIe siècle.

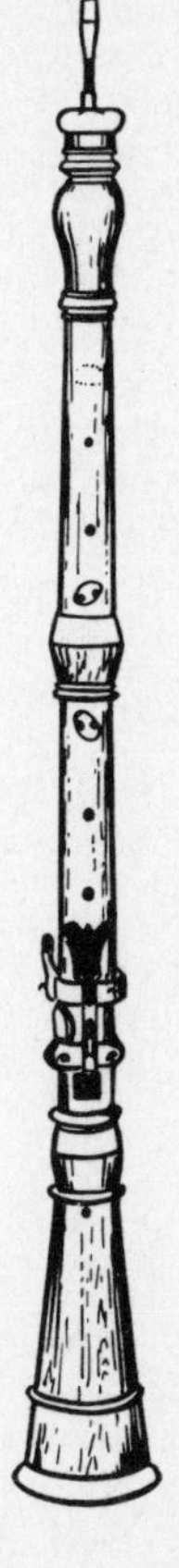

Hautbois ancien

Il est en bois d'ébène ou de cèdre. Boileau en fit le symbole de la poésie pastorale. Il a en effet une sonorité simple et presque naïve. Mais il est aussi d'une grande puissance et facile à reconnaître dans les tutti (lorsque tous les instruments jouent).

Albinoni : *Concertos pour hautbois.*
etc.

Les autres instruments à anche sont le cor anglais, la clarinette et le basson.

Le COR ANGLAIS. Le cor anglais est un gros hautbois grave qui sonne une quinte au-dessous du hautbois ordinaire, mais en fa. Il a un tube plus long et plus important, légèrement recourbé. Son pavillon se termine en boule. L'origine de son nom reste inexpliquée.

Wagner : *Solo dans l'acte III, scène I, de Tristan et Isolde.*
etc.

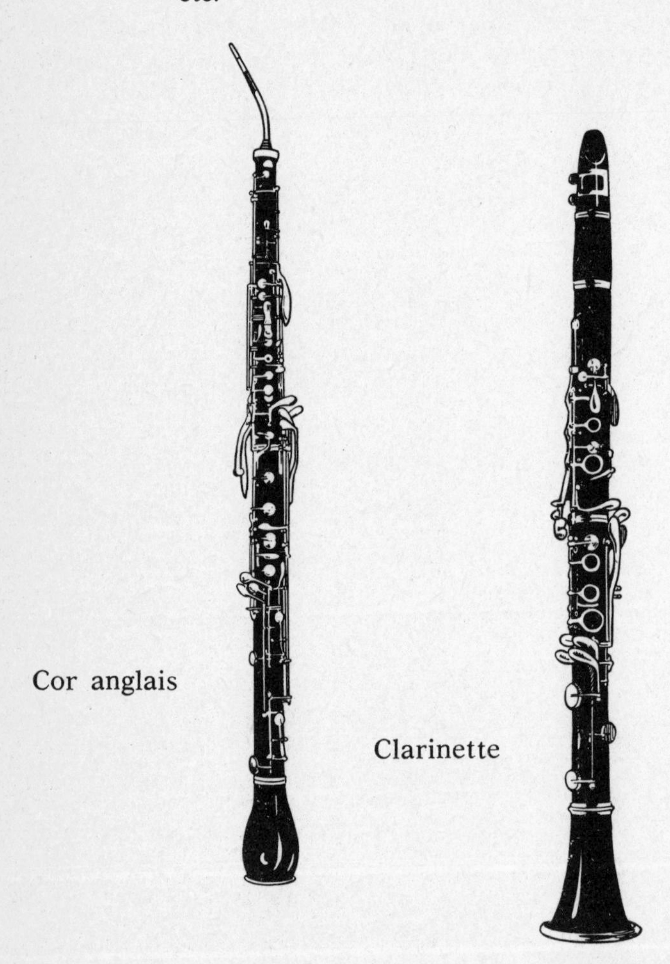

Cor anglais

Clarinette

La CLARINETTE. La clarinette date seulement de 1690. Elle n'a fait son apparition à l'orchestre que vers la fin du

XVIIIe siècle. Sa sonorité est très brillante. Il existe des clarinettes de plusieurs tons, grâce à différents corps de rechange. Aujourd'hui on emploie surtout la clarinette en la et celle en si bémol ou *clarinette basse*.

Mozart : *Concerto pour clarinette et orchestre.*
Prokofiev : *Pierre et le loup.*
etc.

Le BASSON. Le basson fut inventé vers 1525 par un moine italien, Alfranio. Destiné à remplacer le hautbois basse, il a un son étouffé, sauf dans les notes graves. Il est composé de trois pièces qui s'ajustent et se démontent. Le surnom de *fagotto* donné par les Italiens provient de ce que son tuyau, long de deux mètres, est replié sur lui-même et lui donne ainsi l'allure d'un fagot.

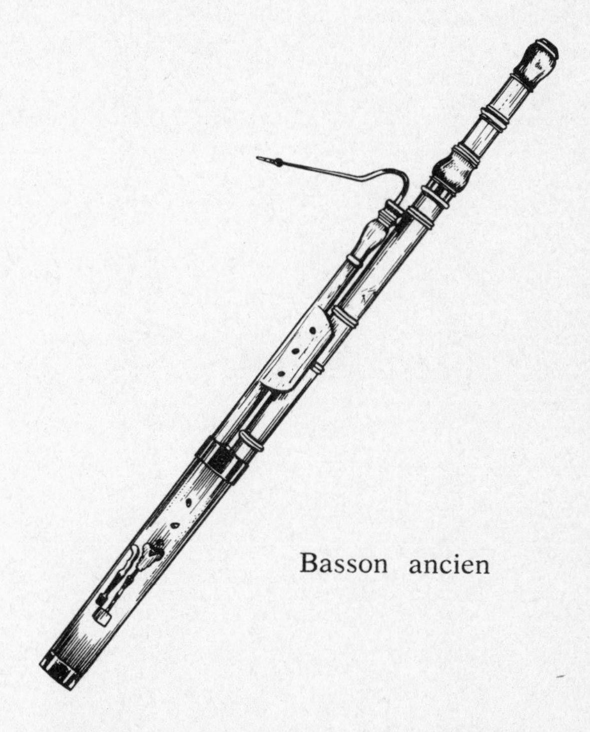

Basson ancien

Vivaldi : *Concertos pour bassons et cordes.*
Mozart : *Concerto pour basson et orchestre.*

Le contrebasson est un gros basson qui sonne un octave plus bas. Il est parfois en métal et porte alors le nom de *sarrusophone*.

B) **Instruments en cuivre.**

Le SAXOPHONE. Le saxophone est aussi un instrument à anche, mais il est d'une invention beaucoup plus récente puisqu'il fut créé par Adolphe Sax en 1856.

Saxophone

Instrument en cuivre, le saxophone est basé sur les mêmes principes que le hautbois et la clarinette. Il existe différentes sortes de saxo : saxophones basse, baryton, ténor, alto, soprano, sopranino.

Le COR. Le cor est formé d'un tube conique contourné en spirale et terminé par une partie évasée, le pavillon. Il est le type même des instruments à vent à embouchure.

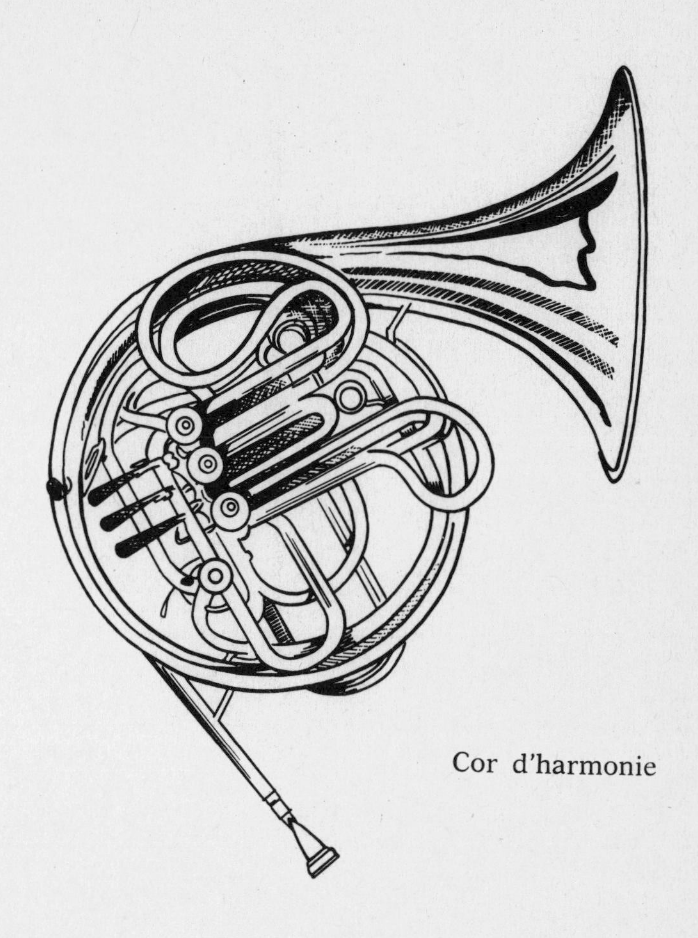

Cor d'harmonie

Les cors actuels que l'on trouve à l'orchestre sont munis de clés, appelées pistons. Ainsi l'on peut jouer toutes les notes. Le cor à pistons peut exister dans plusieurs tons ; mais aujourd'hui on ne se sert pratiquement que du cor en fa.

A son origine, on trouve sans doute l'un des plus vieux instruments du monde. La mythologie nous apprend ainsi que le dieu Triton attaqué par des géants redoutables les mit en fuite en soufflant dans une conque marine. Le berger qui soufflait dans une corne pour rassembler son troupeau se servait d'un *olifant,* ancêtre de notre cor. Roland à Roncevaux tirait ses appels d'un olifant sculpté dans l'ivoire. Au Moyen Age, le cor se fit en cuivre et servait surtout pour la chasse. Sa sonorité est très belle et très émouvante.

Haydn : *Concertos pour cor et orchestre.*
R. Strauss : *Concerto pour cor et orchestre.*
etc.

La TROMPETTE. La trompette possède un tuyau long et étroit qui s'élargit à l'ouverture. Elle est un perfectionne-

Trompette

ment de la simple trompette de cavalerie, qui ne possède pas de piston. A l'orchestre, elle est surtout chargée de donner des tonalités éclatantes et victorieuses.

Primitivement les trompettes étaient droites ; elles atteignaient ainsi parfois un mètre cinquante. Au XVIe siècle, on eut l'idée de replier le tuyau.

Ne pas confondre avec la *trompette marine* qui est un instrument à une corde et à archet.

Telemann : *Concerto pour trompette et orchestre.*
Hummel : *Concerto pour trompette et orchestre.*

Principaux trompettistes :

Maurice ANDRE (né en 1933, Français).
Où Maurice André va-t-il chercher son souffle ? Peut-être dans son amour pour la musique et le répertoire qu'il sert avec un extraordinaire talent.

André BERNARD (né en 1946, Français).
André Bernard joue en particulier avec l'Orchestre Jean-François Paillard et se produit souvent en récital « trompette et orgue ». « Et pourquoi ce jeune trompettiste ne choisirait-il pas d'affronter le grand Maurice André sur son propre terrain ? Ce qu'il fait est très beau, très brillant, mais aussi avec beaucoup de raffinement, d'élégance, d'émotion » (*Télérama*).

Adolph SCHERBAUM (n. c. Allemand).

Le TROMBONE. Le trombone est une grosse trompette. Au Moyen Age il servait à soutenir les voix.

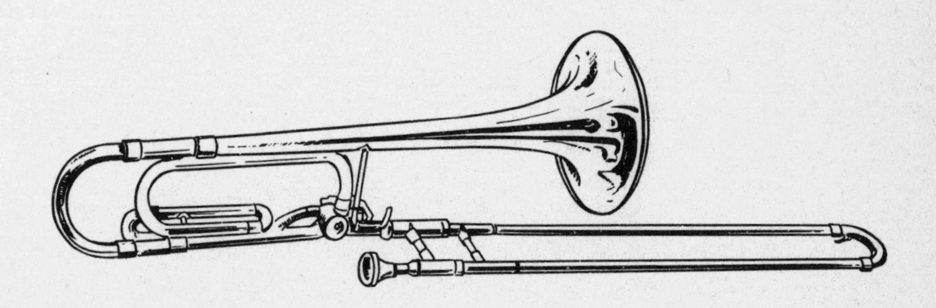

Trombone

Les trombones que l'on trouve aujourd'hui à l'orchestre sont à coulisse. L'une des parties du tuyau est mobile, permettant ainsi d'allonger ou de raccourcir le tube, pour donner la note. On se sert surtout du trombone ténor.

Il existe d'autres instruments qui s'apparentent aux précédents :

— *Le tuba* ou saxhorn qui est un trombone basse à piston.

Tuba

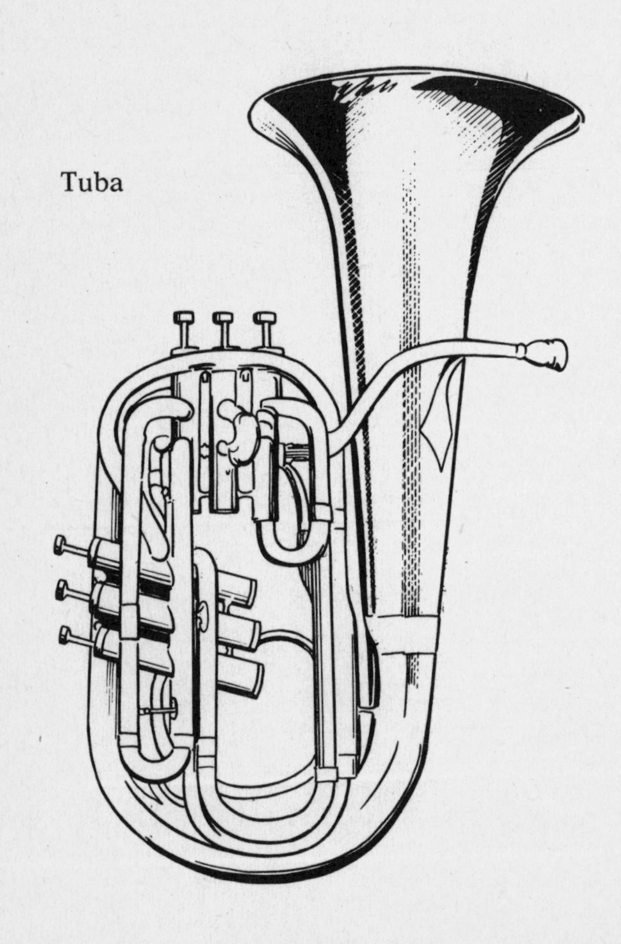

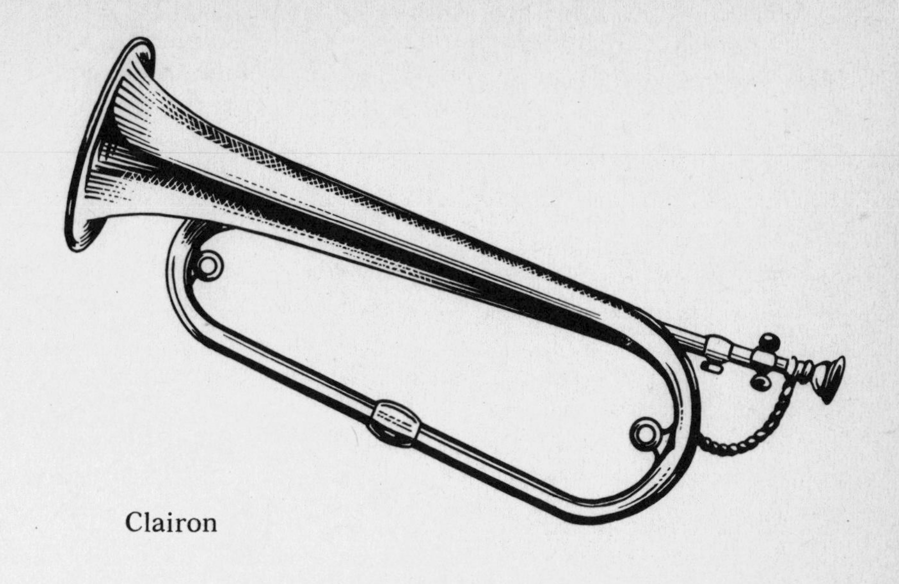

Clairon

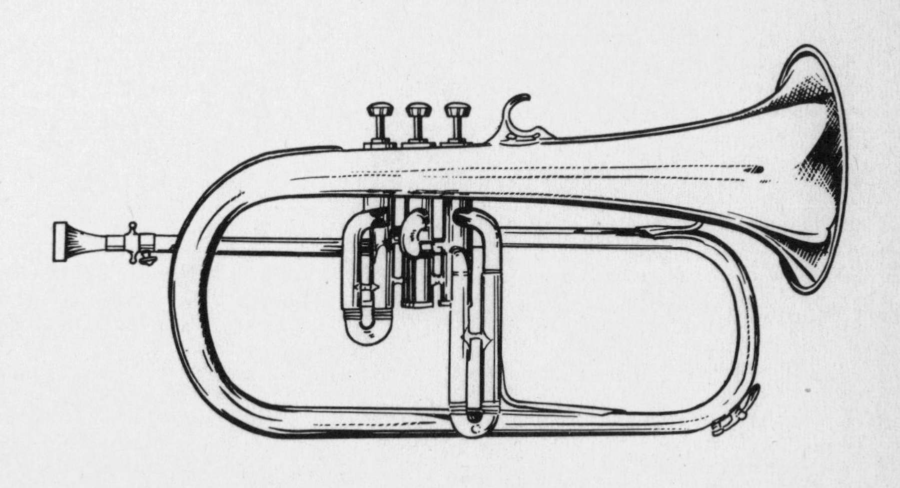

Bugle

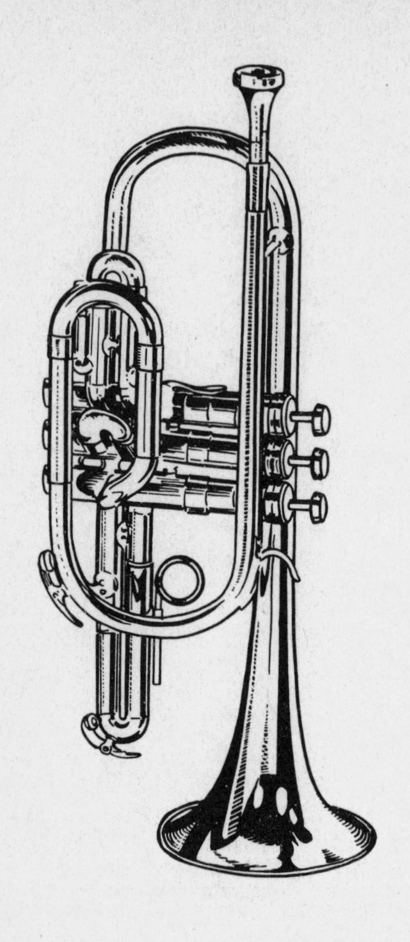

Cornet à pistons

— *Le clairon,* petite trompette qui sert dans les harmonies militaires.

— *Le cornet à pistons, le bugle...*

C) **L'ORGUE.**

L'orgue est un instrument à vent et à clavier. Il est composé d'une série de tuyaux rigides, de forme et de taille différentes. Les uns sont des flûtes et produisent

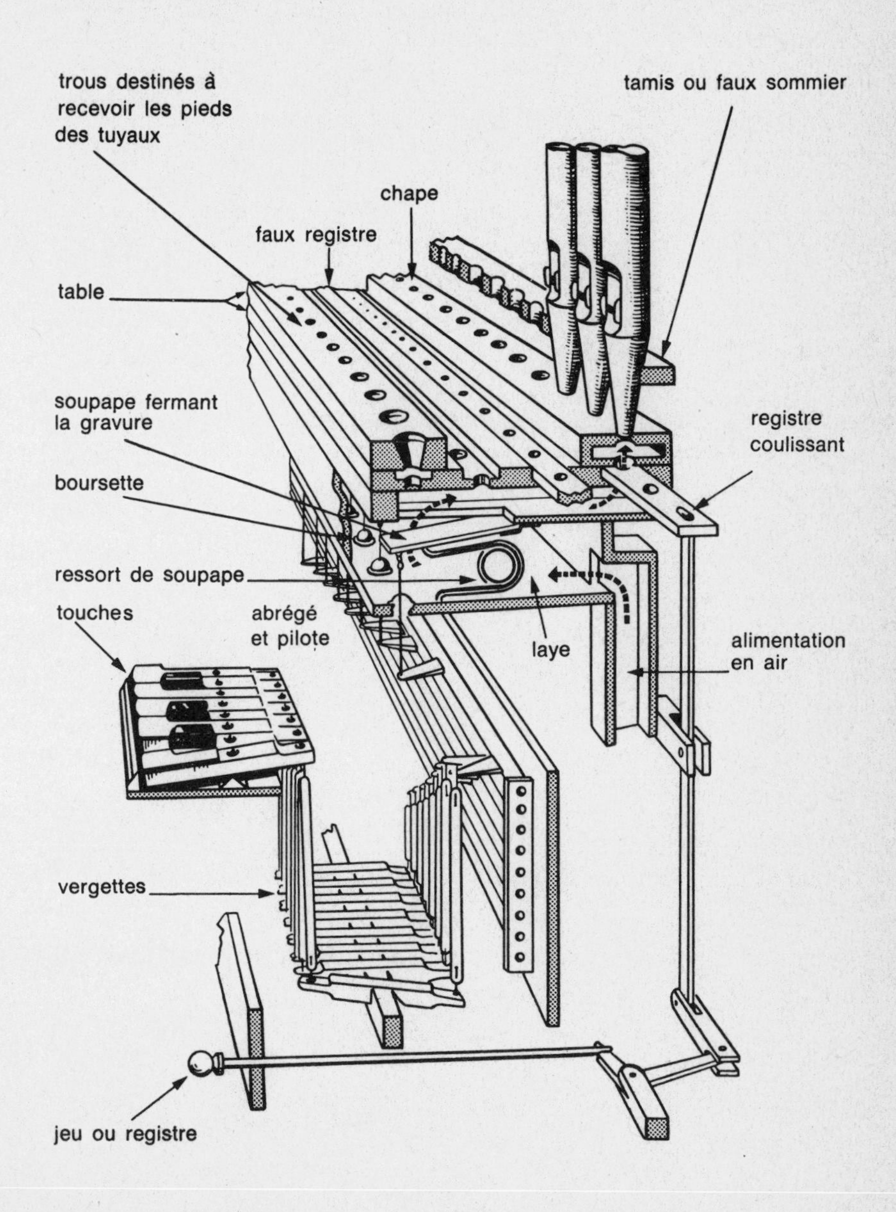

les jeux de fond, les autres des clarinettes ou des clarinettes-hautbois et produisent des jeux d'anche. Ces tuyaux sont en communication avec un clavier dont chaque touche actionne une soupape ouvrant ou fermant le tuyau. Quand la pression du doigt sur la touche fait ouvrir la soupape, l'air emmagasiné dans l'intérieur d'un énorme soufflet, se précipite dans le tuyau et produit le son.

Un « jeu » est l'ensemble des tuyaux semblables entre eux et qui fournissent des sons de même timbre. Chaque jeu est donc en lui-même un instrument. Certaines orgues peuvent posséder plus de cent jeux.

L'orgue a été connu des Romains. Il s'est répandu en Europe à partir du IXe siècle. Il servait à soutenir le chant à l'église, mais il n'avait alors que huit ou quinze tuyaux. Au XIVe siècle presque toutes les grandes cathédrales en furent pourvues. Les grandes orgues modernes comportent jusqu'à dix mille tuyaux.

La majesté de l'instrument, le caractère grandiose qu'il impose immédiatement, l'atmosphère mystique qu'il dégage justifient sa popularité.

Bach : *Chorals.*
Grands Préludes et Fugues.
etc.
Haendel : *Concertos pour orgues et orchestre.*
Widor : *Toccata.*
etc.

Principaux organistes :

Marie-Claire ALAIN (née en 1926, Française).
Un travail minutieux, généreux, exemplaire sur l'œuvre de J.-S. Bach.

Michel CHAPUIS (né en 1930, Français).

Pierre COCHEREAU (né en 1924, Français).
Titulaire du grand orgue de Notre-Dame de Paris, « Pierre Cochereau est un phénomène sans équivalent dans l'histoire de l'orgue contemporaine » (Marcel Dupré). Excellent improvisateur, il a donné plus de 3 000 concerts et récitals.

Jean GUILLOU (né en 1930, Français).
« Représentant type de ces instrumentistes qui ont fait de l'orgue l'un des instruments les plus créateurs qui soient » (*Le Quotidien de Paris*). Jean Guillou, aussi impro-

visateur et compositeur, est titulaire des grandes orgues de Saint-Eustache à Paris.

André MARCHAL (né en 1894, Français).

Odile PIERRE (n. c. Française).

. Titulaire des grandes orgues de la Madeleine, après Lefébure-Wely, Saint-Saëns et Fauré. « Un jeu clair et ferme, une technique irréprochable, le sens des timbres et un style noble » (Bernard Gavoty).

Karl RICHTER (né en 1926, Allemand).

Helmut WALCHA (né en 1907, Allemand).

Marcel DUPRE (1886-1971, Français).

Maurice DURUFLE (né en 1902, Français).

Bernard GAVOTY (né en 1908, Français).

INSTRUMENTS A PERCUSSION

Les instruments à percussion n'ont pas un son bien déterminé. Ils servent à marquer ou à battre le rythme.

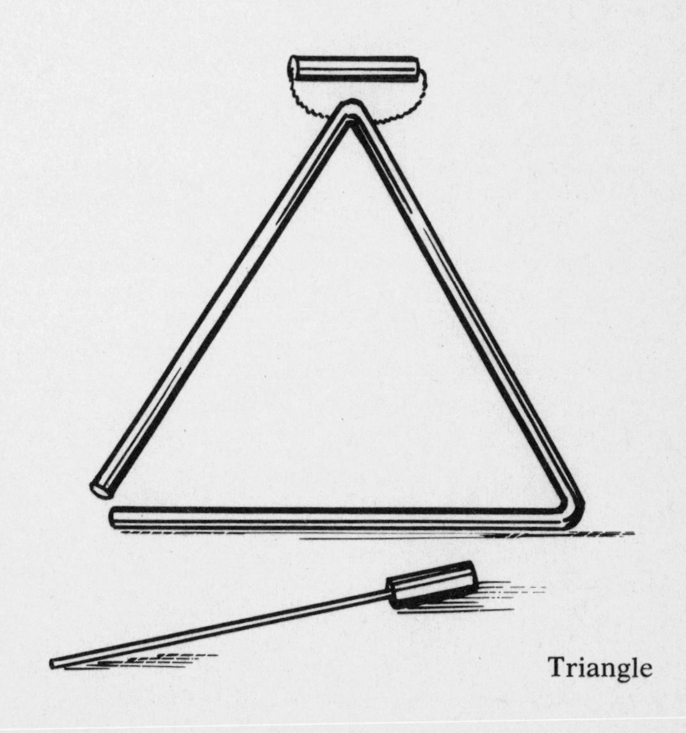

Triangle

Le TRIANGLE, appelé aussi *zistre* est très ancien. Il est composé par une barre d'acier de forme triangulaire que l'on met en vibration à l'aide d'une baguette de même métal. Pour ne pas interrompre ses vibrations, le triangle est suspendu par une cordelette.

Cymbales

Les CYMBALES ont une origine orientale. Ce sont des plaques minces, en bronze ou en cuivre, creusées en leur centre, que l'on frappe l'une contre l'autre. Une courroie permet de les tenir en mains.

La GROSSE CAISSE est un tambour de grande dimension. On le frappe à l'aide d'une mailloche pour souligner, par exemple, un fort crescendo.

Grosse caisse

Le TAMBOUR est à l'origine de la grosse caisse.

Tambour

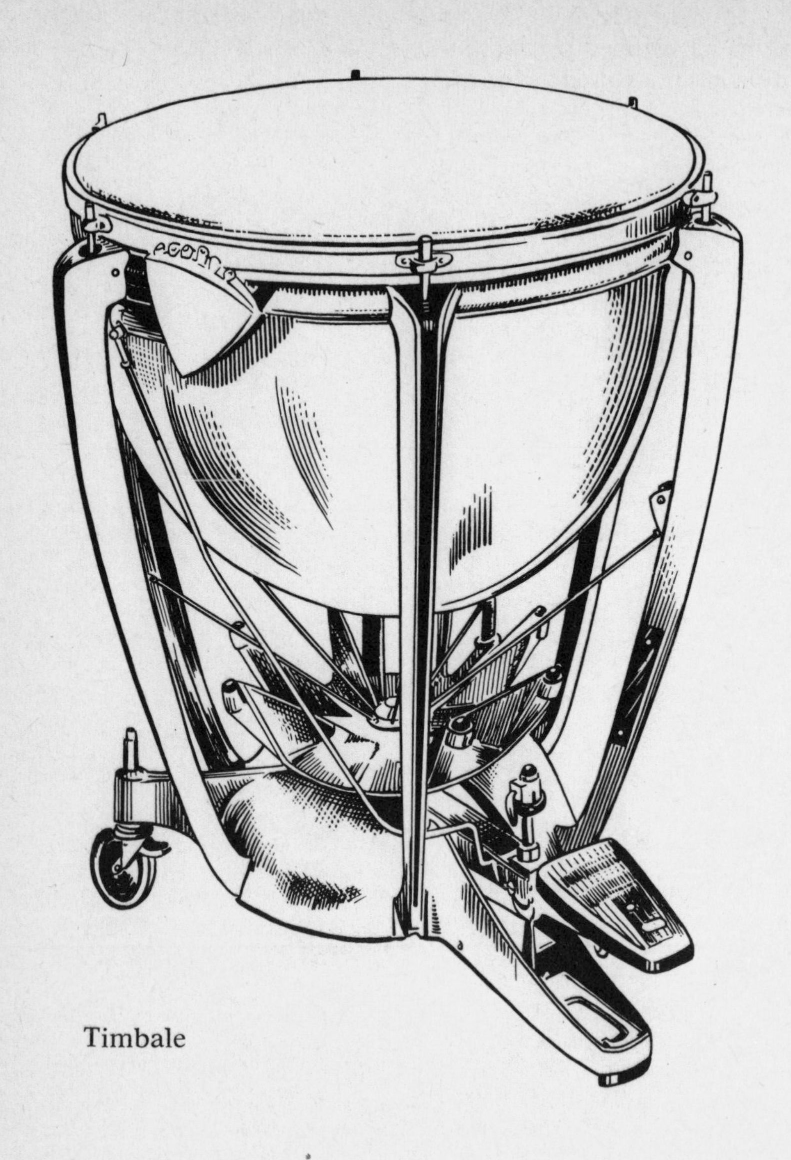

Timbale

Les TIMBALES. On les trouve généralement par paire. Elles sont formées de deux bassins en cuivre de taille différente sur lesquels est tendue une peau au moyen d'un cercle métallique. Celle-ci est mise en vibration grâce à des baguettes. Dans l'orchestre le roulement de timbale exprime à merveille le tonnerre.

Le GLOCKENSPIEL est un petit instrument à clavier dont les marteaux frappent des lamelles métalliques qui produisent un son de clochettes.

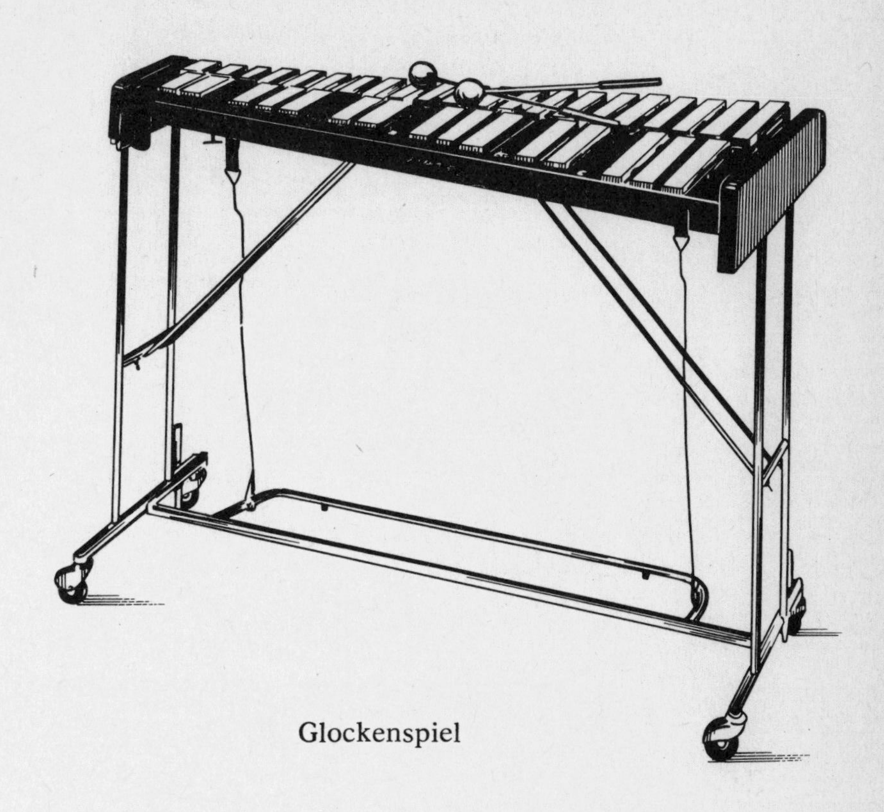

Glockenspiel

Les Percussions de Strasbourg.

« Le groupe instrumental à percussions de Strasbourg » fut créé en 1961 par six percussionnistes formés au Conservatoire de Paris. Leur premier problème fut de trouver des œuvres à exécuter. Leur talent, l'homogénéité de l'équipe rendirent bientôt le répertoire nécessaire. Aujourd'hui, ils jouent plus de soixante-dix œuvres (Barraqué, Xénakis, Amy, Boucourechliev, Messiaen, Boulez, etc.).

EN VEDETTE

Americana (Varèse, Chavez, Cage).
PHI. 1 disque n° 6526017

Xenakis, Persephassa.
PHI. 1 disque n° 6521020

TESSITURE DE QUELQUES INSTRUMENTS DE L'ORCHESTRE

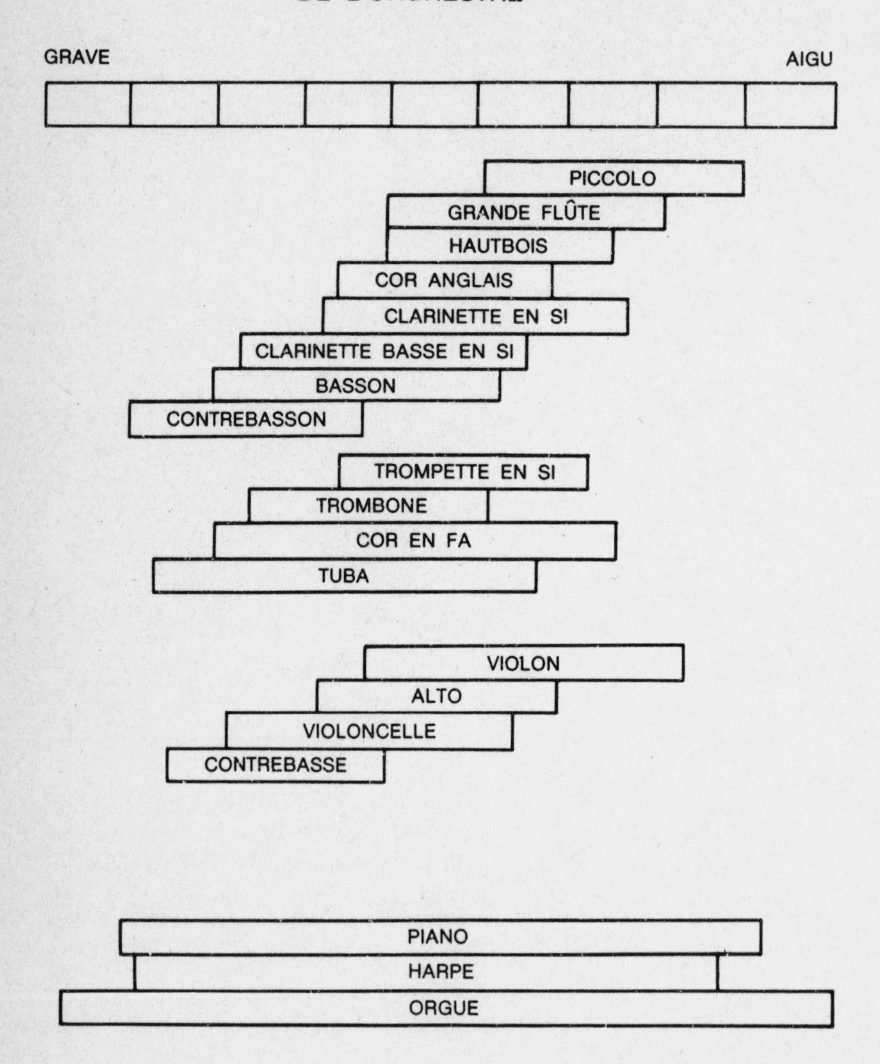

Formations de chambre
et
orchestres symphoniques

Avant que les concerts ne deviennent publics, la musique de chambre se jouait chez les particuliers ; d'où son nom de « musica da camera » qui l'opposait à la « musica da chiesa », ou musique d'église. Aujourd'hui, jouée en concert, elle conserve ce charme particulier, tout de nuances et de finesses qui, parfois, la fait trouver d'un abord difficile.

On distingue : la voix humaine accompagnée d'un instrument (voir : mélodie, lied), les sonates pour un ou deux instruments, le trio, le quatuor, le quintette, le sextuor, le septuor et l'octuor, ce dernier étant déjà en lui-même un petit orchestre à cordes.

I. FORMATIONS DE CHAMBRE

SONATES POUR UN OU DEUX INSTRUMENTS
(voir sonate)

Les compositeurs ont le plus souvent écrit pour le piano, le violon, le violoncelle et la flûte.

Bach :
— *Sonates pour flûte.*
— *Sonates pour viole de gambe et clavier.*
— *Sonates et partitas pour violon seul.*
— *Sonates pour violon et clavier.*

Beethoven :
— *Sonates pour piano.*
— *Sonates pour violoncelle et piano.*
— *Sonates pour violon et piano.*

Mozart :
— *Sonates pour clavier.*
— *Sonates pour violon et clavier.*

Schumann :
— *Sonates pour piano.*

Ravel :
— *Sonates pour violon et piano.*
— *Sonate pour violon et violoncelle.*
etc.

LE TRIO

Un trio est une composition pour trois instruments. La réunion de trois instrumentistes forme un trio.

On rencontre principalement les trios pour :
— violon, violoncelle et piano,
— violon, alto et violoncelle (trio à cordes).

Mais toutes les combinaisons d'instruments sont possibles :
— flûte, alto et harpe,
— violon, flûte et hautbois,
— flûte, clarinette et piano,
— piano, clarinette et violon,
— trois violoncelles,
etc.

Mozart :
— *Trios pour piano, violon et violoncelle.*
Beethoven :
— *Trio à cordes pour violon, alto et violoncelle.*
— *Trio pour deux hautbois et cor anglais.*
— *Trio pour piano, clarinette et violoncelle.*
— *Trio pour piano, flûte et basson.*
— *Trio pour piano, violon et violoncelle.*
Schubert :
— *Trios pour piano, violon et violoncelle.*
Brahms :
— *Trio pour piano, clarinette et violoncelle.*
— *Trio pour piano, violon et cor.*
— *Trios pour piano, violon et violoncelle.*
etc.

Principaux trios :

TRIO A CORDES FRANÇAIS.
TRIO A CORDES DE PARIS.
TRIO DE TRIESTE.
TRIO FONTANAROSA.

Ils n'ont pas eu à chercher loin leurs partenaires, ils sont frères et sœur (Patrice, violon, Renaud, violoncelle et Frédérique, piano). Ils ont reçu le premier prix d'ensemble instrumental dans la classe de Pierre Pasquier au Conservatoire National Supérieur de Musique de Paris. Ils se produisent aussi en sonate piano-violon, piano-violoncelle et duo violon-violoncelle.

« J'ai pris un vif plaisir à entendre ce trio fraternel et

quand on réussit à exécuter avec talent un sommet de la musique de chambre comme le trio de Schubert, on prend place parmi les ensembles les plus remarquables » (*Le Figaro*).

TRIO GRUMIAUX.

TRIO MOZART SALZBOURG

NOUVEAU TRIO PASQUIER

Régis et Bruno Pasquier, fils de Pierre Pasquier et le violoncelliste Robert Pidoux ont fondé un trio dans la tradition du célèbre Trio Pasquier. Bruno (né en 1943) altiste, Régis (né en 1945) violoniste, Robert Pidoux (né en 1946) violoncelliste, soliste à l'Opéra de Paris.

TRIO DE PRAGUE

TRIO STERN (Istomin-Stern-Rose)

TRIO SUK (Katchen-Suk-Starker)

TRIO TCHEQUE

BEAUX ARTS TRIO

Fondé en 1955 aux Etats-Unis, le Beaux Arts Trio a été salué par Toscanini comme « le meilleur depuis Rubinstein, Heifetz et Feuermann ». Il a donné plus de 2 000 concerts à travers le monde et a enregistré sur disques l'intégrale du répertoire pour trio avec piano. Menahem Pressler, piano, est professeur à l'Université d'Indiana. Bernard Greenhouse, violoncelle, professeur à la Juilliard School, fut l'élève de Casals. Isidore Cohen, violon, a remplacé Daniel Guilet en 1968.

« Les interprètes atteignent un degré de concentration poétique et de plénitude de sonorité qui semble difficilement surpassable » (*Harmonie*).

etc.

Et parmi les grands solistes qui ont collaboré :

KEMPFF-SZERYNG-FOURNIER
CORTOT-THIBAUD-CASALS
GUILELS-KOGAN-ROSTROPOVITCH
BARENBOIM-ZUCKERMAN-du PRE
RUBINSTEIN-HEIFETZ-FEUERMANN
RUBINSTEIN-SZERYNG-FOURNIER
ESCHENBACH-KOECKERT-HERZ
etc.

LE QUATUOR

Un quatuor est une composition pour quatre instruments. La réunion de quatre instrumentistes forme un quatuor.

On distingue :

— le quatuor à cordes (premier et deuxième violons, alto, violoncelle),

— le quatuor à cordes avec piano (violon, alto, violoncelle, piano).

— le quatuor de bois (flûte, hautbois, clarinette, basson).

etc.

Haydn :
— *Quatuors à cordes.*
Mozart :
— *Quatuors à cordes.*
— *Quatuors pour flûte et cordes.*
— *Quatuor pour hautbois et cordes.*
Beethoven :
— *Quatuors à cordes.*
Schubert :
— *Quatuors à cordes.*
Debussy :
— *Quatuor à cordes.*
Schönberg :
— *Quatuors à cordes.*
etc.

Principaux quatuors :

QUATUOR ALBAN BERG

QUATUOR AMADEUS

En janvier 1973 le quatuor Amadeus a fêté sa vingt-cinquième année d'existence. Fondé par trois musiciens viennois (Norbert Brainin, Siegmund Nissel et Peter Schidlof) et par le violoncelliste anglais Martin Lovett, cette formation est mondialement reconnue ; elle se produit régulièrement aux Etats-Unis, en Allemagne, en France. etc., et participe à divers festivals (Baalbeck, Salzbourg, Vienne, Santander, etc.). En 1971, elle a collaboré avec le pianiste Emil Gilels pour l'enregistrement du quatuor pour piano et cordes en sol mineur de Brahms.

QUATUOR BARTOK

QUATUOR BULGARE

QUATUOR BUSCH

« Alors que le jeu du quatuor moderne est avant tout préoccupé de la structure et parvient, à partir de cette structure, à atteindre à l'expression inhérente à la composition, le quatuor Busch, se sachant en cela en accord avec les plus grands musiciens de la tradition allemande et autrichienne, parcourt le chemin inverse. Son point de départ est l'expression, une expression qui n'est certes plus cette attitude de virtuosité romantiquement subjective venant se superposer à l'œuvre, mais l'expression de ce qui est compositionnellement inclus dans l'œuvre » Sigurd Schimpf.

QUATUOR DANOIS

QUATUOR GUARNERI

QUATUOR HONGROIS

QUARTETTO ITALIANO

Fondé en 1945 par quatre solistes italiens de grande qualité (3 hommes, 1 femme), ce quatuor à cordes a donné des centaines de concerts dans toute l'Europe et aux Etats-Unis. Le Quartetto Italiano enseigne d'autre part la musique de chambre à l'Académie Royale de Musique de Stockholm et à l'Académie de Vienne. Il a enregistré l'intégrale des quatuors de Mozart et de Beethoven.

« Incontestablement le meilleur quatuor que notre siècle ait connu » (*New York Herald Tribune*).

QUATUOR JUILLIARD

QUATUOR LA SALLE

QUATUOR LOEWENGUTH

QUATUOR MELOS

Créé en 1965 cette formation est aujourd'hui généralement considérée comme l'un des meilleurs quatuors à cordes de la jeune génération, en Allemagne. Ses succès dans les salles de concert lui ont permis d'enregistrer sur disques et ainsi d'étendre sa renommée.

QUATUOR PARRENIN

QUATUOR DE PRAGUE

QUATUOR TATRAI

QUATUOR VEGH

QUATUOR VIA NOVA

etc.

LE QUINTETTE

Un quintette est une composition pour cinq instruments. La réunion de cinq instrumentistes forme un quintette.

Il existe des quintettes :

— à cordes seules (deux violons, alto, contrebasse, violoncelle),

— à cordes avec piano,

— de bois seuls,

— de bois avec piano,

— à vent (trompette, trombone, clarinette, saxo alto, cor),

etc.

Mozart :
— *Quintette pour clarinette et cordes.*
Quintette pour cor et cordes.
— *Quintettes à cordes.*
— *Quintette pour piano, hautbois, clarinette, cor et basson.*

Beethoven :
— *Quintette pour piano et vents.*

Schumann :
— *Quintette pour piano et cordes.*

Schubert :
— *Quintette pour piano et cordes, la Truite.*
— *Quintette pour 2 violons, alto et 2 violoncelles.*

Fauré :
— *Quintette pour piano et quatuor à cordes.*

ORCHESTRES DE CHAMBRE

L'orchestre est l'ensemble des instrumentistes chargé d'exécuter un ouvrage symphonique.

Le quintette des cordes est déjà en lui-même un petit orchestre à cordes. Il est la base de l'orchestre de chambre.

ORCHESTRE BAROQUE

Sa composition est variable. Elle peut être, par exemple :

— 8 premiers violons, 7 deuxièmes violons, 3 violoncelles, 4 altos, 3 contrebasses,

— 2 clavecins,

— 2 flûtes, 5 hautbois, 5 bassons,

— 2 cors, 2 trompettes,

— des timbales.

Principaux ensembles de musique ancienne :

DELLER CONSORT

« On trouve chez Alfred Deller une attitude instructive de la musique ancienne, un naturel extraordinaire qui lui fait retrouver le vrai visage des troubadours. Les inflexions de sa voix (hautre-contre), ses exécutions toujours profondément musicales sont un exemple de ce vers quoi il faut tendre : donner au son sa couleur vraie » N. Marriner.

CONCENTUS MUSICUS DE VIENNE (N. Harnoncourt).

Spécialistes de Monteverdi, de Bach et de Haendel, les Concentus Musicus, sous la direction de Nikolaus Harnoncourt, opèrent un travail exemplaire de redécouverte et d'approfondissement d'œuvres déjà connues.

BRUXELLES CONSORTIUM ANTIQUUM

ENSEMBLE POLYPHONIQUE DE L'O.R.T.F.

FLORILEGIUM MUSICUM DE PARIS (J.-C. Malgoire).

Cet ensemble créé par Jean-Claude Malgoire, se consacre aux œuvres écrites pour les voix et les instruments anciens depuis le XIIIe siècle jusqu'à nos jours.

LA GRANDE ECURIE ET LA CHAMBRE DU ROY (J.C. Malgoire)

Cet ensemble créé en 1966 par Jean-Claude Malgoire, hautboïste et cor anglais solo de l'Orchestre de Paris, comprend un nombre assez important d'exécutants, variable selon l'œuvre à interpréter. Il a pour répertoire la musique « d'avant Bach » et tient l'origine de son nom de l'organisation que François Ier donna aux orchestres de la Cour. Il y avait d'une part la Grande Ecurie composée des trompettes et des tambours (« ceux qui font grande noise »), d'autre part la Chambre du Roy composée des hautbois et des violons (« ceux doux à ouyr »). Ces deux ensembles se réunissaient à l'occasion de certaines fêtes. C'est donc un souci d'authenticité et de respect envers les œuvres du passé qui a motivé Jean-Claude Malgoire. La critique est quasiment unanime quant au succès de son entreprise. Grâce à lui, nous redécouvrons des musiciens tels que Campra, Rameau, Marc-Antoine Charpentier, Lulli, etc.

ENSEMBLE VOCAL ET INSTRUMENTAL DE LAUSANNE (M. Corboz).

PETIT ORCHESTRE CLASSIQUE

Il se compose, en plus du quintette des cordes (le nombre des instruments est variable), de :

— 2 flûtes, 2 hautbois, 2 clarinettes,

— 2 cors, 2 bassons, 2 trompettes,
et de
— 2 timbales.

Cet orchestre est celui de Haydn et de Mozart. Malgré le nombre restreint d'instruments, les différentes combinaisons de timbres sont nombreuses. Parfois même il est encore plus réduit ; ainsi dans la *Symphonie en sol mineur*, de Mozart.

ORCHESTRE ROMANTIQUE

Il est composé des mêmes instruments que le petit orchestre classique auquel il faut ajouter une petite flûte (piccolo), un troisième basson et un contrebasson, trois trombones, un tuba et certaines fois deux cors.

C'est ce type d'orchestre qu'a employé Beethoven pour ses grandes symphonies (tuba excepté). Les symphonistes de la période suivante, Schubert, Mendelssohn, Schumann, Brahms l'ont aussi utilisé.

La composition d'une formation de chambre peut sensiblement varier. Le chef d'orchestre en décide le plus souvent, en fonction de l'œuvre qu'il doit diriger et de la vision qu'il a de celle-ci. Parfois c'est le compositeur lui-même qui précise le nombre et le genre d'instruments qu'il désire. Ainsi Stravinski, dans l'*Histoire du soldat*, demande :

— un violon, une contrebasse,
— un basson, une clarinette,
— un trombone, un cornet à pistons,
— 2 caisses claires sans timbre, 1 tambour sans timbre, 1 tambour à timbre, 1 grosse caisse, 1 tambour basque, 1 triangle, des cymbales.

Principaux orchestres de chambre :

« Compte tenu du nombre des orchestres de chambre à travers le monde et d'un public qui aurait quelques raisons d'être blasé par le répertoire de base des ensembles de chambre, j'ai toujours estimé que ce répertoire ne suffisait plus. Face aux "Quatre-Saisons", aux "Brandebourgeois", ou à la "Petite Musique de Nuit", il faut offrir des inédits puisés dans l'immense répertoire oublié, oublié tout simplement à cause des difficultés allant de la recherche du manuscrit à la mise au point d'une formation instrumentale différente de celle de l'orchestre à cordes classique, en passant, ce qui n'est pas le moindre, par les problèmes d'équipement. » Paul Kuentz.

ENSEMBLE INSTRUMENTAL DE FRANCE

THE ACADEMY OF SAINT-MARTIN-IN-THE-FIELDS (Neville Marriner).

En 1959, Neville Marriner et quelques-uns des meilleurs instrumentistes des grands orchestres symphoniques anglais fondèrent l'Académie of Saint-Martin-in-the-Fields.

« Le premier répertoire fut marqué par la musique italienne, déclare N. Marriner. Puis nous y ajoutâmes de la musique baroque allemande et française, puis anglaise. Nous avons découvert que nous devenions en quelque sorte des spécialistes de cette époque. Nous avons alors cherché à élargir notre répertoire, en nous tournant d'abord vers Mozart et ses contemporains ; puis nous avons abordé Schubert, Mendelssohn, Rossini ; enfin, les compositeurs du XXe siècle — anglais comme Elgar ou Williams — ou autres, de Bartok à Hindemith, de Schönberg à Webern et Prokofiev. Et ce qui nous arrive maintenant, c'est que nous créons des œuvres, suscitées par nous. »

Neville Marriner est aussi, depuis 1959, chef et directeur artistique du Los Angeles Chamber Orchestra.

I SOLISTI VENETI (C. Scimone)

ORCHESTRE DE CHAMBRE JEAN-FRANÇOIS PAILLART

ORCHESTRE DE CHAMBRE PAUL KUENTZ

En 1920, Paul Kuentz avec de jeunes musiciens choisis en fonction de leurs qualités d'instrumentistes et de la qualité des instruments fonda son propre ensemble de chambre. Grâce à la collaboration des Jeunesses Musicales de France, un public fidèle et fervent prit l'habitude de venir les entendre. Jusqu'en 1960 l'orchestre se produisit surtout en Europe. Puis à partir de cette date les tournées vers l'Amérique du Nord devinrent régulières et le succès international. De très grands artistes collaborent ou ont collaboré à la formation ; le harpiste Zabaleta, les trompettistes Scherbaum et Bernard, l'organiste Marie-Claire Alain, le flûtiste Jean-Pierre Rampal, la claveciniste Huguette Dreyfus, les guitaristes Yepes et Lagoya. Le répertoire de l'orchestre comprend aussi bien des œuvres des XVIIe et XVIIIe siècles que des ouvrages contemporains (Villa-Lobos, Chostakovitch, Charles Chaynes, etc).

I MUSICI

L'ensemble I Musici vit le jour en 1952 par la réunion de douze étudiants de l'académie Sainte-Cécile de Rome. Le succès fut immédiat. Dix ans plus tard, le public américain les consacre et le célèbre chef Toscanini déclare : « C'est le meilleur orchestre de chambre du monde. »

Ils sont en particulier les spécialistes quasiment indiscutés de Vivaldi. « Cet orchestre *sans chef* joue complètement le jeu. Il ne s'embarrasse pas de considérations pédantes, de clichés stylistiques, de routines scolaires, de traditions académiques. Il considère l'œuvre et ses sources d'inspiration. Vivaldi a voulu être descriptif et poétiquement réaliste, I Musici seront à la fois descriptifs et poétiquement réalistes » Claude Rostand.

ORCHESTRE DE CHAMBRE DE TOULOUSE (Auriacombe).

ORCHESTRE DE CHAMBRE DE VIENNE.

ORCHESTRE DE CHAMBRE DE STUTTGART (Munchinger).

ORCHESTRE DE CHAMBRE DE MUNICH (K. Redel).

ORCHESTRE DE CHAMBRE ANGLAIS.

ORCHESTRE DE CHAMBRE DE COLOGNE.

COLLEGEUM MUSEUM DE PARIS.

MEMBRES STAATSKAELLE DRESDE.

ENGLISH CHAMBER ORCHESTRA (Raymond Leppard).

« La Rolls Royce des orchestres de chambre : pas un défaut, pas une tache, on roule sur une moelleuse perfection » (*France-Soir*).

Raymond Leppard dirige l'English Chamber Orchestra depuis sa création.

ORCHESTRE DE CHAMBRE DE LA SARRE.

ORCHESTRE DE CHAMBRE DE MOSCOU.

LES SOLISTES DE ZAGREB.

OCTUOR DE PARIS.

Ensemble sans chef, constitué en 1965.

« Ils jouent tous comme des Viennois et ils égalent les meilleurs ensembles étrangers, spécialistes en la matière » (*Musica*).

II. ORCHESTRES SYMPHONIQUES

Orchestre symphonique moyen.

L'orchestre symphonique moyen est composé de la manière suivante :

— 10 à 12 premiers violons, 8 à 10 deuxièmes violons, 6 à 8 altos, 6 à 8 violoncelles, 4 ou 5 contrebasses,

— un nombre variable de bois par groupe de un, deux ou trois (flûte, hautbois, clarinette, basson, etc.),

— et environ 12 cuivres (cor, tuba, trombone, etc.).

Grande formation symphonique.

Un grand orchestre symphonique se compose en général :

— d'un orchestre à cordes assez important : 16 à 18 premiers violons, 14 à 16 deuxièmes violons, 12 à 14 altos, 10 à 12 violoncelles, 8 à 10 contrebasses,

— de 2 harpes,

— de 4 flûtes, 3 hautbois, 1 cor anglais, 4 clarinettes (dont 1 petite clarinette et 1 clarinette basse), 3 bassons, 1 contrebasson,

— de 4 cors, 4 trompettes, 3 ou 4 trombones, 1 tuba,

— et de timbaliers et percussions en nombre variable, soit au total, une centaine d'exécutants.

Wagner, pour l'exécution de la *Tétralogie* demande :

— un orchestre à cordes très important,

— 6 harpes,

— 1 petite flûte, 3 grandes flûtes, 1 cor anglais, 3 clarinettes, 1 clarinette basse, 3 bassons, 1 contrebasson,

— 8 cors, 2 tubas ténor, 2 tubas basse, 1 tuba contrebasse, 3 trompettes, 1 trompette basse, 2 trombones ténor, 1 trombone basse, 1 trombone contrebasse,

— 2 paires de timbales, des cymbales, 1 triangle, 1 grosse caisse, 1 tambour.

L'orchestre idéal décrit par Berlioz dans son *Traité d'instrumentation* ne comporte pas moins de 467 instrumentistes. Pour son *Requiem* il demande :

— un orchestre d'archets comportant 120 violons, 40 altos, 45 violoncelles, 33 contrebasses,

auquel il faut ajouter :

— 4 flûtes, 2 hautbois, 2 clarinettes en ut, 8 bassons, 4 cors en mi bémol, 4 cors en fa, 4 cors en sol, 4 cornets à piston en si bémol, 2 trompettes en fa, 6 trompettes en mi bémol, 4 trompettes en si bémol, 16 trombones ténor, 2 ophicléides en ut, 2 ophicléides en si bémol, 8 paires de timbales.

De tels orchestres sont cependant assez rares.

PRINCIPAUX ORCHESTRES PHILHARMONIQUES ET SYMPHONIQUES :

Allemagne :

Orch. Phil. de Berlin (dirigé à vie par Karajan).
Orch. Symph. de la Radio Bavaroise.
Orch. Symph. de Bamberg.
etc.

Autriche :

Orch. Phil. de Vienne.
Orch. Symph. de Vienne.
Orch. de l'Opéra de Vienne.
etc.

Angleterre :

Orch. Symph. de la B.B.C.

London Symphony Orchestra (L.S.O.).
Orch. Phil. de Londres.
Royal Phil. Orchestra.
New Philarmonia Orchestra.
etc.

Etats-Unis :

Orch. Symph. de Columbia.
New York Phil. Orchestra.
Orchestre Symph. de Chicago.
Orchestre Symph. de Boston.
Orchestre Symph. de Cleveland.
Orchestre Symph. de Philadelphie.
Orchestre Symph. de Pittsburgh.
Orchestre Symph. de Detroit.
Orchestre Symph. de San Francisco.
Orchestre Symph. de la N.B.C. (créé pour Toscanini, il a été dissous).
etc.

U.R.S.S. :

Orchestre de Moscou.
Orchestre de Leningrad.
etc.

France :

Orchestre de Paris (fondé par Marcel Landowski, et confié à Ch. Munch, Karajan, Solti, etc.).
Orchestre National de Radio-France.
Orchestre de Toulouse.
Orchestre de Strasbourg.
Orchestre d'Angers.
Orchestre de Lille.
Orchestre de l'Opéra de Paris.
Orchestre de l'Opéra de Lyon.
Orchestre de l'Opéra de Strasbourg.
Orchestre de l'Opéra de Marseille.
Orchestre de l'Opéra de Toulouse.
Orchestre de l'Opéra de Bordeaux.
Orchestre de l'Opéra de Rouen.
etc.

Canada :

Orchestre symphonique de Montréal.
Orchestre symphonique de Toronto.
Orchestre symphonique de Québec.
Orchestre symphonique de Vancouver.

L'Orchestre symphonique de Montréal

Fondée en 1934, la Société des concerts symphoniques devint officiellement l'Orchestre symphonique de Montréal en 1953. Dirigé de 1935 à 1940 par un chef canadien de réputation internationale, Wilfrid Pelletier, l'OSM chercha, dès ses débuts, à toucher un vaste auditoire par la présentation de ses Matinées symphoniques et à encourager les jeunes artistes canadiens par la création du concours de l'OSM.

De 1940 à 1948, Désiré Defauw fut directeur artistique de l'Orchestre. À sa mort, l'Orchestre fut successivement dirigé par des chefs invités aussi prestigieux que Munch, Enesco, Klemperer, Stokowski, Monteux, etc. En 1958, Igor Markevitch en devenait le directeur artistique jusqu'en 1961 alors que Zubin Mehta lui succédait. Franz-Paul Decker (1967-1975) puis Rafael Frühbeck de Burgos (1975-1977) prirent ensuite la relève de Mehta et, en 1977, Charles Dutoit, l'actuel directeur artistique, prenait la tête de l'Orchestre.

Bien que depuis 1963, l'OSM présente la majorité de ses concerts à la Place des Arts, les nombreuses tournées qu'il a faites ainsi que sa participation à plusieurs événements d'envergure lui ont assuré un rayonnement international considérable.

L'Orchestre symphonique de Québec

Fondé en 1903, l'Orchestre symphonique de Québec est la plus ancienne formation du Canada. Au cours des années récentes, il a été dirigé par des chefs tels Wilfrid Pelletier (1950-1966), François Bernier, Pierre Dervaux (1968-1976) et, depuis 1976, par un chef américain d'envergure internationale, James de Preist. L'OSQ se veut, par ses tournées de concerts à travers la province, un instrument de diffusion de la musique et de décentralisation artistique. Tout en présentant des œuvres de compositeurs réputés, l'OSQ s'efforce non seulement d'accueillir des œuvres nouvelles mais également de présenter des compositions d'auteurs canadiens.

Principaux chefs d'orchestre :

Devant le nombre très important des chefs d'orchestre, nous les avons classés en trois groupes distincts : les grands anciens, la génération moyenne, la jeune génération.

Les grands anciens :

Ernest ANSERMET (1883-1969, Suisse).

Sir John BARBIROLLI (1899-1970, Anglais).

Sir Thomas BEECHAM (1879-1961, Anglais).

Kárl BÖHM (1894-1981, Autrichien).

Chef d'orchestre dans la grande tradition de ses prédécesseurs immédiats, Karl Böhm fut successivement directeur de la musique à Darmstadt en 1927, à la tête de l'Opéra de Hambourg, puis de Dresde (à la suite de Fritz Busch) et enfin en 1943 de l'Opéra de Vienne. En 1965-1966, il fut invité à diriger le Ring à Bayreuth. Enregistré sur disque, cette version est d'une extraordinaire richesse, parmi les meilleures interprétations. Böhm est un défenseur hors pair de la musique allemande.
« Sa direction est admirable » (*Le Monde*).

Il est avant tout un chef d'orchestre d'opéra (de Mozart à Berg, en passant par Wagner et Verdi) qui a toujours su maintenir l'unité entre le sujet dramatique et la forme musicale. « Comme chef d'orchestre, a-t-il déclaré, je dois tout éprouver, à moi tout seul, je dois aimer, haïr, souffrir, me réjouir et ressentir tous les sentiments et toutes les impressions des personnages qui occupent la scène. »

Sir Adrian BOULT (né en 1889, Anglais).

Fritz BUSCH (1890-1951, Allemand).

Sergiu CELIBIDACHE (né en 1912, Roumain).

André CLUYTENS (1905-1967, Français).

Edouard COLONNE (1838-1910, Français).

Antal DORATI (né en 1906, Hongrois).

Ferenc FRICSAY (1914-1963, Hongrois).

Wilhelm FURTWÄNGLER (1886-1954, Allemand).

Fils d'un archéologue, Wilhelm Furtwängler est né à Berlin le 25 janvier 1886. Il fit ses études musicales à Munich et débuta comme chef d'orchestre de théâtre à Breslau, à Zurich, Munich et Strasbourg. Au concert, il allait remporter dès l'âge de vingt ans son premier succès en dirigeant la 9e symphonie de Bruckner. En 1920, il succède à Richard Strauss à la direction des Concerts du Théâtre National de l'Opéra de Vienne. De 1927 à 1930, il dirigea aux Etats-Unis les concerts du « New York Philharmonic Orchester ». Par la suite, il devait diriger principalement les Philharmoniques de Berlin et de Vienne et participer régulièrement aux festivals de Salzbourg, de Bayreuth, de Lucerne et d'Edimbourg.

« Le côté magnétique de l'art de Furtwängler est troublant au plus haut point. Par là s'expliquent peut être des particularités de sa technique que des chefs qualifiés ne parviennent pas à pénétrer. » Marc Pincherle.

Jacha HORENSTEIN (1899-1973, Américain).

Eugen JOCHUM (né en 1902, Allemand).

Spécialiste de Bach (*les Passions*), de Beethoven (*Intégrale des symphonies, Missa Solemnis...*), de Brahms et de Wagner, Eugen Jochum est partout invité à diriger les plus grands orchestres. Il fut d'abord, grâce à Furtwängler, au Théâtre National de Mannheim ; puis il dirigea l'Orchestre philharmonique de Berlin, et en 1954 succéda à Karl Böhm à Hambourg. Sa direction généreuse, rigoureuse et vivante est parmi celles des meilleurs directeurs d'orchestre de sa génération. « Un chef dont la ferveur et la profondeur forcent l'enthousiasme » (*Harmonie*).

Herbert Von KARAJAN (né en 1908, Autrichien).

Qui peut ignorer le nom de Karajan ? Ce « magicien de la baguette » est considéré par beaucoup comme le plus grand chef vivant. Il a d'ailleurs tout fait pour cela, ne craignant pas une certaine publicité tapageuse. Sur toutes les pochettes de ses disques le visage de Karajan, de Karajan et encore de Karajan... Ses enregistrements occupent tout un rayon de discothèque. Il ne faut pas demander les œuvres qu'il a dirigées, mais plutôt celles qu'il n'a pas dirigées. Cette production pléthorique comporte le meilleur et le moyen : comment un chef d'orchestre, même le plus grand, pourrait-il partout et toujours être le meilleur. Ce n'est pas possible. L'habitude qu'ont certains nouveaux mélomanes de demander la version Karajan est une erreur que peuvent confirmer tous les disquaires. Karajan est un très grand chef d'orchestre il a cependant beaucoup d'enfants bâtards.

Né à Salzbourg, dans la ville de Mozart, d'une famille aristocratique austro-hongroise, le petit Karajan manifesta très tôt ses dons exceptionnels. A trente ans, il était déjà un chef confirmé, à cinquante il prit naturellement la sucession de Furtwängler à la tête de l'Orchestre Philharmonique de Berlin.

Rudolf KEMPE (né en 1910, Allemand).

Otto KLEMPERER (1885-1973, Allemand).

Hans KNAPPERTBUSCH (1888-1965, Allemand).

Kiril KONDRACHINE (né en 1914, Russe).

Josef KRIPS (1902-1974, Autrichien).

Les symphonies de Mozart, derniers enregistrements de Josef Krips, sont à placer au plus haut niveau. Ce musicien autrichien, qui était déjà un des tous premiers chefs, dut fuir le régime nazi. A la fin de la guerre, il s'occupa de la renaissance musicale viennoise et fut l'un de ceux qui permirent la réouverture du festival de Salzbourg. Il a dirigé l'Opéra d'Etat de Vienne, l'Orchestre Philharmonique de Vienne, l'Orchestre Symphonique de Londres, etc. « Krips est souverain car il sait allier l'humour à la profondeur, le détachement à la passion, la désinvolture à la tendresse » (*Cahiers du Disque*).

Rafael KUBELIK (né en 1914, Suisse).

Une carrière et une vie tout entières tournées vers la musique, et particulièrement celle de Mahler.

Charles LAMOUREUX (1834-1899, Français).

Erich LEINSDORF (né en 1912, Américain).

Igor MARKEVITCH (né en 1912, d'origine russe).

Jean MARTINON (né en 1910, Français).

Pierre MONTEUX (1875-1964, Français).

Charles MUNCH (1891-1968, Français).

On ne peut oublier ce que nous, Français, lui devons. Son action, malheureusement trop courte à l'Orchestre de Paris, ses visions chaleureuses et puissantes sont à l'honneur de ce très grand chef.

Karl MUNCHINGER (né en 1915, Allemand).

Eugène ORMANDY (né en 1899, Américain).

Paul PARAY (né en 1886, Français).

Jules PASDELOUP (1819-1887, Français).

Fritz REINER (1888-1963, Américain).

Victor de SABATA (1892-1967, Italien).

Sir Malcom SARGENT (1895-1967, Anglais).

Carl SCHURICHT (1880-1967, Suisse).

Constantin SILVESTRI (1913-1969, Roumain).

Georg SOLTI (né en 1912, Hongrois).

« Etonnante nature que celle de Solti, irradiante et rageuse. Solti ignore la tiédeur. Ses admirateurs et ses détracteurs aussi » Ph. Caloni.

Leopold STOKOWSKI (1882-1977, Américain).

Georg SZELL (1897-1970, Polonais).

Arturo TOSCANINI (1867-1957, Italien).

« C'était un art tout latin que le sien, fait d'intelligence et de sensibilité très vives, d'une beauté sonore, chaleureuse, vibrante, mais aussi transparente et profonde, un art qui avait toute la souplesse de la vie, mais ne tolérait ni le débraillé, ni la mollesse parce qu'il portait témoignage d'une révélation plus haute que lui-même. Au-delà de l'exubérance de la vie, il y avait la perfection de la fleur » Jacques Lonchampt.

Willem VAN OTTERLOO (né en 1907, Néerlandais).

Bruno WALTER (1876-1962, Américain).

« A l'opposé de Furtwängler qui ne peut être suivi que par un orchestre initié à son code, Bruno Walter est d'une lisibilité immédiate. L'essentiel du travail c'est le regard qui l'accomplit. Le magnétisme de ce regard, l'extraordinaire puissance qu'il véhicule, nous les mesurons à l'instantanéité des réactions de l'orchestre, immédiatement cohérent au maximum » Marc Pincherle (*le Monde des virtuoses*, Flamm.).

Génération moyenne :

Serge BAUDO (né en 1927, Français).

Leonard BERNSTEIN (né en 1918, Américain).

Chef d'orchestre, compositeur, pianiste, professeur, écrivain, voilà quelques-unes des occupations de ce prestigieux Américain. Aujourd'hui le cheveu blanchi, l'œil toujours complice, il apparaît le même sur scène, dirigeant les musiciens de tout son corps, sautant sur l'estrade au rythme de la musique, dansant presque et lorsque la dernière note vient de s'éteindre et qu'il se tourne face au public, c'est toujours la même ovation.

De 1957 à 1969, il fut le directeur musical du New York Philharmonic, ce qui ne l'empêcha pas, conjointement, de diriger les plus grands orchestres du monde (la Scala de Milan, le Metropolitan Opera, l'Opéra de Vienne, l'Orchestre de Paris, etc.). Aujourd'hui, il continue de se produire partout dans le monde avec un bonheur égal. Ses nombreux enregistrements le placent largement en tête des ventes de disques classiques. « Il peut être considéré, écrit H. C.

Schonberg, critique musical du *New York Times,* comme le type même de l'homme de la Renaissance et il est pour tous les Américains le symbole de la musique. »

Pierre BOULEZ (né en 1925, Français).

Nous parlerons ici de Pierre Boulez, chef d'orchestre et non du compositeur bien que ces deux aspects du même homme soient difficilement dissociables. Il déclarait lui-même « j'ai appris beaucoup sur la composition en dirigeant, et composer m'aide à diriger ».

Etre chef d'orchestre, cela veut dire d'abord pour Pierre Boulez, avoir la possibilité de faire entendre et de défendre ses propres œuvres et celles des musiciens qu'il affectionne. Ce fils d'ingénieur, originaire de Montbrison, turbulent, passionné, put en 1955, grâce à Madeleine Renaud et à Jean-Louis Barrault, donner, au Petit Marigny, dans le cadre du « Domaine Musical » des concerts consacrés à la Jeune Musique. Mais les structures musicales en France ne convenaient pas à Pierre Boulez, qui, refusant toute concession, quitta Paris et fut accueilli à bras ouverts par les plus grands orchestres du monde. En 1969, il fut nommé chef permanent et directeur musical à la fois du B.B.C. Symphony Orchestra et du New York Philharmonic. En 1976, Boulez fut invité à Bayreuth, pour trois saisons afin d'y diriger quatre cycles de *la Tétralogie* dans une mise en scène de Patrice Chereau. Le moins que l'on puisse dire est que personne n'y resta indifférent.

En 1977, Boulez prit la direction de l'I.R.C.A.M. et décida de ne pas renouveler ses fonctions à la direction des deux orchestres. Il reçut d'autre part en 1976 la chaire d'invention technique et langage en musique au Collège de France.

Colin DAVIS (né en 1927, Anglais).

La carrière internationale de Colin Davis débuta fin 1959 lorsqu'il dut diriger au pied levé une exécution de concert du *Don Juan* de Mozart. Ses tournées dans le monde avec le London Symphony Orchestra (vers les années 1960), consacrèrent son talent.En 1967, il fut nommé à la tête du BBC Symphony Orchestra. Il est actuellement chef principal et conseiller artistique du Royal Opera House de Covent Garden. Considéré comme un spécialiste de Berlioz, ses enregistrements ont fait dire au journal *Combat* « qu'actuellement, de par le monde, rien de tel n'a été conçu en l'honneur du musicien ».

Carlo Maria GIULINI (né en 1914, Italien).

Bernard HAITINK (né en 1929, Néerlandais).

En 1964, Bernard Haitink devint le seul chef permanent de l'Orchestre du Concertgebouw, poste qu'il partageait jusqu'alors avec Jochum. En plus, depuis 1967, il fut désigné comme chef principal et directeur musical du London Philharmonic Orchestra. Les *Cahiers du disque* ont écrit à propos de son intégrale des Symphonies de Malher : « c'est une splendeur orchestrale : les cordes du Concertgebouw sont prodigieuses. Haitink est vraiment le Mahlerien de notre temps ».

Istvan KERTESZ (1929-1973, Hongrois).

Raymond LEPPARD (né en 1927, Anglais).

Lorin MAAZEL (né en 1930, Américain).

Directeur musical de l'Orchestre de Cleveland et principal chef invité du New Philharmonia, Lorin Maazel a dirigé les plus grands orchestres. Ses enregistrements vont de Puccini à Sibelius, en passant par Brahms et Tchaïkovski.

Charles MACKERRAS (né en 1935, Australien).

Zubin MEHTA (né en 1936, Indien).

Jean-François PAILLARD (né en 1928, Français).

Georges PRETRE (né en 1924, Français).

Kurt REDEL (né en 1918, Allemand).

Karl RICHTER (né en 1926, Allemand).

Gennadi RODJDESVENSKI (né en 1931, Russe).

Wolfgang SAWALLISCH (né en 1923, Allemand).

La jeune génération :

Claudio ABBADO (né en 1933, Italien).

Claudio Abbado, a obtenu le premier prix au concours Dimitri Mitropoulos pour direction d'orchestre. Son non-conformisme, l'enthousiasme qu'il sait communiquer à ses musiciens, sa foi en la musique sont quelques-unes de ses qualités.

Daniel BARENBOÏM (né en 1942, Israélien).

Depuis septembre 1975, Barenboïm est le directeur musical de l'Orchestre de Paris. Mais ses activités ne s'arrêtent pas là, puisque régulièrement il est l'invité des Orchestres Philharmoniques de Berlin, de New York, de Londres, d'Israël, du Symphonique de Chicago et bien sûr de l'English Chamber Orchestra dont il est à la fois le chef et le soliste. Son répertoire est très vaste (Mozart, Haydn, Franck, Schumann, Brahms, Beethoven...). Daniel Barenboïm a également défendu la place de la musique de chambre avec sa femme, la violoncelliste Jacqueline Dupré, avec Pinchas Zukerman, Itzhak Perlman...

Michel CORBOZ (né en 1934, Suisse).

Charles DUTOIT (né en 1936, Suisse).

Charles Dutoit a fait ses débuts comme chef d'orchestre avec l'Orchestre symphonique de Berne en 1963. Chef invité et directeur artistique de nombreux orchestres depuis lors, il a dirigé plus de 1000 concerts avec les plus grands orchestres du monde. Récipiendaire du Grand Prix du disque et du Grand Prix spécial du 25e anniversaire de l'Académie du disque français respectivement pour son « Histoire du soldat » de Stravinski et son « Roi David » de Honegger, il est directeur artistique de l'Orchestre symphonique de Montréal depuis 1977.

James LEVINE (né en 1943, Américain).

Alain LOMBARD (né en 1940, Français).

Assistant de Bernstein, puis de Karajan, Alain Lombard a d'abord été découvert par les Américains qui lui ont confié la direction du Symphonique de Miami. Il dirige l'Orchestre de l'Opéra du Rhin, à Strasbourg en France.

Seiji OZAWA (né en 1935, Japonais).

A seize ans, Ozawa dut abandonner le piano après s'être cassé le doigt en jouant au football. C'est alors qu'il se tourna vers la direction d'orchestre. Ses capacités étonnantes l'amenèrent rapidement à être considéré dans son pays comme l'élément le plus prometteur de la jeune génération. Voyageant en Europe, Ozawa obtint en 1959, le premier prix au concours international des chefs d'orchestre à Besançon. Sa carrière ne faisait que débuter. Conseillé et reconnu comme un des leurs par des chefs tels que Karajan, Munch ou Bernstein, Ozawa fut invité par de nombreux orchestres célèbres et chaque fois le public était au rendez-vous pour ovationner le nouveau talent. Ozawa a été nommé chef d'orchestre et directeur musical de l'Orchestre Symphonique de Boston à partir de 1973-1974.

Michel PLASSON (né en 1934, Français).

Parisien de Montmartre, il passe neuf ans dans l'orchestre de l'Opéra de Paris avant d'obtenir, en 1962, le premier prix au concours international de direction d'orchestre de Besançon. Il dirige maintenant à Toulouse en France.

James de PREIST (né en 1936, Américain).

Après avoir remporté le premier prix au concours de direction d'orchestre de Dimitri Mitropoulos, James de Preist devint chef assistant de Leonard Bernstein à l'Orchestre philarmonique de New York (1965-1966). Invité régulièrement à diriger des orchestres tels ceux de Los Angeles, New York, Chicago et Buffalo, il dirige l'Orchestre symphonique de Québec depuis 1976 et celui d'Oregon depuis 1980. À Québec, certaines de ses initiatives tel le Marathon musical ont permis de renouveler et d'élargir le public de l'OSQ.

Michael TILSON-THOMAS (né en 1944, Américain).

Edo de WAART (né en 1941, Néerlandais).

etc.

La voix humaine

Il est aussi honteux de ne pas savoir chanter que de ne pas savoir lire.

Saint Isidore de Séville.

« Le chant n'est pas naturel à l'homme, le vrai sauvage ne chante pas », écrivait J.-J. Rousseau. Jamais sans doute affirmation ne fut plus contraire à la réalité. Les peuples primitifs chantent, toutes les études ethnologiques le confirment et la voix humaine, le chant, sont à l'origine même de la musique. Les premiers instruments avaient pour but d'imiter, de retrouver et d'accompagner les sons que l'homme ne peut produire par lui-même.

Les Grecs et les Romains portaient une grande attention au chant. Les élèves devaient suivre trois enseignements différents. Celui des « vociferarii » qui permettait de fortifier la voix, de l'étendre, de la placer. Celui des « phonasci » qui avait pour but d'en rendre le timbre agréable. Et celui des « vocales » qui traitait du style et de la qualité de l'expression et de la déclamation.

Au Moyen-Âge, l'enseignement du chant fut essentiellement religieux. Pourtant le chant profane n'était pas absent, puisque les troubadours, trouvères et ménestrels promenaient de châteaux en châteaux une musique populaire et qui resta anonyme.

Grégoire le Grand, pape de 590 à 604 n'est sans doute pas l'inventeur du chant qui porte son nom. Il n'y avait pas alors à Rome de Schola cantorum. En revanche, déjà, en Gaule, existaient des mélodies comprenant de longues vocalises, semblables au répertoire dit « vieux romain » que l'on chantait en Italie. Charlemagne encouragea les Scholae cantorum et dans les cloîtres, les chapelles de tous les diocèses, le goût du chant prit une ampleur énorme. Son étude allait de pair avec celle de la musique.

Au XIIe siècle, le déchant fit son apparition. Ce nouvel élément musical (indépendance des parties vocales) habitua les exécutants à une plus grande souplesse, qui nécessita agilité et rapidité. Il est à l'origine de la vocalise. Aux XVe et XVIe siècles, dans les opéras, alors conçus comme une suite de récitatifs, la voix s'écartait peu des limites du médium.

L'introduction des « castrats » à la chapelle Sixtine eut dans l'histoire du chant une grande importance. Le soliste devint roi. Les « roulades », les « trilles », les « gammes piquées » faisaient se pamer un public amoureux de bel canto. L'apprentissage des élèves était long et pénible. Les enfants pris à un âge prépubère n'étaient pas sûrs de conserver la pureté de leur voix.

Pour travailler et corriger leurs défauts, les castrats de la chapelle Sixtine allaient jusqu'à la porte Angelica et là, s'exerçaient, l'écho leur renvoyant leur voix. Les plus célèbres, traités mieux que les idoles d'aujourd'hui, s'appelaient Gizziello, Pacchiarotti, Farinelli ou Porpora.

Avec l'opéra, le chant connut son apogée. Les élèves se formaient au contact des grands chanteurs. Les maîtrises des paroisses sélectionnaient les élèves les plus prometteurs. Parmi les grands artistes dont l'histoire se souvient : la Grassini protégée de Napoléon, la Malibran qui inspira Musset, et son père le baryton espagnol Garcia, Mlle Falcon, le grand ténor Adolphe Nourrit, Duprez dont la voix était si puissante que Rossini ne voulait pas le laisser chanter dans son salon, craignant que ses porcelaines ne se cassent, etc.

C'est ce même Duprez qui enseigna à la Québécoise Emma Lajeunesse lors de sa venue à Paris en 1868. Sous le nom d'Emma Albani, elle sera la première de nombreux chanteurs et chanteuses du Québec à s'illustrer sur les scènes lyriques internationales.

L'Opéra au Québec

Dès 1790, Montréal assista à la création d'un opéra-comique composé par un résident d'origine bretonne, Joseph Quesnel. *Colas et Colinette*, une «comédie mêlée d'ariettes» s'inscrit dans la tradition des œuvres de Monsigny et de Grétry. Il faudra attendre plusieurs décennies avant que l'opéra de répertoire ne s'installe au Québec. Pendant presque tout le XIXe siècle, des troupes itinérantes, venant d'Europe et des États-Unis, viendront tour à tour satisfaire l'appétit d'un public avide de théâtre lyrique.

À Montréal et à Québec, Calixa Lavallée, un an avant qu'il compose l'hymne national *O Canada!*, réussira en 1879 à monter *La Dame blanche* de Boieldieu en n'utilisant que des effectifs locaux. Ses efforts pour établir une compagnie permanente resteront cependant sans lendemain, les pouvoirs publics lui refusant tout appui. En 1893, un groupe d'hommes d'affaires montréalais fonda la Société d'opéra français laquelle présenta un vaste répertoire d'opérettes et d'opéras dans son propre théâtre avec des artistes venus de France pour la plupart. Une programmation trop ambitieuse entraîna des pertes considérables et l'entreprise ferma ses portes avant même la fin de la saison 1895-1896.

L'on assista ensuite aux vaillants efforts de la Compagnie d'opéra de Montréal (1910-1913), entreprise financée par un unique mécène, laquelle fit connaître les œuvres les plus récentes de Massenet et de Puccini avec des artistes de premier plan comme le soprano canadien Louise Edvina et le ténor français Edmond Clément.

Une fois de plus, une crise financière amena la cessation des activités après trois saisons au cours desquelles 247 représentations furent données à Montréal, Québec et dans d'autres villes. L'aventure avait coûté plus de $100,000 à son bailleur de fonds, Frank Meighen.

L'Opérette

C'est sans doute le goût prononcé des Québécois pour l'opérette qui motiva en 1923 la fondation à Montréal de la Société canadienne d'opérette par le baryton Honoré Vaillancourt. Grâce à un répertoire bien choisi, à une administration saine et à des artistes de valeur, elle afficha une stabilité étonnante mais ne survécut que deux ans après le décès prématuré de son fondateur en 1932. L'édifice qu'elle avait construit pour loger son administration et tenir ses répétitions était encore debout, rue Saint-Denis, en 1982.

Deux jeunes barytons, Lionel Daunais et Charles Goulet, qui avaient participé aux spectacles de la troupe, allaient bientôt prendre la relève et en 1936, ils fondèrent les Variétés lyriques dont l'affiche mettait l'accent sur l'opérette tout en incluant certains opéras. Sans aucune subvention, la troupe allait battre tous les records de longévité et durer près de vingt ans. Elle présenta une moyenne de 100 représentations par saison au vétuste mais sympathique Monument national, rue Saint-Laurent. Au plus fort de son activité, elle comptait 12,500 abonnés. Elle accueillait dans ses rangs des vedettes comme les ténors Léopold Simoneau, Jacques Gérard et Raoul Jobin et lança des plus jeunes comme André Turp, Joseph Rouleau, Louis Quilico et Yoland Guérard, sans compter un soprano comme Pierrette Alarie.

À la même époque, la présentation du grand répertoire était aussi assurée par des sociétés comme les Festivals de Montréal (création canadienne de *Pelléas et Mélisande* en 1940) et l'Opéra Guild (création du *Coq d'Or* en 1944 et de *Fidelio* en 1946).

L'Opéra du Québec

La création du Conseil des arts du Canada (1957) et du ministère des Affaires culturelles du Québec (1961) contribua à donner l'élan qui manquait au théâtre lyrique mais la stabilité essentielle à son épanouissement manquait encore en 1980, en dépit de nombreux efforts.

Montréal fut sans opéra durant plusieurs années, à l'exception des visites irrégulières du Metropolitan Opera de New York. 1967 fut cependant une année faste avec les visites successives des troupes européennes les plus prestigieuses, la Scala de Milan, le Bolchoi de Moscou, l'Opéra d'État de Hambourg, l'Opéra d'État de Vienne et l'Opéra royal de Stockholm, à l'occasion de l'Expo 67. De 1961 à 1970, la ville de Québec connut aussi une activité lyrique d'importance avec le Théâtre lyrique de Nouvelle-France.

En 1971, le Gouvernement du Québec annonçait la fondation de l'Opéra du Québec, véritable compagnie d'État qui allait desservir à la fois Montréal et Québec. Les Québécois pensaient enfin posséder la troupe permanente dont ils rêvaient depuis un siècle. Après une douzaine de productions ambitieuses couronnées par un mémorable *Tristan und Isolde* au printemps de 1975, l'entreprise avait accumulé un déficit d'un million de dollars et ferma, elle aussi, ses portes.

La relance tant attendue du théâtre lyrique au Québec se concrétisa en 1980 avec la création, par le ministère des Affaires culturelles, de l'Opéra de Montréal dont la saison initiale de 1980-1981 mettait à l'affiche *Tosca, Cosi fan tutte* et *La Traviata*. Les plus grands espoirs sont permis mais les expériences du passé modèrent quelque peu l'enthousiasme des amateurs les plus passionnés.

Classification des voix.

Il existe trois sortes de voix : les voix d'hommes, les voix de femmes et les voix d'enfants.

Les jeunes garçons, avant la puberté et l'époque de la mue, ont un timbre de voix assez semblable à celui des femmes. Ils sont parfois utilisés avec une grande réussite. A titre d'exemple, le *Requiem* de Fauré, dirigé par Michel Corboz, est chanté par un soprano garçon, le jeune Clément,

Les jeunes filles aussi connaissent la mue. Mais celle-ci ne modifie pas sensiblement le timbre et l'étendue de leur voix.

a) LES VOIX D'HOMMES sont de trois sortes : le ténor, le baryton et la basse.

Le ténor.

C'est la voix d'homme la plus élevée de toutes.

On distingue :

— *Le fort ténor* appelé aussi ténor de grand opéra.

Il a une voix puissante, dont les notes du médium sont sonores. La voix est assez aiguë et assez forte pour ne se servir que de la voix de poitrine. Il est surtout capable d'exprimer des sentiments extrêmes, pathétiques, violents. C'est par exemple : Arnold dans *Guillaume Tell* de Rossini.

— *Le premier ténor,* ou ténor de demi-caractère, peut au contraire avec la même étendue de voix donner dans le charme et la douceur, et rester brillant dans le registre aigu. C'est par exemple, Don José dans *Carmen,* ou Rodolphe dans *la Traviata* de Verdi.

— *Le ténor léger,* ou ténor d'opéra comique, dans les notes élevées doit recourir à la voix de tête. A lui vont les rôles tendres, légers, peu dramatiques. C'est par exemple, Vincent dans *Mireille* de Gounod, ou Almaviva dans *le Barbier de Séville.*

— Jusqu'au XVIIIe siècle, les voix de ténors étaient désignées par les termes de « Taille ». Et pour les voix aiguës, on parlait de *hautes-contre.* Cette dernière catégorie de ténors, dont l'émission vocale est faite d'un mélange de voix de poitrine et de tête combinées est extrêmement rare. L'Anglais Alfred Deller en est aujourd'hui le plus célèbre représentant.

Principaux ténors :

Carlo BERGONZI (né en 1926, Italien).

Bergonzi fit ses débuts en 1948 comme baryton dans *le Barbier.* En 1951, son interprétation de Bari dans *Andrea Chenier,* décida de sa carrière de ténor. Il est parmi les plus grands de sa génération.

Jussi BJORLING (1907-1960, Suédois).

Enrico CARUSO (1873-1921, Italien).

Franco CORELLI (né en 1921, Italien).

Mario DEL MONACO (né en 1915, Italien).

Giuseppe DI STEFANO (né en 1921, Italien).

Placido DOMINGO (Mexicain).

Célèbre ténor de style italien, à la voix ample et aisée.

Nicolaï GEDDA (né en 1925, Suédois).

Beniamino GIGLI (1890-1957, Italien).

James KING (né en 1924, Américain).

James King débuta par des rôles de baryton tels que Alfio, Escamillo et le Comte *de Figaro.* A partir de 1957, il travailla sa voix et tint les rôles pour ténor. Considéré comme l'un des meilleurs.

René KOLLO (né en 1937, Allemand).

Mario LANZA (1921-1959, Américain).

Lauritz MELCHIOR (1890-1973, Danois).

Lauritz Melchior, le plus grand ténor de l'histoire wagnérienne « avait une sorte de dynamisme vocal et d'enthousiasme inimitable qui conféraient à son interprétation une authenticité difficilement égalable » (*Diapason*). Le disque nous permet de conserver une mémoire intacte de ce grand artiste qui enregistra jusqu'à plus de soixante-dix ans.

Luciano PAVAROTTI (n. c. Italien).

Le grand ténor de style italien.

Tito SCHIPA (1889-1965, Italien).

Peter SCHREIER (né en 1935, Allemand).

« Ténor mozartien à la voix tendre et légère quand il chante l'opéra, Peter Schreier déploie un timbre plus large, plus riche dans le répertoire mélodique. Mais la souplesse et le charme demeurent les mêmes, d'une qualité rare » René Sirvin.

Georges THILL (né en 1897, Français).

Alain VANZO (Français).

Jon VICKERS (né en 1926, Canadien).

Fritz WUNDERLICH (1930-1966, Allemand).

Le baryton.

C'est la voix d'homme intermédiaire entre le ténor et la basse.

On distingue :

— *Le baryton dramatique,* aussi appelé baryton Verdi, parce que le compositeur affectionnait ce type de voix et écrivit pour lui ses solos les plus célèbres, *Rigoletto* par exemple.

— *Le baryton Martin,* nommé ainsi d'après un célèbre chanteur du XVIIIe siècle. Moins dramatique que celle du baryton Verdi, sa voix est plus légère et plus caressante, et marque dans l'aigu une plus grande facilité.

— *Le baryton,* proprement dit, qui correspond à la voix d'homme la plus normale, riche dans le médium, éclatante, d'une note plus basse que le baryton Verdi. C'est *Hamlet, Don Juan, Guillaume Tell,* etc.

Il arrive souvent que le baryton capable de force dans les notes graves, tienne le rôle de la basse chantante.

Principaux barytons :

Theo ADAM (né en 1926, Allemand).

Chanteur d'opéra, chanteur d'oratorio et interprète de lieder, Theo Adam eut tout à fait raison de préférer au début de sa carrière les rôles de baryton héroïque à ceux de basse noble. Son répertoire est très étendu : Figaro, Don Giovanni, Wozzeck, Wotan, etc.

Gabriel BACQUIER (né en 1914, Français).

Michel DENS (né en 1914, Français).

Dietrich FISCHER-DIESKAU (né en 1923, Allemand).

Le plus grand baryton de notre époque. Né à Berlin, il fut l'élève d'Hermann Weissenborn. Il est autant renommé pour ses interprétations à l'opéra que dans le lied qu'il a défendu avec un talent exemplaire. « En un quart de siècle d'une activité absolument inépuisable le phénomène Fischer-Dieskau a pris des proportions surhumaines, sans exemple aucun dans l'histoire du chant » *Le Nouvel Observateur.*

Tito GOBBI (né en 1915, Italien).

« La beauté de sa voix, ample, généreuse, son art du phrasé, qui tonifie ou feutre les passages divers des arias ou des récitatifs, en font un chanteur exceptionnel. Mais ses qualités de comédien n'en sont pas moindres et pour chacun de ses rôles, Tito Gobbi se met en état second » O. Merlin.

Hans HOTTER (né en 1909, Allemand).

Sherrill MILNES (n. c., Américain).

Hermann PREY (né en 1929, Allemand).

La basse.

C'est la voix d'homme la plus grave.

On distingue :

— *La basse chantante,* intermédiaire entre le baryton et la basse profonde. A la fois majestueuse et capable de rapidité.

— *La basse profonde,* ou basse noble, ou basse-contre, autrefois appelée basse-taille. C'est la voix la plus grave et elle est réservée aux emplois qui correspondent à sa puissance, à sa solidité, à sa respectabilité pourrait-on dire. C'est Sarastro dans *la Flûte enchantée.*

Principales basses

Feodor CHALIAPINE (1873-1938, Russe).

Nicolaï GHIAUROV (né en 1929, Bulgare).

Ruggero RAIMONDI (né en 1941, Français).

Né à Bologne, en 1941, Ruggero Raimondi fit ses débuts dans *la Bohème* à l'Opéra de Rome. Une série de contrats à travers toute l'Italie devait suivre. Ses débuts au Métropolitan de New York en 1970 dans *Ernani* lui ouvrirent les plus grandes scènes : Le Royal Opera House, Covent Garden, le festival d'Edimbourg, Venise, Berlin, etc.

Giorgio TOZZI (né en 1923, Américain).

b) LES VOIX DE FEMMES sont également de trois sortes : le soprano, le mezzo-soprano et le contralto.

Le soprano.

C'est la voix de femme la plus élevée de toutes. Elle couvre habituellement deux octaves.

On distingue :

— *Le soprano léger*, fin et souple, aisé dans l'aigu, capable de nombreuses virtuosités. Cette voix a un caractère dramatique peu développé et convient généralement à des rôles jeunes et souriants. La voix de soprano léger peut monter jusqu'au fa et au sol. C'est, par exemple, Rosine dans *le Barbier de Séville*.

— *Le soprano lyrique*, ou soprano tout court, moins facile dans l'aigu, mais plus puissant et surtout plus expressif. C'est *Madame Butterfly, la Traviata*...

— *Le soprano dramatique*, ample et fort, moins agile dans l'aigu, mais possédant une ou deux notes de plus dans le grave, lui sont réservés les rôles passionnés, généreux. *Aïda, la Tosca* sont des soprani dramatiques.

Principaux soprani :

Licia ALBANESE (née en 1913, Américaine d'origine italienne).

Elly AMELING (née en 1933, Néerlandaise).

« La voix d'Elly Ameling, qui a fait sensation dès sa première apparition en public, a atteint une plénitude, une richesse et une chaleur de timbre merveilleusement servies par un tempérament d'une musicalité accomplie » (*Diapason*).

Inge BORKH (née en 1921, Suissesse).

Montserrat CABALLE (née en 1940, Espagnole).

Née à Barcelone, Montserrat Caballe étudia jusqu'en 1954 avant de faire ses débuts européens en 1956 dans le rôle de la Tosca. Particulièrement attachante dans l'opéra italien (Donizetti, Bellini, Rossini, Verdi), elle est une interprète magnifique de Mozart (*Cosi fan tutte*).

Maria CALLAS (1923-1977, Grecque).

Il y a Callas et puis les autres. Techniquement sa voix n'est pas toujours parfaite, mais l'instinct dramatique qui l'habite la place au-dessus de toutes les autres soprani.

Maria CANIGLIA (née en 1906, Italienne).

Régine CRESPIN (née en 1927, Française).

Une lamentable cabale tient Régine Crespin à l'écart des scènes françaises. Tant pis pour nous. Les Américains l'ont accueillie à bras ouverts.

Christina DEUTEKOM (Néerlandaise).

Kirsten FLAGSTAD (1895-1962, Norvégienne).

Gundula JANOWITZ (née en 1937, Allemande).

Elle fut remarquée, encouragée et dirigée par Herbert Von Karajan qui la fit débuter dans le rôle de Pamina, de *la Flûte enchantée*. « Cette fidélité à Mozart, cette excellence dans Mozart donnent à Gundula Janowitz ce chant irréprochablement cultivé, cette tenue classique aujourd'hui incomparable » (André Tubœuf). Cette artiste réserve aussi une part importante à l'opéra italien (*Boccanegra*, la Reine de *Don Carlos*, Amelia du *Bal masqué*, etc.) et au lied (Schubert, Liszt, Strauss) auquel elle consacre chaque année un récital.

« Rare est cette maturité épanouie où tous les prestiges d'une voix concourent à l'expression parfaite du lyrisme » Jacques Lonchampt.

Gwyneth JONES (née en 1936, Anglaise).

Evelyn LEAR (née en 1930, Américaine).

Lotte LEHMANN (née en 1888, Allemande naturalisée américaine).

Victoria de LOS ANGELES (née en 1923, Espagnole).

Contemporaine de Maria Callas et de Renata Tebaldi, Victoria de Los Angeles a « (dans) la voix toutes les délicatesses, une ductibilité permettant toutes les nuances, une richesse de timbre et une rondeur d'émission dans toute l'étendue de la tessiture comme dans tous les degrés de la puissance, qui lui donnent une sûreté remarquable du plus ténu pianissimo, de la plus charmeuse demi-teinte au plus somptueux élan lyrique. Parfois, d'un éclat métallique fulgurant, elle accroche des étoiles au velours pourpre de son chant » Jean Hamon.

Germaine LUBIN (née en 1890, Française).

Edith MATHIS (née en 1933, Suisse).

Mady MESPLE (née en 1934, Française).

Une des toutes premières soprani coloratura de notre époque. Elle fit ses tous premiers débuts dans *Lakmé* et « éclata » vraiment en 1960 dans *Lucie de Lamermoor* à l'Opéra de Paris. Depuis elle se produit et enregistre régulièrement. En 1973, elle fit ses débuts au Metropolitan de New York et remporta un très grand succès dans le rôle de Gilda de *Rigoletto*. Son talent est très vaste puisqu'elle est à l'aise aussi bien dans l'opéra, l'opérette que dans le répertoire contemporain : c'est elle que Pierre Boulez choisit pour interpréter à Londres *Die Jacobsleiter* de Schönberg.

Birgit NILSSON (née en 1928, Suédoise).

Birgit Nilsson a fait ses études à l'Académie de musique de Stockholm. Elle fut remarquée par le chef d'orchestre Fritz Busch qui lui donna le rôle d'Electre dans *Idoméneo*, de Mozart. Elle est une des meilleures interprètes du répertoire wagnérien, tout particulièrement dans les rôles d'Isolde et de Brunehilde. Certains vont jusqu'à la considérer comme l'héritière de la grande Kirsten Flagstad.

Lucia POPP (née en 1940, Tchèque).

Léontyne PRICE (née en 1927, Américaine noire).

Noire Américaine, élève de la Juilliard School, a fait ses débuts dans le rôle de Tosca pour la télévision N.B.C. Depuis elle a obtenu une réputation mondiale tout à fait justifiée en interprétant *Aïda*, Léonore du *Trouvère* et de la *Force du Destin*, Elvira *d'Ernani*, etc. Elle est saluée aujourd'hui comme l'une des toutes premières artistes lyriques.

Jane RHODES (née en 1929, Française).

Mado ROBIN (1918-1960, Française).

Léonie RYSANEK (née en 1928, Autrichienne).

Elisabeth SCHWARZKOPF (née en 1915, Allemande).

Unique, merveilleuse. La très grande classe.

Renata SCOTTO (née en 1934, Italienne).

Teresa STICH-RANDALL (née en 1927, Américaine).

Joan SUTHERLAND (née en 1926, Australienne).

« Elle ressuscite pour nous l'image victorieuse de la prima-donna du siècle dernier, comme les Grisi ou les Patti qui laissaient leurs auditeurs subjugués par leur éblouissante technique vocale » (*Diapason*).

Renata TEBALDI (née en 1922, Italienne).

Depuis plus de vingt ans, avec un médium large et velouté, un aigu souple, une tessiture élevée, Renata Tebaldi dans toutes les œuvres qu'elle interprète donne une intensité dramatique poignante.

Le mezzo-soprano.

— C'est la voix de femme plus grave et plus étendue — elle va du si bémol au la — que la voix de soprano. Elle tient le milieu, et, en ce sens, elle est l'équivalent de la voix de baryton chez l'homme. Moins sonore dans le grave que le contralto, son aigu est moins étendu que le soprano. C'est une voix légère, capable d'une grande richesse d'expression.

La plus grande partie du répertoire français est écrite pour des mezzo-sopranos, *Carmen* en est le meilleur exemple.

Principaux mezzo-sopranos :

Janet BAKER (née en 1933, Anglaise).

« Janet Baker nous comble par la pureté de son style et la beauté de son timbre où le charme, la chaleur et la douceur se marient dans une harmonie constante » (*Diapason*).

Fedora BARBIERI (née en 1919, Italienne).

Jane BERBIE (née en 1934, Française).

Teresa BERGANZA (née en 1934, Espagnole).

« Dans ces chants espagnols (Canciones Espanolas) c'est la styliste impeccable qui triomphe, la musicienne exemplaire qui module à la perfection ces mélodies si émouvantes. Le caractère typiquement espagnol du mezzo-soprano au timbre fruité de Teresa Berganza se révèle ici dans toute sa prenante beauté, et l'on ne sait qu'admirer davantage de la pureté de la voix ou de l'intelligence à la manier » (*Harmonie*).

Hélène BOUVIER (née en 1905, Française).

Grace BUMBRY (née en 1937, Américaine).

Fiorenza COSSOTTO (née en 1935, Italienne).

Rosalind ELIAS (née en 1935, Américaine).

Rita GORR (née en 1926, Belge).

Marilyn HORNE (née en 1929, Américaine).

Christa LUDWIG (née en 1932, Autrichienne).

« Une des plus grandes voix de notre époque dans le répertoire le plus délicat » (*Le Quotidien de Paris*).

Nan MERRIMAN (née en 1920, Américaine).

Yvonne MINTON (n. c., Australienne).

Regina RESNIK (née en 1923, Américaine).

Giulietta SIMONIATO (née en 1910, Italienne).

Joséphine VEASEY (née en 1935, Anglaise).

Shirley VERRETT (née en 1938, Américaine).

Galina VICHNEVSKAIA (née en 1926, Russe exilée).

Le contralto.

— C'est la voix de femme la plus basse, elle est extrêmement rare et ce sont souvent des mezzo-sopranos qui interprètent les rôles écrits pour contralti, ce qui est dommage car les notes basses n'ont plus la même qualité.

On trouve dans le répertoire italien, de nombreux rôles écrits pour de véritables contralti. Par exemple, Azucena dans *le Trouvère*.

Le contralto de Kathleen Ferrier est sans conteste le plus merveilleux enregistré à ce jour.

Principaux contralti :

Oralia DOMINGUEZ (née en 1928, Mexicaine).

Kathleen FERRIER (1912-1953, Anglaise).

Si vous êtes réfractaire au chant, écoutez Kathleen Ferrier.

La merveilleuse pureté de sa voix vous laissera rêveur : la beauté parfaite.

Maureen FORRESTER (née en 1930, Canadienne).

Considérée comme l'une des meilleures interprètes des œuvres de Mahler, Maureen Forrester a donné nombre de récitals sous la conduite de chefs aussi réputés que Karajan, Bernstein et Mehta. Elle a participé à des concerts un peu partout à travers le monde et a également enregistré plusieurs microsillons sur étiquettes RCA, Columbia, London, etc.

Julia HAMARI (née en 1943, Hongroise).

Anna REYNOLDS (Anglaise).

Tableau donnant la tessiture des voix.

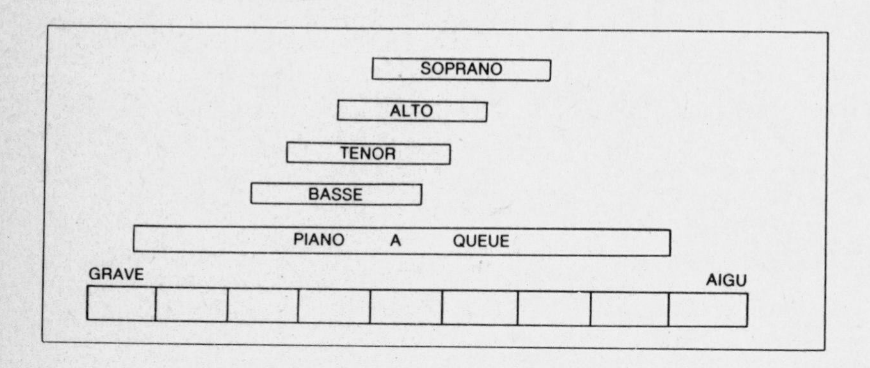

Nous donnons aussi la tessiture du piano, instrument qui accompagne souvent la voix humaine, pour que le lecteur ait une base de référence.

Deuxième Partie

Les compositeurs et leurs œuvres

Le moyen âge

A. LE CHANT GREGORIEN

Le chant grégorien s'étend de la première moité du VIIe siècle au XIIe siècle. C'est un chant essentiellement monodique qui trouve ses origines vers la fin du premier siècle, à l'époque des premières communautés chrétiennes. Celles-ci, sous l'influence grecque, mais surtout juive, cherchaient déjà à exprimer leur foi par le chant : chant des psaumes et des cantiques de l'Ancien Testament.

Les textes étaient d'abord tirés de l'Ecriture. Puis les prêtres composèrent des hymnes pour l'enseignement des fidèles. C'est alors qu'apparut une grande variété de chants liturgiques, populaires, faciles à retenir et à chanter. Milan devint le creuset de cette explosion musicale et religieuse, grâce à son archevêque saint Ambroise (vers 330-397) à qui l'on attribue près de deux cents hymnes.

Le pape Grégoire 1er qui mourut en 604 n'est pas le père du chant qui porte son nom. Mais c'est lui qui, avec une grande autorité, a commencé l'œuvre d'unification des différents chants et rites qui s'étaient multipliés dans la chrétienté. Les papes qui lui succédèrent, poursuivirent cet immense travail. Il fallut attendre Charlemagne pour qu'une seule et même liturgie soit imposée.

La première caractéristique du chant grégorien que l'on a appelé également plain-chant, est rythmique, car il ne connaît pas la mesure ; au chanteur d'imposer un rythme à condition toutefois de respecter la courbe mélodique que lui indiquent les « neumes ». Les neumes, ensemble de points (notes graves) et de barres (notes aiguës) ont constitué l'ébauche de l'actuelle notation musicale. Les spécialistes ne se sont pas encore mis d'accord sur la signification exacte de ces signes. Précisons simplement que les neumes permettaient au chanteur qui avait déjà reçu par transmission orale la mélodie, de la retrouver aisément. En quelque sorte, il s'agissait d'un aide-mémoire. Pour faciliter la lecture, une ligne rouge fut d'abord tracée horizontalement. On ajouta ensuite une seconde ligne, cette fois jaune. Petit à petit, on s'achemina vers la portée que nous connaissons.

La deuxième caractéristique du chant grégorien est son thème religieux. Pour l'Eglise, c'était d'abord une prière avant d'être une musique. Le répertoire comprend des hymnes et des messes. Dans les messes, on distingue cinq chants : *Kyrie, Gloria, Credo, Sanctus, Agnus Dei.* On ajoute à certaines messes, des *Alleluias.* Ce n'est que bien après la période proprement grégorienne que l'on parla d'autres chants comme le *Dies Irae* et le *Stabat.*

L'avènement de la polyphonie marqua le début de la décadence du chant grégorien. Nous sommes au XIVe siècle. D'une part, l'encadrement plus strict du rythme de la mélodie la rend lourde et monotone, d'autre part, la langue parlée s'impose et la pratique du latin disparaît. Le concile de Trente échouera dans sa tentative de réforme.

Le grégorien ressuscita au XIXe siècle avec la réhabilitation du Moyen Age. Les Bénédictins de Solesmes en sont les principaux responsables. A la suite de Dom Guéranger, de Dom Pothier et de Dom Mocquereau, les moines poursuivent encore aujourd'hui la restauration de ces prières chantées en s'approchant le plus possible de la tradition. Leur travail semble être récompensé : depuis quelques années, jamais autant de disques n'ont été vendus et de concerts n'ont été donnés.

EN VEDETTE

Anthologie grégorienne.
Chœur des moines de l'abbaye Saint-Pierre de Solesmes.

DEC. 1 disque n° 7542

Repons et monodies gallicanes.
Deller Consort.

HM. 1 disque n° 234

Les dimanches après l'Epiphanie.
Chœur des moniales de l'abbaye Notre-Dame d'Argentan.

DEC. 1 disque n° 7536

Chefs-d'œuvre grégoriens.
Chœur des moines de l'abbaye de Ligugé.

SM. 1 disque n° 30553

Semaine Sainte : Office des Ténèbres.
Chœur des moines de l'abbaye de Ligugé.

SM. 1 disque n° 30575

B. MUSIQUE PROFANE AU MOYEN AGE

Les troubadours et les trouvères ont été les poètes du Moyen Age. Auteurs à la fois des vers et de la musique, on leur attribue une impressionnante quantité de chansons d'amour et de chansons à boire. Nous en connaissons au moins deux mille. Mais nous sommes certainement loin du compte puisque la plupart d'entre elles ont été transmises oralement et donc souvent perdues.

Au départ, le modèle fut incontestablement le grégorien. Les chansons étaient destinées aux grands seigneurs et au peuple. On y parlait le latin et parfois la langue vulgaire. Et c'est ainsi que parallèlement au grégorien se développa une musique profane.

Les troubadours ont sillonné le Midi de la France, là où l'on parlait la langue d'Oc. Gentilshommes, ils avaient reçu une solide culture dans les abbayes, préférant le chant aux armes. Guillaume d'Aquitaine était un des plus connus.

Les trouvères ont sillonné le nord de la Loire, là où l'on parle la langue d'Oïl. Leur inspiration était moins religieuse que celle des troubadours. Chrétien de Troyes était un des plus connus.

Les chansons des troubadours et des trouvères ont été colportées aux quatre coins par les jongleurs et les ménestrels. On soupirait auprès de la dame, on rendait hommage au suzerain, on chantait la terre natale et on rappelait la gloire de Dieu.

Harpes, vièles et orgues portatives étaient utilisées pour l'accompagnement. Rapidement, cette musique profane, qui restait essentiellement monodique, se propagea, en Italie, en Espagne et jusqu'en Hongrie.

A partir du début du XIVe siècle, comme pour le grégorien, l'essor de la polyphonie devait étouffer ce mouvement musical.

EN VEDETTE

Troubadours.
Alphonse X, Faidit, Marcabru...
HM. 1 disque n° HMU 566

Trouvères et troubadours, Minnesinger et Meistersinger.
BAM. 1 disque n° 5837

Musique au temps des croisades.
CBS. 1 disque n° 76083

Chansons de troubadours.
Peire Vidal, Guiraut de Borneilh...
TEL. 1 disque n° SAWT 9567

C. LA MUSIQUE POLYPHONIQUE EN OCCIDENT

Les Egyptiens, les Grecs et les Romains n'ont sans doute pas connu la musique polyphonique, du moins on n'en relève aucune trace à cette époque. Il faut attendre le IXe siècle pour trouver une première ébauche de cette nouvelle esthétique qui n'atteindra son apogée qu'au XVIe siècle, alors que le chant grégorien s'efface progressivement.

L'apparition de la polyphonie dans l'histoire a marqué l'émancipation de la musique en Occident. On peut d'ailleurs noter que la vie politique et sociale a vécu parallèlement une profonde évolution.

L'Eglise perd son influence quasi monopolistique. Les bourgeois jouent un rôle économique de plus en plus grand et forment une classe sociale dont le poids ne cesse de grandir.

Les débuts de la polyphonie : Ars Antiqua, Ars Nova
(Du Xᵉ à la fin du XVᵉ siècle.)

Fait fondamental dans le développement de la polyphonie : pour la première fois, on a plaisir à entendre simultanément deux sons différents. La plus grande innovation va d'ailleurs dans ce sens ; c'est un double mouvement imprimé aux voix, tandis que l'une monte, l'autre descend et réciproquement.

Ars Antiqua :

C'est à Paris que la polyphonie fit officiellement ses premiers pas, grâce à l'Ecole Notre-Dame. Ce nouvel art musical se greffa sur le grégorien : une voix brode des vocalises de plus en plus libres sur la mélodie liturgique.

Leonin et Perotin ont attaché leurs noms à cette Ecole. Tous deux étaient vraisemblablement des hommes d'Eglise ; mais c'est le second, élève du premier, qui permit à la polyphonie de prendre un véritable départ. Il confia certaines voix à des instruments acceptés dans les églises, comme l'orgue ou la flûte. Il élimina les formules lourdes, pour d'autres plus audacieuses.

Les échelles d'ut et de fa s'imposent, dièse et bémol font leur apparition. La notation rythmique se précise. Notons qu'avec la France, l'Angleterre a particulièrement favorisé l'épanouissement de la polyphonie. N'oublions pas qu'il existait en Grande-Bretagne une tradition musicale populaire d'origine celte et scandinave.

EN VEDETTE

Paris médiéval. Musique de la Cité (XIIIᵉ siècle).
(Adam de la Halle, Jehannot de l'Escurel, Perotin, etc.)
VOX. 1 disque nº 36030

Ars Antiqua. Organa, Motets, Conduits.
TEL. 2 disques nº SAWT 9530-31

Ars Nova :

Philippe de VITRY (1291-1361)

Homme d'Eglise, il composa et écrivit un traité intitulé Ars Nova dans lequel sont codifiées les dernières acquisitions de l'écriture musicale polyphonique. Ces principales innovations concernent le rythme : la mesure est indiquée après la clé, la couleur des notes prend un sens, enfin les mesures binaires sont utilisées aussi bien en sacré qu'en profane.

EN VEDETTE

Motets et Triplum.
TEL. 1 disque nº SAWT 9517 A

Guillaume de MACHAUT (vers 1300-1377).

Chanoine, il sut utiliser le travail considérable de Philippe de Vitry et composa plus de cent trente-trois ballades, motets, lais, virelais, et sa messe de Notre-Dame à quatre voix.

Contrairement à ses prédécesseurs, Guillaume de Machaut signa ses œuvres qui, dans leur grande majorité, sont profanes.

EN VEDETTE

Messe « Notre-Dame ».
Motets.

Francesco LANDINI (1325-1397)

Après un départ lent, l'Italie se lança dans la polyphonie, avec Landini, sans doute le meilleur musicien de l'époque.

EN VEDETTE

Che pena è quest' al cor, etc.

VSM. 1 disque n° C 06330113

Le XVe siècle :

Rien ne va plus, l'histoire ne donne plus raison à la France après l'occupation de l'Angleterre par les Normands, c'est la défaite d'Azincourt : les Anglais s'installent en France, y amenant leurs musiciens.

John DUNSTABLE (vers 1380-1453).

Sa vie est mal connue. Probablement né en Ecosse, il appartint à la maison du duc de Bedford, régent de France, de 1422 à 1435. Il fit de nombreux voyages en France et en Italie. Nous possédons de lui soixante-sept compositions, dont seulement trois sont profanes. Ses mélodies sont plus longues, d'une courbe plus ample : la technique s'efface devant l'esthétique de l'expression.

EN VEDETTE

Motets « Beata Mater »

Guillaume DUFAY (1400-1474).

Ecclésiastique, il reçut à la célèbre maîtrise de la cathédrale de Cambrai une solide formation musicale qu'il compléta à la chapelle pontificale où il fut chantre. Il fit également de nombreux séjours à la cour du duc de Savoie. Il était docteur en droit canon, chapelain du duc de Bourgogne. Guillaume Dufay est avant tout un compositeur religieux. Il imposa en particulier la messe sur un thème unique. Nous possédons également certaines de ses œuvres profanes, qui célèbrent aussi bien le bon vin que la verdure tendre, les gaietés et la mélancolie de l'amour.

EN VEDETTE

Messe « l'Homme armé ».

VOX. 1 dique n° 36031

Messe « Se la face ay pale ». Fragment de messe : *Gloria « ad modum tubae ».*

VSM. 1 disque n° C 06905541

Motets.

Ockeghem. Obrecht. Josquin des Prés : ces trois autres noms vont marquer la seconde moitié de ce siècle, ce sera l'école franco-allemande.

Joannes OCKEGHEM (vers 1420-1495).

Il fit probablement ses études musicales à Anvers où il était chantre à la cathédrale.

Il s'établit ensuite en France où il se mit au service de Charles VII, avant d'être maître de la Chapelle Royale sous Louis XI et Charles VIII. Dans l'écriture, il fit preuve de beaucoup d'audace. C'est ainsi qu'il écrivit un *Deo Gratias* à trente-six voix, et qu'il fit chanter dans une messe, deux canons différents par quatre voix marchant deux à deux.

EN VEDETTE

Messe « pro defundis ».

ARC. 1 disque n° 2533145

Motets.

VAL. 1 disque n° MB 821

Jacob OBRECHT (vers 1450-1505).

Cet Hollandais, originaire d'Utrecht ou de Berg-Op-Zoom, aurait enseigné le chant au jeune Erasme, alors qu'il était chantre et prêtre de la cathédrale d'Utrecht. C'est un musicien essentiellement religieux, qui écrivit plus de vingt-cinq messes et de nombreux motets. Il s'est attaché à enrichir les procédés, en particulier en augmentant ou en diminuant la durée des notes.

EN VEDETTE

Missa Super Maria Zart.

SUP. 1 disque d'importation n° 1120464

Josquin des PRÉS (1442-1521).

Disciple d'Ockeghem, continuateur de Dufay, Josquin des Prés, dont la vie est assez mal connue, devait passer ses dernières années comme chanoine à Condé-sur-Escaut. Il laisse, en particulier des motets à l'écriture contrapuntique habile, longtemps dédaignés mais qui, aujourd'hui, nous enchantent par leur capacité évocatrice.

EN VEDETTE

Motets « Alma redemptoris Mater »

Messe « Pange lingua »

VAL. 1 disque n° MB 794

Messe « la, sol, fa, ré, mi »

PHI. 2 disques n° 6775005

Le XVIe siècle :

C'est véritablement l'âge d'or de la polyphonie et du contrepoint. Nous sommes à l'époque de Rabelais et de François 1er ; on repousse la théorie et l'écriture académique, pour écrire plus librement, pour permettre aux sentiments de s'exprimer. Quant à l'inspiration, on se laissera intimider par les anciens : l'Antiquité et son paganisme sont à la mode.

Ce siècle ouvre donc la porte à un ordre nouveau, sans que pour autant il soit juste de donner à cette époque le nom de « Renaissance ».

Clément JANEQUIN (vers 1485-vers 1560).

Cet ecclésiastique qui fut, selon Ronsard, un élève de Josquin, écrivit dans un style vert et descriptif. Son nom a été connu de toute l'Europe.

EN VEDETTE

Chansons.

ERA. 1 disque n° STU. 70519

Roland de LASSUS (vers 1532-1594).

De l'école franco-flamande, il est un des premiers grands musiciens à ne pas être prêtre. Il apprit le chant comme enfant de chœur à l'église Saint-Nicolas, et acheva son instruction à Naples où il mena une vie extrêmement libre. A son sujet, on parle de génie ; on compte près de deux mille quatre cents compositions, dont les deux tiers sont religieuses. C'est également un musicien qui a utilisé sa très grande vitalité en écrivant aussi bien des pages d'une grande spiritualité que des chansons fantaisistes, libertines ou mélancoliques.

EN VEDETTE

Psaumes de la Pénitence.

ARC. 1 disque n° 2533290

Lagrime di San Pietro.

HM. 2 disques n° HMU. 963

Motets.

Antoine de BAIF (1532-1589).

Avec la protection de Charles IX, il fonda en 1571 l'Académie de Musique et de Poésie. Il y défendit la nécessité d'unir plus étroitement le texte à la musique et imposa des vers mesurés à l'Antique. Trois autres artistes se spécialisèrent dans ces compositions : Claude Le Jeune (vers 1528-1600), Jacques Mauduit (1557-1627), Eustache Du Caurroy (1549-1609).

PALESTRINA (1525-1594).

Son nom domine l'école italienne. Après des études musicales à Rome, son père le fit entrer à la maîtrise de Sainte-Marie-Majeure de Rome. Il fut ensuite successivement maître de chapelle à Saint-Jean de Latran, à Sainte-Marie-Majeure et à la Chapelle Giulia. A la suite du Concile de Trente, il fut chargé d'imposer un chant polyphonique aussi limpide et pur que possible, au caractère religieux et dont le texte soit compréhensible par tous.

Il mourut laissant cent quinze messes, six cents motets, des livres de psaumes, de litanies, d'offertoires, de magnificats et seulement deux recueils de madrigaux profanes. Son œuvre est surtout remarquable par la pureté, la sérénité, l'élégance de la mélodie et la simplicité du contrepoint. En chantant la gloire d'un Dieu consolateur, Palestrina a écrit une musique apaisante et salvatrice.

EN VEDETTE

Madrigaux. « Alla riva del Tebro »
DEE. 1 disque n° DDLX 59

Messe « du Pape Marcel »
ARC. 1 disque n° 198182

Tomás Luis de VICTORIA (vers 1548-1611).

Il appartient à l'école espagnole qui s'inspira des autres écoles franco-flamandes et italiennes, tout en gardant la passion propre à l'Espagne. Après avoir fait ses études musicales à Rome, il s'installa à Madrid comme maître de chapelle de Dona Maria, la sœur de Philippe II.

Contrairement à Palestrina, son langage est direct, pathétique. Il décrit dans toute son œuvre un drame ; son Dieu est celui de la croix, c'est un Dieu qui souffre.

EN VEDETTE

Officium Hebdomadae Sanctae
ERA. 3 disques n° STU 70863/65

Officium Defunctorum
VAL. 1 disque n° MB 761

William BYRD (1543-1623).

C'est un des plus brillants représentants de l'école anglaise. Il cultiva le madrigal, mélangeant l'humour à des thèmes populaires. Il écrivit des œuvres religieuses, des chansons polyphoniques, des madrigaux et des chansons pour voix seules et viole.

EN VEDETTE

Messe à trois voix.

HM. 1 disque n° DR 211

Giovanni GABRIELI (1557-1612).

Vénitien, comme tous ses compatriotes, il manifesta la plus grande indépendance en musique. C'est un digne successeur du Flamand, Adrien Willaert, maître de chapelle à Saint-Marc en 1527, qui s'attacha pour les grandes fêtes à enrichir les pièces avec les chœurs, par des effets très variés.

Giovanni Gabrieli affectionna les grandes masses d'exécutants : quatre chœurs placés à différents endroits de la basilique, dialoguant entre eux. Un orchestre de plus de trente instruments complète le tout. Plus tard, on trouvera dans la même trajectoire Berlioz et Mahler.

EN VEDETTE

Sonates et Canzoni

ARI. 1 disque n° ARN 38160

Sacrae Symphoniae

ERA. 2 disques n° STU. 70674/5

Le classicisme au XVIIe siècle

A. LA MUSIQUE DRAMATIQUE AU XVIIe SIECLE

Les premiers pas vers l'Opéra : MONTEVERDI.

Monteverdi est le premier à avoir représenté sur scène un opéra digne de ce nom, *l'Orfeo.* Il n'en est pourtant pas le créateur. Le début du XVIIe siècle va voir le triomphe de la monodie accompagnée : la musique va être subordonnée au texte poétique alors qu'au Moyen Age elle participait à la représentation scénique, mais seulement sous forme d'intermèdes laissant l'action aller son cours.

Le XVIe siècle avait porté à son apogée l'art de la polyphonie vocale. En réaction contre cette polyphonie universelle et triomphante, un certain nombre d'artistes se réunirent au sein d'académies dans l'espoir de travailler au progrès de l'art. La plus célèbre fut celle commanditée par le mécène Bardi à Florence. Dans la « camerata Bardi » des artistes tels que Peri,Caccini, Galileï désireux de retrouver la musique grecque, mirent au point le « stile rappresentativo », sorte de chant monodique. Le mariage de Henri IV et de Marie de Médicis fut l'occasion de la première représentation d'une pièce de théâtre entièrement chantée : *l'Eurydice,* de Jacopo Peri, qui est surtout une longue série de soli vocaux où le récit se fait sous forme de déclamations.

Claudio MONTEVERDI (1567-1643).

Mais c'est l'*Orfeo* de Monteverdi qui est véritablement le premier opéra. Tout ce que ses prédécesseurs ont fait est très en deçà de ce qui peut être considéré comme une œuvre fondamentalement nouvelle et visionnaire.

Monteverdi, né à Crémone, travailla avec Ingegneri, un des maîtres les plus remarquables de son temps, et étudia la musique de la Renaissance italienne. Nommé à la cour de Mantoue, il y restera près de vingt ans. Très rapidement sa célébrité s'étendant, il devint le plus grand compositeur de son temps. En 1613, nommé maître de chapelle à Saint-Marc, il ne devait plus quitter Venise, sinon pour quelques voyages à Mantoue et à Crémone.

C'est au chevet de sa femme mourante que Monteverdi composa son *Orfeo*. Celui-ci fut représenté le 22 février 1607. L'année suivante, il donnait son *Ariane*, dont seule la célèbre « Lamentation d'Ariane » nous est parvenue. On raconte que la première représentation fit exploser en sanglots plus de six mille spectateurs.

La musique religieuse occupe une place très importante dans l'œuvre de Monteverdi. Il fut un homme très pieux et, à l'âge de soixante-quinze ans, prit l'habit sacerdotal. Jusqu'à la fin du XVIe siècle, rien de sérieux n'opposait le style de la musique profane à celui de la musique sacrée : les instruments se limitaient à une fonction de soutien. Le Concile de Trente recommandait une musique exempte de recherche supplémentaire, pour laisser toute leur intelligibilité aux textes sacrés. Au style polyphonique, dans lequel il écrivit les œuvres commandées par Saint-Marc, Monteverdi opposa bientôt un style « concertant » faisant librement dialoguer solistes vocaux et instrumentaux, chœurs et orchestre.

EN VEDETTE

Vêpres solennelles « Vespro della Beata Vergine » (1610)

Lorsque Monteverdi compose les Vêpres, il est à la cour de Mantoue, au service de Vincent Gonzague. L'œuvre commence par une Messe écrite dans le style le plus traditionnel. C'est le reste qui constitue l'essentiel et qui est généralement considéré comme le chef-d'œuvre le plus accompli de musique sacrée de style vénitien.

Dans la musique vocale profane, neuf livres de madrigaux, le VIIIe livre *Madrigali guerrieri e amorosi* (1638) est caractéristique de l'évolution que Monteverdi détermina.

L'Opéra italien après MONTEVERDI.

Monteverdi avait ouvert dans le genre de l'opéra des perspectives nouvelles, diverses et riches de promesses. Ses successeurs italiens n'eurent pas le talent de le comprendre préférant s'engager vers l'opéra par morceaux détachés, dans le genre le plus frivole. C'était dans le goût du public italien qui appréciait les vastes mises en scène où la machinerie la plus complexe permettait des mouvements de scène spectaculaires et rocambolesques.

La vogue de ces opéras fut immense non seulement à travers les villes d'Italie : Venise, Bologne, Pise, Parme, Vérone, Naples, mais aussi dans toute l'Europe, France exceptée. La production des œuvres se faisait sur une grande échelle et tant pis si la plupart de celles-ci étaient médiocres, l'histoire n'en garde pas un souvenir impérissable.

Les caractéristiques de « l'opéra type » de cette période étaient un récitatif rapidement débité éclairant les péripéties de l'action, tandis que les sentiments « nobles » étaient exprimés par les « grands airs ». Tout se terminait par un chœur, en écriture polyphonique.

Quelques noms sont à retenir ; les Vénitiens Francesco CAVALLI (1602-1676) et Marc-Antoine CESTI (1623-1669). Et aussi les Napolitains Francesco PROVENZALE (1627-1704) et Alessandro SCARLATTI, père de Domenico Scarlatti.

L'opéra en France : les musiciens de Louis XIV.

Pendant toute la première moitié du XVIIe siècle, la France joue un rôle négligeable dans l'histoire de la musique. Elle reste très conservatrice, s'en tient à la polyphonie et manifeste une antipathie profonde pour l'opéra italien qu'elle trouve excessif et manquant de sérieux.

Pendant que les Italiens chantent, les Français dansent. C'est la période des ballets de cour (ouvertures orchestrales, récits chantés, pantomimes, etc.). Deux compositeurs s'y illustrèrent particulièrement : Pierre GUÉDRON (1565-1625) et Antoine BOESSET (1586-1643).

Mazarin, cependant, essaya d'acclimater la musique italienne à Paris et commanda aux musiciens italiens des pièces spéciales pour la cour de France. Mais cette musique chargée de vocalises resta incompréhensible aux oreilles françaises.

Jean-Baptiste LULLY (1632-1687).

Lully est un Florentin, d'origine très modeste, mais magistralement doué et prêt à tout pour s'imposer. Il comprend vite que l'opéra de style italien ne peut conquérir Paris, aussi il en adapte les formes au rythme et à l'esprit de la poésie française. Il adopte le style récitatif sans ornements, basé sur l'accent tonique, solennel, un peu lourd mais très juste. Il respecte le drame, maintient les ballets et effets scéniques conservant ainsi le culte du décor qui était dans le goût français.

Lully fut, dès l'âge de quatorze ans, dans les bonnes grâces du roi Louis XIV, qu'il amusait. Il parvint d'abord à entrer dans l'orchestre royal, puis il en devint le chef. Cet orchestre comprenait la Bande des violons du roi et la Bande des petits violons. En 1662 il se lia d'amitié avec Molière avec lequel il collabora pour l'*Amour médecin, Monsieur de Pourceaugnac, le Bourgeois gentilhomme...* Louis XIV possédait en outre une musique militaire, la « musique de la Grande Ecurie du Roi ». En joignant les deux orchestres, Lully put obtenir plus de quatre-vingt-deux instrumentistes, alors que l'Académie royale de Musique dirigée par Cambert et Perrin n'en avait que treize. En 1672, il obtint la patente exclusive de surintendant de la musique : l'autorisation de Lully devint nécessaire pour donner une représentation.

La même année, il fut nommé directeur de l'Académie.

Lully s'adjoignit la collaboration d'un bon librettiste, Quinault. Il délaissa le genre comédie ballet pour les tragédies et les opéras tels que *Alceste, Thésée, Atys, Armide* et *Renaud.*

Il est le créateur d'un style qui vaut largement l'opéra italien, et qui va mener à Rameau et à Gluck.

EN VEDETTE

Te Deum, pour 5 solistes, petit et grand chœur et orchestre (1677).

Alceste ou le triomphe d'Alcide, tragédie lyrique (1674).

Jean-Baptiste Lully

L'opéra en Angleterre :

Henry PURCELL (1659-1695).

Purcell mourut à l'âge de trente-sept ans. Il nous a cependant laissé une œuvre abondante et diverse : un seul véritable opéra qui est un chef-d'œuvre (*Didon et Enée*), cinq pseudo-opéras dans le style des musiques de scènes shakespeariennes, une œuvre religieuse vaste (soixante « anthèmes », hymnes, psaumes...), de la musique vocale profane, de la musique instrumentale (pièces de clavecin et d'orgue...)

Né à Londres, en 1659, Purcell est le plus grand musicien anglais de tous les temps. Le début du siècle, marqué par la guerre civile (Charles I, Cromwell) avait été caractérisé par une grave carence de créateurs, qui pourtant succédait à la féconde période élisabéthaine.

Purcell fut l'élève de deux éminents musiciens, le Captain Cook et John Blow. Toute sa carrière se déroula à Westminster, comme organiste de l'abbaye. Sa musique est inégale. Dans son abondante production voisinent des œuvres banales et de purs chefs-d'œuvre qui influencèrent un musicien tel que Haendel. Il s'inspira à la fois de Lully et de l'école italienne, mais resta toujours original dans ses créations. Fraîcheur, spontanéité, élégance caractérisent son langage. Ses contemporains ne le comprirent pas toujours, il dut s'astreindre à composer des œuvres plus à la mode.

EN VEDETTE

Didon et Enée, opéra 1689.
Musique pour les funérailles de la Reine Marie.
Ode pour la fête de sainte Cécile.

B. LA MUSIQUE RELIGIEUSE AU XVIIe SIECLE

La musique religieuse occupa une place importante au XVIIe siècle. La monodie accompagnée, soutenue par la basse continue, créa un style concertant qui donna naissance à une musique religieuse originale. Messes, motets concertants, cantates religieuses, oratorios sont les formes de cet art.

L'opéra nouveau-né eut une influence définie sur cette musique, et il est quelquefois difficile de faire le partage — en particulier pour les cantates et les oratorios.

En général les compositeurs dont nous parlons dans ce chapitre ont prêté leur talent à d'autres formes de musique. Nous les avons placés ici parce qu'il nous a semblé que la part sacrée de leur œuvre était plus importante, mais chaque fois qu'il y aura lieu, nous préciserons leurs ouvrages dramatiques ou instrumentaux.

En ITALIE, trois noms sont à retenir :

Giacomo CARISSIMI (1605-1674).
Remarquable par ses oratorios et ses cantates.

Alessandro SCARLATTI (1660-1725).
Elève du précédent, auteur de vingt messes, de plus de deux cents psaumes, d'oratorios et d'admirables cantates.

Jean-Baptiste PERGOLÈSE (1710-1736).
Auteur du célèbre *Stabat-Mater* et de la *Servante Maîtresse* (opéra).

En FRANCE, les compositeurs de musique religieuse sont peu nombreux. Il n'était pas facile de vivre à une époque où Lully régnait en maître.

Marc-Antoine CHARPENTIER (1636-1704).
Peu inspiré pour la musique dramatique, laissa des pièces religieuses de très belle qualité — dans le style italien — et directement inspirées de son maître, l'Italien Carissimi.

EN VEDETTE

Le Reniement de saint Pierre.
Te Deum.

Michel DELALANDE (1657-1726).
Continuateur de Charpentier, il s'illustra par ses Motets écrits dans un style très attachant.

EN VEDETTE

Motets.
Symphonies pour les soupers du Roy.

Mais surtout la musique religieuse fut remarquable au XVIIe siècle chez deux grands maîtres, le Thuringien Heinrich Schütz et le Danois Diderik Buxtehude.

Heinrich SCHÜTZ (1585-1672).
Il fut le grand initiateur des pays allemands à la musique. Elève de Gabrieli, il resta à Venise jusqu'à la mort de son maître. De retour dans son pays il fut nommé Kapellmeister

de l'Electeur de Saxe, à Dresde. Il sut réaliser la synthèse des traditions allemandes de la Renaissance et de l'art italien, Schütz est le précurseur direct de J.-S. Bach.

EN VEDETTE

Psaumes de David (1619), à grands chœurs avec orchestre.

Dietrich BUXTEHUDE (1637-1707).

Organiste de la Marienkirche de Lübeck, Buxtehude a laissé une œuvre d'orgue très importante, qui eut sur J.-S. Bach une influence profonde. Il a donné aussi des cantates écrites dans un style très solide et très riche.

EN VEDETTE

Cantates.
Œuvres d'orgue.

C. LA MUSIQUE INSTRUMENTALE AU XVIIe SIECLE

La révolution en musique par les instruments, tel pourrait être le titre de ce chapitre. En s'imposant, la monodie accompagnée allait créer des formes nouvelles du langage musical. Le soliste fut le premier bénéficiaire de la mise en relief d'une ligne mélodique prédominante. Il ne résista pas au plaisir de briller avec son instrument. Le luth, le violon, le clavecin et l'orgue prirent le pas sur les autres instruments et les capacités propres à chacun d'eux engagèrent les compositeurs à écrire dans certains cadres et à n'évoluer que dans une certaine direction. Mettre en valeur l'instrument, tel fut l'objectif des musiciens de cette époque.

En ITALIE, autant le XVIe avait été le siècle de l'orgue, autant le XVIIe fut celui du violon. Mais il n'acquit sa place de roi que vers 1650. Girolamo Frescobaldi (1583-1643) fut le meilleur défenseur du clavier pendant la première moitié du siècle et l'initiateur de l'école instrumentale dont les deux grands maîtres sont Corelli et Torelli.

Arcangelo CORELLI (1653-1713).

Il fut un des créateurs du concerto grosso et surtout du concerto pour violon seul et orchestre (voir concerto).

Corelli fut un compositeur peu abondant, mais toute son œuvre est d'une qualité égale.

EN VEDETTE

Les 12 concerti grossi de l'opus 6.

Giuseppe TORELLI (1658-1709).

Il fut à l'origine de la sonate classique et du concerto pour violon. Il est moins sensible, peut-être plus didactique que Corelli.

La voie ainsi tracée par ces deux précurseurs et par d'autres compositeurs de moindre importance, permit à la musique instrumentale au XVIIe et au début du XVIIIe siècle de s'épanouir avec Vivaldi et Albinoni.

Antonio VIVALDI (1678-1741).

Maître de Chapelle, chef d'orchestre, professeur de violon, prêtre, Vivaldi domina tous ses contemporains. Son influence dans l'histoire de la musique est éclatante. Sa principale contribution fut de donner sa forme presque définitive au « Concerto de soliste ». Bach étudia ses œuvres avec précision. Son influence fut aussi importante dans le domaine de la symphonie, avant Haydn et Stamitz. Virtuose de l'archet, « le prêtre roux », ainsi qu'on l'appelait, composa non seulement pour le violon, mais pour d'autres instruments dont il fouillait les différentes sonorités avec brio (violoncelle, piccolo, flûte, viole d'amour, luth, etc.).

On lui doit une œuvre immense : quatre cent cinquante concertos, douze sonates à deux ou trois instruments (trios), vingt-trois symphonies, une quarantaine d'opéras inconnus, etc.

EN VEDETTE

Les quatres saisons, concerto pour violon et cordes. Trente-six versions différentes au catalogue français. Souvent très inégales. Un des best sellers du disque classique.

La Stravaganza, douze concertos pour violon, op. 4.

Concertos pour mandoline et cordes.

Tomaso ALBINONI (1671-1750).

Contemporain et ami de Vivaldi, Albinoni qui appartenait à la bourgeoisie vénitienne aisée, fut un compositeur fécond. Continuateur de Corelli, son invention mélodique et sa contribution au développement des formes classiques sont les points forts de son œuvre.

EN VEDETTE

Adagio pour cordes et orgue.

Il existe vingt et une versions au catalogue français de l'*Adagio* d'Albinoni. Celui-ci est presque toujours couplé avec un autre best-seller de l'édition discographique, *la Petite musique de nuit, le Canon de Pachelbel*, etc.

La FRANCE joue également un rôle important dans la vulgarisation de la musique instrumentale, à cette différence près que le violon n'occupe pas la même place qu'en Italie. Les instruments favoris des compositeurs français sont d'abord le luth, le clavecin et l'orgue.

Tous les artistes de cette époque qui ont composé pour le clavecin l'ont aussi fait pour l'orgue, puisqu'ils jouaient indifféremment des deux instruments. Les pièces pour orgue qu'ils nous ont laissées tendent à nous présenter les capacités et les richesses de l'instrument. Mais c'est surtout le clavecin qui a occupé une place importante, cela grâce à un compositeur de génie, François Couperin Le Grand.

François COUPERIN Le Grand (1668-1733).

A la différence de la plupart de ses contemporains qui n'étaient que de bons artisans, François Couperin, organiste de la Chapelle de Louis XIV, porta la musique pour clavecin du XVIIe siècle à son point culminant. Réussissant la synthèse des styles italien et français, les compositions qu'il laisse sont imprégnées de fraîcheur, de simplicité, de verve dans l'invention mélodique. La correspondance qu'il échangea avec Bach, a certainement influencé l'œuvre du cantor.

EN VEDETTE

L'Art de toucher le clavecin, 8 préludes et 1 allemande.
Pièces pour clavecin. En particulier les quatre premiers Livres.

Marin MARAIS (1656-1728).

En marge du clavecin pour lequel d'ailleurs il composa, Marin Marais a laissé des pièces pour une ou deux basses de viole, avant que l'instrument ne disparaisse.

EN VEDETTE

Pièces pour clavecin.

Le tombeau de M. Lully.

En ALLEMAGNE aussi les compositeurs donnent des suites pour instruments à cordes, à vent, des sonates. Nous avons déjà mentionné l'œuvre d'orgue de Buxtehude, mais il écrivit aussi des pièces pour clavecin, tout comme le compositeur Johann Pachelbel.

Johann PACHELBEL (1653-1706).

Organiste à Vienne et à Eisenach en particulier, ce compositeur, à l'écriture solide et variée, donna pour le clavecin et l'orgue des œuvres dignes d'intérêt qui annoncent Bach.

EN VEDETTE

Canon et Gigue à trois parties sur une basse obstinée, pour cordes et basse continue.

Le XVIIIe siècle classique

BACH - HAENDEL

Jean-Sébastien BACH (1685-1750)

Jean-Sébastien Bach est l'enfant doué des compositeurs du XVIIe siècle. Né le 21 mars 1685 dans une vieille famille de musiciens, son père, violoniste et altiste, lui donna dès le plus jeune âge le goût de la musique. Orphelin de père et de mère à l'âge de dix ans, son frère aîné le recueillit et lui apprit le clavecin et l'orgue. Ses études au Gymnasium d'Eisenach, puis au lycée d'Ohrdruf furent très brillantes. A l'âge de 15 ans, il est reçu à l'Ecole Saint-Michaël de Lünebourg. On l'emploie à l'orgue et au violon. Il travaille et apprend beaucoup, découvre Lully, Delalande, Couperin... Ses voyages à pied le mènent à Lübeck, où il entend Buxtehude, à Hambourg ; c'est l'occasion d'écouter les opéras italiens.

On distingue couramment quatre grandes périodes dans la vie de Bach.

1703-1708. — A 17 ans, Bach, qui n'a aucune fortune, renonce à des études supérieures et se fait engager comme organiste à Arnstadt. Subissant l'influence de Buxtehude, ses créations deviennent plus libres et ne sont pas du goût de ses commanditaires. De caractère entier, Bach les quitte .et devient organiste de Saint-Blaise à Mühlhausen. De cette époque datent ses premières cantates.

1708-1717. — C'est une période beaucoup plus heureuse pour Bach. Il commence à être connu et apprécié. Organiste à la cour de Weimar, il y écrit ses plus grandes œuvres pour orgue.

1717-1723. — Bach devient maître de chapelle à la cour de Köthen. Période faste où il compose presque toutes ses grandes œuvres instrumentales : *Suites pour orchestre, Brandebourgeois, le premier livre du Clavier bien tempéré...*

1723-1750. — La place de cantor à Leipzig étant libre, le conseil de la ville n'ayant pu obtenir la décision de Télemann, confie le poste à Bach. Il y passera 27 années. Il doit à la fois enseigner, fournir de la musique à la commande, être disponible à chaque demande. En contrepartie il n'a à sa disposition qu'un orchestre extrêmement modeste. C'est pourtant dans ces conditions qu'il composera 266 cantates, *les Passions, la Messe en si*...

S'il n'y avait ses querelles incessantes avec les autorités de Leipzig, cette période serait calme et riche. D'autant que Bach mène une vie équilibrée et heureuse auprès de sa seconde épouse Ànna-Magdalena. Il est gai, il aime vivre. Avant de mourir aveugle en 1750, Bach eut la joie d'être fêté par Frédéric II, plus apte à apprécier sa musique que les bourgeois de Leipzig.

Bach laisse une œuvre immense qui influencera tous les musiciens à venir. De son vivant il ne connut pas la célébrité de l'immense créateur qu'il était. On le considérait tout au plus comme un grand virtuose de l'orgue et du clavecin. Mozart lorsqu'il découvrit les fugues de Bach, aussitôt s'essaya à en écrire dans le même style. Beethoven interprétait en public *le Clavier bien tempéré*. Tous les compositeurs qui ont innové ont puisé dans Bach la force de leur inspiration : Schumann, Chopin, Liszt, Wagner, Debussy et bien d'autres.

Il est impossible de nommer toute l'œuvre de Bach : Près de 300 *cantates* dont 190 nous sont parvenues, 4 *Passions, la Messe en si mineur*, 4 *messes brèves*, 4 *suites pour orchestre*, l'*Art de la fugue*, toute *l'œuvre pour clavecin*, l'*œuvre pour orgue*, etc.

Le génie de Bach est sans doute d'avoir réalisé la synthèse du contrepoint et de l'harmonie. Il est le résultat et l'aboutissement de quatre siècles de polyphonie. Plus que novateur, il est celui qui permit à la musique de se transformer et d'évoluer vers les chemins qu'il traçait. Bach est la somme de la musique de son époque, portée au plus haut point de perfection.

EN VEDETTE

Musique vocale :

Passion selon saint Matthieu, BWV 244 (1728-1729) C'est peut-être le sommet de Bach et de toute la musique classique occidentale. Quatre heures d'écoute où chaque minute mérite l'attention. C'est la plus belle des quatre Passions écrites par le Cantor, prolongement, développement et aboutissement de la

Jean-Sébastien Bach

Passion selon saint Jean qui lui est antérieure de quelques années.

Elle se compose de soixante-dix-huit parties, de longueurs différentes : chœurs, récitatifs, chorals, airs, etc. L'ouvrage se divise en deux : la première partie prend fin à l'arrestation du Christ, la seconde à la mise au tombeau. Le texte biblique est récité par un ténor, l'Evangéliste, accompagné d'un clavecin et d'un violoncelle. Les chorals sont des prières, comme des réponses à l'appel du texte sacré.

Messe solennelle en si mineur, BWV 232 (1733).
Autre immense chef-d'œuvre du cantor, *la Messe en si* n'a que cinq mouvements en si mineur, les autres étant en ré majeur, mais elle tient son nom de la tonalité du premier chœur du « Kyrie Eleison » (chœur à cinq voix : soprani I et II, contralti, ténors et basses).

C'est contrairement à ce que l'on en dit parfois, une œuvre homogène, retravaillée par Bach, à plusieurs années d'intervalle, pour lui donner le fini propre aux chefs-d'œuvre.

Magnificat, en ré majeur BWV 243 (1723).

Cantates :

BWV 147 (dont le fameux choral « Jésus que ma joie demeure ».
BWV 4 « Christ Lag in todesbanden ».
BWV 21 « Ich Hatte viel Bekuemmernis ».

Musique orchestrale :

Six concertos Brandebourgeois (1721).
Quatre Suites pour orchestre (« Ouvertüren ») qui sont à l'origine de la symphonie allemande.
L'Art de la Fugue BWV 1080. Ultime chef-d'œuvre, laissé inachevé.

Œuvres pour clavecin :

Les quarante-huit préludes et fugues, divisés en deux livres, du *Clavier bien tempéré* (ou clavecin bien tempéré). Cette œuvre, comme les *Suites françaises ou les Inventions,* était destinée aux élèves de Bach pour qu'ils perfectionnent leur technique. Il existe des versions au clavecin (Kirkpatrick, Ruzickova, Walcha) à l'orgue (Thiry) et au piano (la version de référence souvent citée est celle de Fisher).
Les six Partitas, BWV 825/830 (1725).

Œuvres pour violon :

Sonates et partitas pour violon seul, dont la fameuse « Chaconne ».

Œuvres pour orgue :

Toccata et fugue en ré mineur, BWV 565.
C'est une des œuvres pour orgue les plus populaires.

Georg Friedrich HAENDEL (1685-1759)

Un mois avant J.-S. Bach, naissait G. F. Haendel à Halle-sur-Salle le 23 février 1685. Son père d'origine modeste, était parvenu au poste de chambellan du duc de Saxe puis du Prince-Electeur de Brandebourg. Il n'avait aucune familiarité avec les arts, et considérait mal un avenir de musicien pour son fils. Cependant dès sa dixième année, Georg Friedrich reçut une formation solide à l'orgue et au clavecin, grâce en particulier à l'organiste Zachow qui lui fit étudier le contrepoint à travers les sonates allemandes et italiennes des vieux maîtres.

Ami de Telemann, il obtint d'abord une modeste place de violoniste à Hambourg qui était alors une des capitales musicales de l'Europe. Quelque temps plus tard, c'est lui qui tient le clavecin dans l'orchestre de l'Opéra. Il n'a pas vingt ans lorsqu'il présente avec succès ses deux opéras, *Almira* et *Néro.*

Il se rend à Lübeck pour écouter Buxtehude. Il voyage, est nommé maître de chapelle à Hanovre. Puis c'est l'Angleterre. A cette époque les opéras italiens avaient un immense succès à Londres. Haendel écrit en quinze jours un opéra, *Rinaldo.* C'est le succès. Il reste en Angleterre et obtient les bonnes grâces de la Reine Anne en composant un Te Deum pour la paix d'Utrecht et une ode pour l'anniversaire de la souveraine. De 1717 à 1720, il est le maître de chapelle du duc de Chandos. En 1720, le nouveau roi George Ier le nomme directeur du théâtre de la Royal Academy of Music, où il écrit de nombreux opéras de style italien. C'est un succès d'abord immédiat et formidable. Puis viennent les difficultés. Le théâtre, en raison de son déficit (les diva de l'époque exigeaient des sommes exorbitantes), doit fermer ses portes en 1728.

Il poursuit jusqu'en 1738, sa carrière de directeur de théâtre. Mais malgré un tempérament bien trempé, un physique et un moral rabelaisiens, le colosse Haendel tombe gravement malade, sans doute d'une attaque au cœur, et doit faire une cure de six mois à Aix-la-Chapelle.

Georg Friedrich Haendel

A son retour il se tourne vers l'oratorio, faisant de celui-ci un genre typiquement anglais. En 1742 il obtient un immense succès avec son *Messie.* Après trente ans de difficultés, Haendel peut maintenant composer plus tranquillement. Mais un accident en 1750 lui fait perdre la vue et il meurt en avril 1759 à Londres.

G. F. Haendel a composé une œuvre extrêmement importante. Il travaillait vite, souvent pas beaucoup plus de deux à trois semaines pour un opéra. Sitôt l'œuvre terminée, il en entamait une autre, mélangeant volontiers les genres. Bien que d'origine allemande (il se fera naturaliser anglais en 1726), Haendel a très peu composé de musique de style allemand. Son œuvre se compose surtout de musique italienne (opéras, musique de chambre, suites pour orchestre...) et de musique anglaise. Il est l'auteur de plus de 40 opéras, 12 concertos pour orgue et orchestre, 18 concertos grosso, 5 Te Deum, 2 Passions, 32 oratorios, des cantates, des sonates, etc.

La musique de Haendel est extrêmement saine, équilibrée. Elle reflète une personnalité en pleine possession de ses moyens. On reste subjugué devant une telle capacité créatrice. Dans l'Histoire de la Musique, G. F. Haendel occupe une des meilleures places. C'était l'opinion de Beethoven qui voyait en lui « le plus grand compositeur de tous les temps ».

EN VEDETTE

Le Messie, oratorio (1742).
Cette « épopée » de la vie du Christ fut composée en vingt-quatre jours et représentée pour la première fois à Dublin en avril 1742. Un immense succès pour Haendel qui avait quitté Londres à la suite d'une injuste et désagréable cabale.
Royal Fireworks Music (musique pour les feux d'artifices royaux).
Water Music, suite pour orchestre (1717).
Israël en Egypte, oratorio (1747).

LA MUSIQUE DRAMATIQUE EN ITALIE ET EN FRANCE

A l'aube du XVIIIe siècle, l'opéra napolitain règne en roi. Le récitatif au débit rapide, le « recitativo secco » s'est généralisé. Mais le public prend de moins en moins attention au récit, et l'opéra tend à devenir un récital d'airs chantés par les vedettes de l'époque, les Castrats. Malgré la levée — par l'Eglise — de l'interdiction des femmes sur scène, ils continuent de se produire pour le bonheur du public. Cependant, ils disparaîtront bientôt, l'opération cruelle qui leur permettait de conserver une voix haute, étant de moins en moins acceptée par l'opinion publique.

L'opéra seria — un opéra à sujet noble et tragique — parce que le comique y était prohibé, perdit de son rayonnement et de son dynamisme. L'habitude fut prise d'introduire entre les actes des *intermezzi* à l'action gaie, vivante et alerte, dans un esprit spirituel et coloré. Devant le succès de cette entreprise, l'intermezzo se joua, en une seule partie en levée de rideau : l'*opéra bouffe* était né. L'exemple le plus remarquable de ces intermezzi, est la *Servante Maîtresse*, de Pergolèse, présentée pour la première fois à Paris en 1752 et qui fit naître une querelle entre les partisans (les bouffons) de l'opéra bouffe *ou opéra comique* comme on l'appelle en France, et les antibouffons, héritiers directs de la tradition lullyste.

En Allemagne, le *singspiel*, genre que Mozart illustrera avec génie, s'apparente plutôt à « l'opéra buffa » qu'à « l'opéra seria », mais il faut se garder des classifications trop précises qui cachent une réalité beaucoup plus complexe.

La musique dramatique française, dans le style de Lully, ne sortait pas victorieuse de ces querelles. Jean-Philippe Rameau, en révolutionnant le drame musical, et en annonçant Gluck, fut le représentant le plus digne d'intérêt de la musique française au XVIIIᵉ siècle.

Jean-Philippe RAMEAU (1683-1764).

Assez étrangement, l'œuvre de J.-Ph. Rameau est mal connue en France, mis à part un ballet, *les Indes galantes*. Pourtant il n'est pas seulement un remarquable théoricien, qui a jeté les bases de l'harmonie classique, de l'accord, de la tonalité majeure et mineure ; ses œuvres aussi bien dramatiques qu'instrumentales (ces dernières annoncent Berlioz) en témoignent.

Si le public d'aujourd'hui le boude, à son époque sa carrière ne fut pas aisée pour autant. Il eut à affronter non

Jean-Philippe Rameau

seulement les « bouffons », mais aussi des adversaires de poids tels que Diderot et les encyclopédistes qui trouvaient toujours sa musique inintelligible.

Originaire de Dijon, Rameau demeura longtemps en province avant de « monter » à Paris et de s'y fixer en 1723, à l'âge de quarante ans. Il y fit paraître son « Traité de l'Harmonie réduite à ses principes naturels » et publia des Pièces de clavecin. Mais le compositeur brûlait de se tourner vers la musique dramatique. La protection du fermier général La Popelinière lui en donna la possibilité. *Hippolyte et Aricie*, sur un livret de l'abbé Pellegrin tiré de la *Phèdre* de Racine fut son premier succès. Ce furent ensuite *Castor et Pollux* (1737), *Zoroastre* (1749) et aussi des opéras-ballets tels que *les Indes galantes* (1735), des ballets et des pastorales. Mais au total une œuvre assez restreinte.

EN VEDETTE

Castor et Pollux, tragédie lyrique.
La nouveauté et le sérieux de la partition n'empêchent pas un temps de « divertissement, de réjouissance ». Le récitatif accompagné, très libre et souple, varié dans sa forme, annonce le chant dramatique moderne. Les chœurs, maltraités dans l'opéra italien, retrouvent une place d'honneur.
Pièces de clavecin en concert.

Christoph GLUCK (1714-1787) et la réforme dramatique.

Gluck est un homme de théâtre et sa musique est inséparable de la représentation scénique. Il déclarait d'ailleurs, « avant d'entreprendre un opéra, je ne fais qu'un vœu c'est oublier que je suis un musicien ». Comme le remarque Emile Vuillermoz, Gluck aurait été de nos jours un merveilleux compositeur de musiques de films. Il eut une influence bienfaisante sur la musique dramatique de son temps, en prônant un retour à la simplicité du sujet, et en donnant à l'expression dramatique une base musicale solide. Comparée aux vocalises et aux airs pleins de fioritures des opéras napolitains alors en vogue, son œuvre s'inscrit dans la lignée de Péri et de Monteverdi. Elle paraît quelquefois froide et monotone et marque ainsi la réaction contre la mode, que Gluck imposa à son style, pour une plus grande dignité de l'art dramatique.

Ce retour au naturel et à la vérité par une peinture fidèle des sentiments, ne s'imposa pas tout de suite à Gluck. Ce voyageur impénitent, qui avait acquis une solide formation musicale auprès de Sammartini, eut l'occasion d'écouter les œuvres de Rameau, vers 1745. Mais ce n'est que dans la cinquantaine qu'il maîtrisa et imposa son style. Grâce à des librettistes de bonne qualité, il put donner *Orphée, Alceste, Paris et Hélène, Iphigénie en Aulide,* etc. Auteur de plus d'une centaine d'opéras, Gluck eut ses défenseurs (Rousseau, la Reine) et ses adversaires qui se réunirent autour de l'Italien Piccini, directeur du théâtre des Italiens et compositeur d'opéras dans le plus pur style napolitain. Gluck en faisant triompher le drame sur le bel canto, est un des premiers annonciateurs du drame lyrique wagnérien. L'opéra allemand de Mozart est l'aboutissement direct de l'opéra comique et de Gluck.

EN VEDETTE

Orphée et Eurydice, opéra (version italienne).
La légende d'Orphée, qui a inspiré tant d'œuvres, fut adaptée au théâtre lyrique pour Gluck par l'italien Calzabigi. L'ouvrage fut chanté pour la première fois en italien à Vienne en 1762 et en français à Paris en 1774.
Iphigénie en Aulide, opéra.

LA MUSIQUE INSTRUMENTALE, LA SYMPHONIE

Si la musique dramatique, au XVIIIe siècle, évolue au point de mener à l'opéra allemand de Mozart, la musique instrumentale, elle aussi se transforme, grâce à l'apport conjugué des musiciens allemands, italiens et français. Haydn sera l'aboutissement de ce mouvement et le grand rénovateur de la symphonie, que Mozart portera à son point culminant pour l'âge classique.

En ITALIE, Vivaldi et Albinoni, nous l'avons vu, ont fait progresser la musique instrumentale. Nous les avons classés dans le XVIIe siècle. Ils sont aussi des compositeurs du XVIIIe, à un titre moindre cependant que Sammartini.

Giovanni-Battista SAMMARTINI (1698-1775).

Celui qui fut le maître de Gluck est surtout présent dans la mémoire de l'histoire de la musique pour ses symphonies. Au même titre que Stamitz (voir plus loin), il participe à l'élaboration de cette forme musicale qu'est la « sonate pour orchestre », ou symphonie. Son rôle dans la formation des formes instrumentales classiques est non négligeable puisqu'il écrivit des quatuors.

EN VEDETTE

Sinfonia.

Luigi BOCCHERINI (1743-1805).

Continuateur de Sammartini, Boccherini occupe une place de choix dans « l'élaboration de la musique de chambre classique délivrée de la servitude de la basse continue ».

EN VEDETTE

Quintettes pour cordes.

Ces fameux quintettes, d'une grande pureté sonore sont en fait des quatuors avec une double partie de violoncelle. Boccherini avait une prédilection toute particulière pour cet instrument, dont il jouait en virtuose.

Domenico SCARLATTI (1685-1757).

Il est l'auteur de cinq cent cinquante-cinq sonates (essercizi) pour clavecin, en un seul mouvement avec double reprise (ou sonate en deux parties) et aussi de beaucoup d'autres compositions (pièces religieuses, cantates, etc.), qui sont souvent négligées. Avant Haydn et Mozart, il réussit à concilier monodie et polyphonie. Tout son art est d'invention, de fantaisie, de légèreté et d'élégance.

EN VEDETTE

Sonates pour clavecin (particulièrement celles enregistrées par W. Horowitz).

En FRANCE, mis à part l'œuvre pour clavier de Rameau (déjà citée), le représentant le plus éminent de la musique instrumentale est J.-M. Leclair.

Jean-Marie LECLAIR (1697-1764).

Ce violoniste d'origine lyonnaise, écrivit pour son instrument une œuvre dense, qui s'approche par la qualité de celle des grands maîtres italiens du violon.

EN VEDETTE

Concertos pour violon (ou flûte) et cordes..

En ALLEMAGNE, alors que J.-S. Bach avait porté le style contrapuntique à son plus haut point de perfection, qu'il ne restait plus rien à découvrir dans cette voie, les compositeurs de l'école de Mannheim et les descendants de Bach, en introduisant un cadre nouveau, la forme-sonate à deux thèmes (voir article sonate) et la symphonie (sonate d'orchestre), permirent à la musique instrumentale de se renouveler et de s'épanouir.

Georg Philipp TELEMANN (1681-1767).

Originaire de Magdebourg, Telemann fut un compositeur particulièrement fécond puisqu'il laisse plus de six mille œuvres, évidemment inégales. Il connut une célébrité bien supérieure à celle de Bach, mélangeant volontiers les styles et les influences. Après vingt ans de voyages à travers l'Europe, il se fixa à Hambourg, comme directeur de la musique pour toute la ville.

Il laisse des œuvres très étonnantes, mais qu'il est difficile de retrouver au milieu d'une discographie pléthorique.

EN VEDETTE

Concerto pour trompette et orchestre.

Johann STAMITZ (1717-1757) et l'Ecole de Mannheim.

Le duc Karl-Theodor confia à Johann Stamitz, son orchestre de Mannheim, résidence des Electeurs palatins. Autour de ce dernier se réunirent un nombre important de compositeurs et de musiciens presque tous natifs de Bohême. Ils sont à l'origine des premières symphonies classiques pour orchestre. Clairement construites et articulées, ayant définitivement abandonné la basse continue, ces symphonies en adoptant la coupe de la sonate, annoncent le véritable rénovateur que sera Haydn.

Carl Philipp Emmanuel BACH (1714-1788).

Le « Bach de Hambourg », comme on l'appelle, a laissé des sonates et des concertos pour clavecin et orchestre (pour clavicorde et pour piano-forte) d'une grande sensibilité, écrits dans une forme classique très pure (allegro en deux parties, andante, allegro), mais non exempts d'un certain romantisme. Il est d'ailleurs le premier compositeur à avoir donné des indications de nuances.

EN VEDETTE

Concerto pour clavecin et orchestre, en ré majeur.

HAYDN - MOZART

Joseph HAYDN (1732-1809).

François-Joseph Haydn, fils d'un charron et d'une cuisinière, vit le jour à Rohrau en mars 1732. A huit ans, choriste dans la maîtrise de la cathédrale Saint-Etienne à Vienne, il y étudie le clavecin, l'orgue et le violon, s'initie aux lois de la composition et se plonge dans les œuvres de Carl-Philipp-Emmanuel Bach. Rapidement son talent lui permet d'entrer au service d'un mécène, le baron de Fürnberg. C'est à cette époque qu'il compose ses premiers quatuors et sa première symphonie. Sa réputation commence à se faire. Le comte de Morzin lui confie la direction de son orchestre privé. A vingt-huit ans il entre au service de la famille Esterhazy, où il demeurera plus de trente ans et composera la part la plus importante de son œuvre.
Sa rencontre avec Mozart (1781-1782) eut une double importance. Une amitié sincère et profonde lia les deux hommes, ils eurent l'un sur l'autre une influence bénéfique que renforça une même communauté d'esprit.
A deux reprises Haydn se rendit à Londres (1790-1792) et (1794-1795). Chaque fois, il fut reçu avec le même succès et le même enthousiasme.
Ces deux séjours furent marqués par la composition de ses plus belles symphonies (*Symphonies de Londres* n°s 93 à 104, et surtout la célèbre *Oxford symphonie*). Haendel étant mort depuis près de trente ans, la place de « musicien national » lui fut offerte. Cependant Haydn choisit de rejoindre Vienne.
A son retour, sa célébrité était universelle, et le « père Haydn » ainsi qu'on l'appelait, put faire entendre ses symphonies et surtout les deux oratorios qu'il avait écrits à Londres : *la Création* et *les Saisons*. Beethoven fut son élève et son admirateur. On venait le voir et écouter ses conseils. Vers la fin de sa vie, il cessa de composer. Fatigué et malade, il mourut en mai 1809. *Le Requiem* de Mozart fut joué à son enterrement.
Haydn est un musicien parfaitement équilibré et heureux. Sa condition de « serviteur », habituelle à l'époque, ne lui pèse pas. Son goût pour la construction homogène, le développement harmonieux, la santé morale qui est la sienne, déconcertent volontiers. Haydn occupe une place de choix dans l'Histoire de la Musique puisqu'il est le créateur de la symphonie classique et du quatuor à cordes, formes musicales où il s'imposa comme un très grand maître. Son influence fut immense. Cet homme simple,

bienveillant eut une existence exemplaire qui lui permit de réaliser son œuvre : 104 symphonies, 16 ouvertures, des concertos, 84 quatuors à cordes (dont les *Sept Dernières Paroles du Christ*), 31 trios avec piano, 60 sonates pour piano, 17 opéras italiens, 14 messes, les deux fameux oratorios *La Création* et *Les Saisons,* etc.

EN VEDETTE

Oratorios :

La Création (1798).
Vaste sujet que la genèse pour ce compositeur catholique et franc-maçon. Beethoven assista à l'audition de cet oratorio interprété sous la direction de Salieri et se précipita à la fin du concert pour baiser la main de Haydn.
Les Saisons (1801).

Musique symphonique :

Toutes les symphonies de Haydn sont passionnantes. En particulier les *Parisiennes* (n°s 82 à 92) et les *Londoniennes* (n°s 93 à 104).
Les Sept Dernières Paroles du Christ. Version originale pour orchestre. Il existe aussi une version pour quatuor.
Concertos pour violoncelle et orchestre.

Musique de chambre :

82 *Quatuors à cordes,* particulièrement les opus 20, 50, 54, 76 et 77.

Wolfgang Amadeus MOZART (1756-1791).

Wolfgang Amadeus Mozart est né à Salzbourg, sur la route qui mène de Vienne en Italie. Son père Léopold Mozart, violoniste compositeur, attaché au Prince-Archevêque de Salzbourg lui donna une solide formation musicale. Dès 4 ans le don du jeune Mozart est éclatant. Au côté de sa sœur il joue du clavecin et commence déjà à composer alors qu'il ne connaît pas l'écriture musicale. Les premières œuvres que nous conservons datent de sa sixième année (menuets et allegros).

Il y a quelque chose de mystérieux, presque de divin dans l'extraordinaire don de ce jeune enfant. Cela explique en partie l'immense célébrité que le petit Wolfgang Amadeus va obtenir en se produisant à travers l'Europe.

En 1762, une première tournée de concerts le mène à Munich, à Vienne, à Schönbrunn. Il devient la « coqueluche » de la Cour Impériale. De 1763 à 1766, une série d'exhibitions beaucoup plus importante le trouve à Munich, Augsbourg, Mannheim, Mayence, Francfort, Aix-la-Chapelle, Paris, Londres. Il émerveille Gœthe, obtient la protection de Grimm, se lie d'amitié avec Jean-Christian Bach.

Franz-Joseph Haydn

En 1768 il donne son premier singspiel, *Bastien et Bastienne*. A treize ans il est nommé maître de concert à Salzbourg. Il y compose plusieurs messes, des menuets, des sérénades. Pendant quatorze mois, avec son père, il parcourt l'Italie, Rome, Naples, Milan, Florence... A Bologne, le célèbre Martini lui donne des leçons de fugue et de contrepoint et lui enseigne la polyphonie vocale. A Milan il crée *Mithridate*. Vers 1772, il compose ses premières symphonies. Au printemps 1773, il rejoint Salzbourg ; c'est à cette époque que furent composés, entre autres, les *quatuors Viennois*, le *1er quintette à cordes*, des *sonates pour piano*...

Mais Wolfgang Amadeus et son père ne s'entendent pas avec le nouveau Prince-Archevêque Hieronymus Colloredo. Celui-ci, brutal et lourdeau, déteste la musique de Mozart et le lui fait sentir à chaque occasion. Le compositeur quitte son poste de maître de concert, et, en compagnie de sa mère part pour un long voyage qui durera de septembre 1777 à janvier 1779.

Partout où il se rend, Mozart peut constater que l'accueil qui lui est fait n'est plus le même. Fini le temps où l'on célébrait le jeune virtuose, fini cette jeunesse dorée qui n'arriva pas à le gâter. Ce voyage est un échec. Il revint sans sa mère, morte après une courte maladie. Il reprit ses fonctions de « Konzertmeister » à la cour de Salzbourg. Pendant deux ans, de 1779 à 1781 sa situation va être difficile. Il composera peu, si, bien sûr, l'on considère l'œuvre déjà réalisée : *Symphonie concertante pour violon et alto, Messe du Couronnement, Sonates pour piano et violon*...

Mozart quitte Salzbourg et s'installe à Vienne chez les Weber. C'est l'époque de la *symphonie Haffner* mais surtout de *l'Enlèvement au sérail*. Il épouse Constance Weber, sœur cadette d'Aloysia qui l'avait refusé quelques années plus tôt. La vie est plus heureuse, plus joyeuse malgré les difficultés financières. *Concertos pour piano* (K 413, K 414, K 415, K 449, K 450...), *Symphonie Linz* (1783), *Quatuors dédiés à Haydn, les Noces de Figaro*, d'après Beaumarchais présentées pour la première fois en mai 1786. Le *Don Juan* présenté à Prague en octobre 1787 reçoit un immense succès. La même année Mozart est nommé, par Joseph II, compositeur de la Chambre Impériale et Royale, en remplacement de Gluck.

En 1788, le *Don Juan* ne reçoit pas à Vienne le succès qu'on pouvait attendre, même si Haydn déclare que Mozart est « le plus grand des compositeurs qu'il connaisse, de loin ou personnellement ». Cette même année voient le jour : le *Concerto du Couronnement*, les *Trios pour piano, violon et violoncelle, les trois dernières symphonies* dont *la Jupiter*. Les trois dernières années de la vie de Mozart vont être les plus créatrices. *Cosi fan tutte* est créé à Vienne en 1790. *La Flûte enchantée* est présentée en septembre 1791. *La Clémence de Titus* est composée en dix-huit jours. Le *Requiem* sera la dernière œuvre de Mozart. Il meurt le 5 décembre 1791 n'ayant entièrement achevé que le *Requiem* et le *Kyrie*. Mais Mozart avait donné des instructions très précises à son élève Süssmayr qui terminera l'œuvre à sa place, en lui conservant le caractère que Mozart avait voulu y mettre.

Wolfgang Amadeus Mozart était un homme de petite taille, au visage fin et pâle, entouré d'une abondante chevelure blonde. Très sociable, il aimait les réunions entre amis, se liait volontiers. En dehors de la musique, il connaissait peu de choses. Son enfance errante de jeune génie n'avait pas permis une éducation très approfondie. Mais il eut tôt conscience de sa tâche et du rôle qu'il avait à jouer dans la musique. Mozart était un homme de son temps, merveilleusement doué et qui vivait pleinement ses contradictions. Il n'est pas un novateur. Il ne fait pas progresser la musique vers des chemins nouveaux. Son génie est ailleurs : il est de réaliser une synthèse heureuse et rayonnante.

Longtemps Mozart fut connu plus qu'écouté et admiré. Ce n'est que dans les années 1930, que nos contemporains ont enfin réalisé qu'était laissé dans l'ombre — peut-être — le plus grand maître de la Musique. Et pourtant, tous les compositeurs l'ont admiré ; Haydn, son ami et puis Beethoven, Chopin, Schumann, Wagner...

L'œuvre de Mozart est très importante. Plus de 600 ouvrages nous sont restés. Ils ne sont pas tous d'égale importance. On remarquera que les œuvres notées jusqu'au numéro 400 sont écrites alors qu'il était lié à Salzbourg. Certaines sont donc des commandes imposées ; on trouve parmi celles-ci de merveilleux chefs-d'œuvre. Les œuvres numérotées de 400 à 600 sont postérieures et sont parmi les plus intéressantes.

EN VEDETTE

Musique de chambre :

L'intégrale des *sonates pour piano*, dont la plus connue est la 11e Sonate en la majeur, K 331, dite *Alla Turca*.

On écoute ces sonates sans jamais se lasser. Il existe deux intégrales, celle de Lili Krauss et celle de Walter Gieseking, qui n'ont jamais été égalées. Il est mal-

Wolfgang Amadeus Mozart

heureusement difficile de se les procurer sur le marché français. On trouve en revanche une belle intégrale, homogène, retenue, celle de la jeune virtuose Maria-Joaô Pires.

Sonates pour violon et piano.

Les *six quatuors dédiés à Haydn*, ainsi que les derniers dédiés au roi de Prusse.

Le Quintette pour clarinette et cordes, en la majeur K 581.

Concertos :

Les 27 concertos pour piano et orchestre.

Le plus connu est bien sûr le *21e concerto* (K 467) composé en 1785 et que de très nombreux virtuoses ont interprété : G. Anda, D. Barenboïm, S. Bishop... mais aussi des versions plus anciennes telles que celles de D. Lipatti, R. Lupu ou d'A. Schnabel qui restent inoubliables.

Le 9e concerto en si bémol majeur, dit du *Jeune homme* est très beau. La version qu'en a donnée Clara Haskil est profonde, son jeu lumineux. On écoutera aussi le 26e en ré majeur, dit du *Couronnement.*

Le troisième concerto pour violon et orchestre en sol majeur, K 216 composé en 1775.

La 13e sérénade, en sol majeur, dite *Petite Musique de Nuit.*

Symphonies :

La plus célèbre des 41 symphonies de Mozart est la *40e symphonie* en sol mineur K 550, composée en 1788, peu de temps après *Don Juan*, remarquable par l'économie de moyens sonores, voulue par Mozart, et cependant par sa grande richesse et sa grande diversité de timbres. L'orchestre est restreint ; il n'y a ni clarinette, ni trompette, ni timbales et en plus des cordes il n'y a qu'une flûte, deux hautbois, deux bassons et deux cors. L'allegro du premier mouvement fait partie des œuvres musicales qui ont un système séduisant et facile à retenir.

La 41e Symphonie, en ut majeur, K 551 fut composée à la même époque. Ce n'est pas Mozart qui lui donna le nom de *Jupiter*, mais c'est plutôt le style de l'ouvrage, particulièrement le premier allegro, qui le suggéra. Les sonorités puissantes, violentes, impérieuses, évoquent volontiers le dieu Jupiter, maître de l'Olympe.

Musique religieuse :

Le Requiem, en ré mineur, K 626, commençé par Mozart quelques mois avant sa mort, laissé inachevé et terminé par son élève Süssmayr.

La Messe brève, en ut majeur, K 317, dite du *Couronnement.*

La Messe en ut mineur, K 427, peut-être la plus belle œuvre religieuse de Mozart.

Les opéras, dont les principaux sont :

Mithridate (Milan, 1770).
Lucio Silla (Milan, 1772).
La pseudo-jardinière (Munich, 1775).
L'enlèvement au Sérail (Vienne, 1782).
Les Noces de Figaro (Vienne, 1786).
Don Juan (Prague, 1787).
Cosi Fan Tutte (Vienne, 1790).
La Flûte enchantée (Vienne, 1791).
La Clémence de Titus (Prague, 1791).

Les Noces de Figaro, sur un livret de Da Ponte d'après Beaumarchais est le premier des chefs-d'œuvres lyriques de Mozart. Comédie de caractère où l'intrigue est complexe, on retrouve tous les personnages du Barbier. On retiendra particulièrement l'Air de Chérubin (acte I, scène 6), l'Air de Figaro (acte I, scène 9), l'Air du Comte (acte III, scène 4), Air de la Comtesse (acte III, scène 8), Air de Suzanne (acte IV, scène 9).

Don Juan. « Jamais la musique n'a atteint à une plus infinie richesse d'individualité. Jamais elle n'a reçu le pouvoir de caractériser avec autant de sûreté et de justesse, avec une aussi débordante plénitude » Wagner.

Le *Don Juan* se présente comme une parfaite synthèse du drame et de la comédie. A retenir les airs de Leporello, le duetto Don Juan et Zerlina (dont le « la ci darem la mano » inspira Chopin) et l'air de Don Ottavio pour voix de ténor.

La Flûte enchantée. En vedette, l'air de Papageno, le premier et le second airs de la Reine de la Nuit, l'air de Pamina, etc.

Romantisme et post-romantisme au XIXe siècle

CLASSICISME ET ROMANTISME

Le classique ne connaît pas le doute. Il appartient à un monde de certitudes tranquilles, un monde où la lutte à mener est connue, circonscrite, où l'action humaine est clairement définie. Le classique ne remet pas fondamentalement en question le monde. Il l'accepte tel qu'il l'a trouvé, fini et enserré dans des limites précises. Epanouie et sereine, à l'image de cet état d'esprit, telle est la musique de cette époque.

Le romantisme, c'est d'abord une sensibilité nouvelle, une sorte de retour au divin. Ce « mal du siècle », généreux, excessif, aux virtualités multiples est le témoignage d'une confiance illimitée en la bonté de l'homme. Son absence de discipline, une forme d'ivresse créatrice, cette aspiration à l'infini, en tout cas hors de la mesure humaine, se retrouvent dans la musique. C'est d'abord en Allemagne que le romantisme va être éclatant. Beethoven en est le précurseur. A partir de lui toute une génération nouvelle de compositeurs, en gardant certaines formes de l'époque classique (sonate, concerto, suite d'orchestre, symphonie) va former un langage musical nouveau : l'idée chez Berlioz, le leitmotiv chez Wagner, les procédés d'orchestration de Berlioz et de Wagner, le système cyclique chez Berlioz, Schumann, Liszt, etc.

1. ENTRE LE CLASSICISME ET LE ROMANTISME (Beethoven, Weber, Schubert)

Ludwig van BEETHOVEN (1770-1827).

Né à Bonn en 1770, le jeune Beethoven montra très tôt un don particulier pour la musique. Pour se consacrer entièrement à son art il abandonne ses études dès onze ans. L'organiste-compositeur Christian Neefe lui fait découvrir Bach et l'initie aux règles de la composition.

En 1787, voyage à Vienne ; il y rencontre Mozart. Après un retour à Bonn, sa mère étant mourante, il rejoint Vienne où il reçoit les leçons de Haydn, d'Albrechtsberger (contrepoint), de Salieri (musique vocale). Conscient que sa culture est faible, il s'inscrit à l'université, section philosophie. Lorsque son père meurt, il a vingt-deux ans et mène une vie mondaine et agréable à Vienne. Mme de Breunig, le comte Waldstein le recommandent, le protègent. Il vit de son talent et très bien, comme virtuose et comme compositeur. Rapidement sa réputation grandit ; il se lie avec la famille Brunswick, avec le prince Lichnowski. En 1800, il remporte un vif succès avec la *Première Symphonie.* En 1801, il dédie la sonate pour piano dite au *Clair de Lune* à la comtesse Giulietta Guicciardi dont il est amoureux.

Mais il devient de plus en plus sourd, et cet éloignement forcé du monde lui pèse durement. En 1804, il compose la *Symphonie Héroïque* dédiée à Bonaparte. Beethoven affiche alors des opinions républicaines. Sa personnalité se transforme et se durcit. *Fidelio* est un échec. 1808 voit la première audition des *cinquième* et *sixième symphonies* dédiées au prince Lobkowitz et au comte Rasoumovsky. 1809, c'est le *cinquième concerto pour piano et orchestre* (dit de *l'Empereur*), c'est aussi le quatuor n° 10 (dit *les Harpes*). 1811 : *trio de l'Archiduc* pour piano, violon et violoncelle.

En 1816, son protecteur, le prince Lobkowitz meurt. De plus en plus les opéras de Rossini conquièrent Vienne. Beethoven connaît alors des difficultés financières. S'ajoutant à des tracas familiaux, sa surdité maintenant totale l'incite à se retrancher de plus en plus du monde. 1820-1822 marque l'époque des dernières et plus belles sonates pour piano (opus 109, 110 et 111). Le 7 mai 1824 Beethoven reçoit un triomphe pour la *Neuvième Symphonie.*
Il mourra le 26 mars 1827, mais laissera les derniers *quatuors* achevés (XIIIe, XIVe, XVe quatuors datés de

Ludwig van Beethoven

1825, XVIe quatuor 1826). A ses obsèques, le recueillement de Schubert sera la première marque de dévotion que les compositeurs à venir vont désormais lui montrer.

La surdité de Beethoven eut un avantage, celui de nous laisser à travers ses « cahiers de conversation » les réponses qu'il faisait à ses interlocuteurs. Ces cahiers nous éclairent ainsi sur la personnalité du compositeur. Et pourtant les portraits tracés par ses biographes diffèrent souvent. Pour les uns, c'est un homme tyrannique, tracassier, de caractère désagréable, vivant dans le désordre et la saleté, colérique et avare. Pour les autres, c'est un génie qui n'eut qu'à se plaindre de son entourage et qui resta toujours incompris. Il ressort cependant des analyses qu'ont faites ses biographes que Beethoven était un personnage de contradictions qui souffrit plus qu'on ne l'imagine de son infirmité. Fils d'un père ivrogne et d'une mère douce et chaleureuse, sa vie sentimentale et affective sur laquelle on ne possède que peu de renseignements, ressemble à un échec total. Lucien Rebatet voit en Beethoven « un éternel adolescent qui cristallisait sur les jeunes comtesses ses images d'amours idéales et impossibles ». Ce refus de la maturité expliquerait son inadaptation à la vie sociale.

L'œuvre de Beethoven est moins abondante que celle de ses contemporains : *2 messes, des ouvertures, de la musique de scène, 9 symphonies, 5 concertos pour piano, 10 sonates pour violon et piano, 17 quatuors à cordes, 32 sonates pour piano*... Il est difficile de classer hiérarchiquement cette abondante production. Liszt distinguait deux manières : celle où la pensée et les formes traditionnelles régissent encore l'œuvre, et celle où, Beethoven libéré des conventions et maître de sa création, laisse sa pensée engendrer les formes. C'est la troisième symphonie, l'*Eroïca*, qui marquerait la rupture.
Beethoven est le sommet de l'art classique du XVIIIe siècle. Il inaugure l'ère du romantisme.

EN VEDETTE

Musique de chambre :

32 sonates pour piano

Les quatre premières sonates sont construites comme celles de Haydn (les trois premières lui sont d'ailleurs dédiées). Elles sont composées de quatre parties dans lesquelles on retrouve le plan de la sonate — suite de danses primitives. C'est-à-dire un allegro à 2 ou 4 temps, un adagio à 3 temps, un scherzo (menuet) et un rondo.
Dès la 5e, Beethoven ne conserve pas les formes tra-

ditionnelles de la sonate ; il réduit par exemple celle-ci à deux thèmes essentiellement différents l'un de l'autre. Ce « dithématisme » est une des constantes de la musique de chambre de Beethoven.
Il existe une discographie très importante de ces sonates. L'intégrale de référence est celle de Yves Nat. Bien que ses qualités d'audition ne soient pas parfaites, elle mérite le plus grand intérêt, Nat étant le pianiste beethovenien par excellence. Pour les sonates séparées, le choix est difficile car à chacune un virtuose différent a apporté la perfection. Le choix sera à faire, après une écoute comparée des versions de Kempff, Brendel, Serkin, Horowitz, Rubinstein, S. Richter.

Les sonates les plus célèbres sont :

— la 8e, en ut mineur, op. 13 dite *Pathétique,*
— la 14e, en ut dièse mineur op. 27 dite *Clair de lune,*
— la 21e, en ut majeur, op. 53 dite *Waldstein* ou *Aurore,*
— la 23e, en fa mineur, op. 57 dite *Appassionata,* ainsi que les 4 dernières qui sont un des sommets de la musique de Beethoven,
— la 29e, en si bémol majeur, op. 106 dite *Hammerklavier,* « la plus difficile à jouer », selon A. Rubinstein,
— la 30e, en mi majeur, op. 109,
— la 31e, en la bémol majeur, op. 110,
— la 32e, en ut mineur, op. 111.

On parle communément des sonates de l'opus 109, 110, 111.

10 sonates pour piano et violon.

Parmi ces dix sonates, deux sont particulièrement célèbres :

— la 5e sonate, en fa majeur, op. 24 dite *Le Printemps,*
— la 9e sonate, en la majeur, op. 47 dite *à Kreutzer.*

Cette sonate pour piano et violon a été composée en 1803, un an avant la *Symphonie Héroïque.* Elle doit être jouée, selon les indications de Beethoven « dans un style très concertant » : les deux instruments doivent être plutôt antagonistes qu'associés. Elle est dédiée au violoniste français Rodolphe Kreutzer, et elle inspira à Tolstoï le titre de son roman.

Les quatuors.

Il faut distinguer deux époques :

Les *onze premiers quatuors* d'une grande beauté sonore, et les suivants composés à partir de 1822 qui sont, avec les sonates, parmi le meilleur de l'art de Beethoven.

Par exemple : le XIVe quatuor (deux violons, alto, violoncelle) en ut dièse mineur, op. 131, est significatif de cette deuxième époque en ce qu'il échappe totalement à la forme sonate. L'adagio initial, poignant, est suivi d'un allegro vivace, enjoué. Une sorte de récitatif introduit un andante inquiet qui contraste étrangement avec le presto suivant. Un nouvel adagio légèrement mélancolique précède l'allegro final.

Trios pour piano, violon et violoncelle.

Ils sont au nombre de neuf. Le plus célèbre, *le Trio de l'Archiduc,* en si bémol majeur, op. 97, date de 1811. Dédié à l'Archiduc Rodolphe, il est un des sommets du genre, selon la formule « une symphonie dans une distribution pour trio ». Une version de référence, celle de Cortot, Thibaud, Casals.

Musique concertante :

Des 5 concertos pour piano et orchestre écrits par Beethoven, le 5e *concerto* en mi bémol majeur, op. 73 dit *l'Empereur* fut composé peu de temps avant la *Symphonie Pastorale.* Il se compose de trois parties : Un allegro où le piano débute et accapare l'attention. Bientôt l'orchestre expose un premier thème, puis un second motif sur un rythme caractéristique. Alors le piano « rentre » et développe à son tour les deux thèmes. Puis c'est un adagio de courte durée lié à un rondo au refrain allègre.

Concerto pour violon et orchestre en ré majeur, op. 61. Composé en 1806 par Beethoven, il fut interprété pour la première fois par un ami du compositeur, le célèbre violoniste Schupanzig. Selon certains, les reprises y sont trop nombreuses et l'ensemble, extrêmement long, devient fastidieux.

Il en existe une transcription pour piano (Barenboïm).
Concerto pour piano, violon et violoncelle (triple concerto) et orchestre.

Musique religieuse :

Missa Solemnis
Cette messe fut achevée en 1823, après un long tra-

vail, la même année que la 9e *Symphonie.*
A la différence des messes de Bach, elle a un caractère tumultueux et surtout elle est marquée par les méditations personnelles de Beethoven. Les plus beaux moments sont : le Gloria et l'Agnus Dei.

Musique symphonique :

Les neufs symphonies

Ce sont certainement les œuvres classiques les plus connues et les plus populaires de tout le catalogue.

La *3e Symphonie,* en si bémol majeur, op. 55 avant de devenir la *Symphonie Héroïque* portait le nom de « Grande Symphonie Bonaparte ». Le compositeur fit disparaître le nom de Bonaparte lorsque celui-ci devint Empereur.

La 5e Symphonie en ut mineur, op. 67.
L'allegro initial débute par un thème de quatre notes répété deux fois, que Radio Londres rendit célèbres au cours de la Seconde Guerre mondiale. Pour Beethoven ces fameuses quatre petites notes figuraient le Destin.

La 6e Symphonie, en fa majeur, dite *Pastorale.*
On trouve sur la partition d'orchestre : « Symphonie Pastorale en souvenir de la vie à la campagne, plutôt expression de la sensation, que peinture ».

La 7e Symphonie en la majeur.

La 9e Symphonie en ré mineur, *avec chœurs,* op. 125.
C'est la dernière, la 8e est achevée depuis douze ans.
Composée à partir de « l'Ode à la Joie » de Schiller.

Carl Maria von WEBER (1786-1826).

Nous conservons de Weber une œuvre importante (308 numéros). Les plus célèbres compositions sont cependant deux opéras : *Obéron* (1826) et surtout le *Freischütz* (1823). En revanche l'importance de Weber dans l'histoire de la musique est déterminante. Compositeur tardif, il est l'inventeur de l'opéra romantique allemand. Certes le *Freischütz* n'est pas le premier opéra en langue allemande qui soit tout à fait libéré du genre italien en vogue à cette époque. Mozart avait déjà donné *l'Enlèvement au Sérail* et la *Flûte Enchantée.* Mais le *Freischütz* est le premier qui, s'inspirant des légendes allemandes soit réellement issu du terroir.
Weber est à la fois le chef de file de la jeune génération romantique allemande, l'inspirateur du drame lyrique moderne, mais aussi un musicien complaisant dans la

musique instrumentale, qui comprend mal le génie de Beethoven et voudrait en rester à Haydn, qu'il ne peut d'ailleurs imiter, incapable qu'il est d'assimiler la grande leçon classique.

Weber, cousin germain de Mozart, eut une enfance itinérante ; son père était violoniste et directeur de compagnie dramatique. Il reçut une éducation en miettes, mais cependant ses talents étaient divers et brillants. Il conservera toute sa vie l'habitude des voyages. A dix-huit ans, il est nommé à la tête de l'orchestre du théâtre de Breslau. Puis il est à Karlsruhe et à Stuttgart. En 1810 il commence un voyage qui durera quatre ans à travers la Suisse et l'Allemagne. En 1817, nommé directeur de l'opéra de Dresde, il mène une vie plus sédentaire et financièrement plus facile. Créé pour la première fois à Berlin en 1821, le *Freischütz* eut un immense succès qui lui apporta la notoriété. Il mourut à Londres le 5 juin 1826 de la tuberculose du larynx.

Weber était un homme cultivé, d'une grande sensibilité. Pianiste virtuose, il s'essaya à la littérature. Et parmi les grands écrivains romantiques allemands, deux, Jean-Paul et Hoffmann furent ses amis intimes. Il eut une vie amoureuse très remplie : à chaque nouveau théâtre de nouvelles et jeunes et belles comédiennes.

EN VEDETTE

Le Freischütz (1823).

Cet opéra est composé par Weber au moment où il est devenu maître de ses moyens et où il sait exactement ce qu'il désire. En particulier la musique va constamment participer à l'action et c'est nouveau. Le livret du Freischütz est de Kind. Il serait difficile de trouver une histoire plus tirée par les cheveux que celle-ci. Max, amoureux d'Agathe doit pour obtenir sa main être vainqueur d'un concours de tir. Or il est un mauvais tireur et encouragé par Caspar, suppôt de Samiel, il va utiliser des balles enchantées qui toutes toucheront la cible sauf la dernière qui choisira elle-même son point d'impact. Caspar sera tué. Sur ce livret de qualité discutable, Weber sut construire un opéra d'une grande beauté.

L'ouverture débute par un ensemble de cors symbolisant la forêt. Les principaux motifs y sont exposés : air de Max, air d'Agathe, Gorge aux loups...

Franz SCHUBERT (1797-1828).

Le 31 janvier 1797 naissait Franz Schubert dans un faubourg de Vienne. Son père instituteur est un Allemand de Moravie. Il lui enseigne très tôt le violon. Le petit Franz est particulièrement doué. Vers sa dixième année, il étudie le piano, le chant, l'harmonie. Ses professeurs n'ont pas à forcer une nature toute prête à assimiler les techniques musicales.

En 1808, il entre au Séminaire impérial et royal. Dans l'orchestre du collège, Schubert y tient le premier violon. Il reçoit comme Beethoven les cours de composition de Salieri. Ses extraordinaires dons musicaux fascinent et enchantent ses maîtres. Cela ne l'empêche pas pour autant d'assimiler avec facilité les autres matières de l'enseignement qu'il reçoit. Mais dès ce jeune âge, il compose. Ainsi, à son départ du séminaire en 1813, il a déjà écrit des quatuors (à la manière de Haydn), des lieder, des pièces pour piano...

Schubert en 1814 — il faut bien vivre — prend un poste d'instituteur qu'il conservera un peu plus de deux ans. Mais les contraintes lui sont insupportables et plutôt que de perdre sa liberté de création il choisit une vie de bohème qu'il mènera jusqu'à sa mort.

Schubert est un génie modeste. Petit, musculeux, énergique, Schubert avait, d'après ses contemporains, un physique ingrat qui le gêna. Nous ne savons pas grand-chose de sa vie amoureuse. Elle ne fut sans doute pas très heureuse pour ce garçon plein de santé et de vie. Un amour déçu pour Thérèse Grob le détourna de l'idée du mariage et il mena une existence de vieux garçon.

Cependant l'amitié occupa dans sa vie une place importante. Il composait de six heures du matin à une heure de l'après-midi. En soirée, il se retrouvait au café, dans les cabarets des faubourgs de la ville en compagnie d'amis joyeux et chaleureux avec lesquels il aimait à discuter interminablement. Schubert était d'un naturel sociable. Ses amis, eux-mêmes artistes, réussirent à intéresser le célèbre chanteur Vogl qui propagea la musique de Franz. Les fameuses « Schubertiades » étaient d'insouciantes parties de campagne où le compositeur et ses compagnons vivaient leur bohème, ivres de liberté, d'amour pour la musique et pour toute idée nouvelle, en général.

Schubert n'était pas effacé mais il n'avait pas l'ambition de paraître. C'est ce qui caractérise son œuvre : pure, libre, avec des échecs et d'inoubliables réussites.

Franz Schubert

Il n'avait pas la patience nécessaire pour des œuvres de grande dimension. Trop sensible, capable de désespoirs profonds (« je me trouve l'homme le plus malheureux du monde » 1824), Schubert était l'homme des hauts et des bas. Il incarne assez bien l'image que nous avons du romantisme allemand vécu dans le milieu de l'intelligentzia viennoise. Sa vie fut écourtée par une maladie d'origine syphilitique. Il mourut dans sa 31e année.

EN VEDETTE

Il est impossible de classer l'œuvre de Schubert, car elle est à l'image de sa vie, généreuse, abondante et désordonnée. Il a composé quinze opéras (singspiel) sans grand intérêt, six messes, des œuvres chorales et surtout plus de six cents lieder, de la musique de chambre et des symphonies.

Les Lieder :

Les textes sont empruntés à plus de cent poètes parmi lesquels Gœthe, Schiller, Novalis, W. Scott, Henri Heine. Les plus grands romantiques allemands (sauf Hörderlin) ont ainsi inspiré Schubert. Le compositeur savait restituer l'atmosphère poétique propre à chaque artiste, sans pour autant suivre le texte mot à mot.

Schubert est le véritable inventeur du lied, et après lui toute une génération de musiciens a adopté cette forme musicale (Schumann, Brahms, Wolf, Mahler). Il va en composer plus de six cents avec une extraordinaire facilité, certains furent écrits en un quart d'heure, au bout de la plume sans ratures. Les uns ont la forme strophique (le même air s'applique aux différents couplets) : *Le Pêcheur, A la mer.* Dans les autres, la mélodie se développe librement : *le Roi des Aulnes* par exemple.

Ces lieders sont écrits pour voix d'hommes. Les plus célèbres sont : *la belle Meunière* (Die Schöne Müllerin), *Voyage d'hiver* (Winterreise), *Le chant du cygne* (Schwanengesang).

Le Roi des Aulnes (Erlkönig) fut composé en 1815. C'est une ballade fantastique tirée de Gœthe. Schubert eut une étonnante compréhension de cette œuvre difficile et, avec génie, il restitua la course éperdue à travers la tempête. L'accompagnement est au piano solo. Berlioz en a tiré une orchestration très convaincante.

Musique de chambre :

C'est avec les lieder, le genre musical où Schubert a le mieux réussi. Cela s'explique aisément, « les cordes et le piano étant des instruments chanteurs comme la voix humaine ».

La *Wandererphantasie* pour piano en ut majeur, op. 15.

Les huit impromptus pour piano.

Les *vingt-deux sonates.*

Seize quatuors pour cordes.

Le plus célèbre et le plus troublant est le 14e en ré mineur *La jeune fille et la mort.*

Le quintette pour piano et cordes, en la majeur *La Truite.*

Musique symphonique :

Schubert a composé neuf symphonies. Les deux dernières sont sans doute les plus brillantes.

La 8e Symphonie, en si mineur, est dite *Inachevée.* Les deux premiers mouvements furent écrits en 1822. Sans doute parce qu'il buta sur une difficulté technique, Schubert la laissa incomplète. Il ne l'entendit d'ailleurs jamais puisqu'elle ne fut exécutée pour la première fois qu'en 1865 à Vienne.

La 9e Symphonie, en ut majeur, *La Grande,* reçut le même dédain de la part des contemporains de Schubert. Or, c'est une œuvre nouvelle ; elle s'éloigne des symphonies de Beethoven et annonce déjà Mahler et Bruckner.

2. LA GÉNÉRATION DE 1810

Schumann, Mendelssohn, Chopin et Liszt sont approximativement nés la même année. Pour cette raison en particulier, nous les réunissons dans un même chapitre.

Robert SCHUMANN (1810-1856).

Robert Schumann est originaire de Zwickau en Saxe. Son père, libraire et écrivain, le premier, met son fils au piano. Le jeune Robert Schumann fait d'abord ses études au Lyceum de Zwickau. Il y lit les grands poètes romantiques (Jean-Paul, Gœthe, Schiller). En 1828, à la demande de sa

Robert Schumann

mère il s'inscrit à la Faculté de Droit de Leipzig. Mais très vite il ne se consacre plus qu'à la musique. Il veut faire une carrière de virtuose et suit l'enseignement du fameux professeur Friedrich Wieck. En 1830, il s'installe même chez celui-ci. Stupidement il se blesse le medius de la main droite, et doit renoncer à une carrière de virtuose qui, pourtant, s'annonçait prometteuse.

Puisqu'il ne peut être pianiste, il sera compositeur. Il se met à l'étude. Il est en même temps un critique musical redouté, exigeant et clairvoyant. Il conservera toujours ce goût pour l'écriture qu'il tient de son père. L'année 1835 où il se lie d'amitié avec Mendelssohn est aussi celle où il va réaliser son amour pour la jeune — elle n'a que seize ans — Clara Wieck. La fille de son ancien professeur est une virtuose du piano d'un immense talent.

Son père, qui avait rapidement découvert le don de sa fille, la protège du monde extérieur. Lorsque l'amour de Clara et de Robert se déclare, Friedrich Wieck se déchaîne, fou de jalousie. Il va falloir cinq ans de luttes, cinq ans d'injures et de mensonges, cinq ans et un procès en diffamation avant que les deux jeunes gens puissent s'unir en septembre 1840. Il n'est pas vraiment étonnant de constater que cette époque est la plus productive du compositeur.

Jusqu'en 1844, les Schumann restent à Leipzig où ils rencontrent Mendelssohn, bien sûr, Liszt, Wagner, Chopin, Berlioz. Puis il se rendent à Dresde, mais Robert y souffrira d'une grave dépression nerveuse. En 1850, on lui confie la direction de l'orchestre de Düsseldorf : il ne réussit pas à s'imposer comme chef. Les dépressions et les symptômes alarmants sont de plus en plus nombreux. Il a cependant le plaisir de voir le jeune Brahms venir à lui.

Toute la vie de Schumann s'est organisée autour de Clara. Leur amour fut exemplaire, rien ne devait les séparer sinon la folie et la mort de Robert en 1856. Avant elle, il y eut son indécision dans le choix de sa carrière (les lettres ou la musique ?), son échec comme pianiste. Sitôt son amour déclaré, Schumann n'aura d'autre but que d'aimer « sa tendre enfant ». Indécis, taciturne, d'une nature hypersensible, le compositeur des Kreislieriana accompagne sa femme à travers les tournées de concerts. C'est elle qui est célèbre, même lorsqu'elle interprète les œuvres de son mari.

L'œuvre de Schumann est surtout remarquable par la place qu'y occupent le piano et le lied. C'est devant le clavier qui n'a pas de secret pour lui, dont il connaît toutes les ressources, chaque nuance, que le génie de

Schumann éclate avec le plus de brio. Instrument chanteur par excellence, le piano peut tout ; il va restituer les sentiments du compositeur, ses joies, ses peines, ses désirs, toutes les contradictions d'une âme complexe et imprégnée de ce « mal du siècle » qui définira tout le XIXe (« Ma musique porte la trace des luttes que j'ai dû affronter. ») Schumann dans ses compositions procède par collages d'idées, par rapprochement de sensations joyeuses ou mélancoliques plutôt que par le développement homogène d'un thème. Dans une étude plus approfondie, il conviendrait de mettre en évidence et d'analyser toute la symbolique que développe Schumann, symbolique elle-même représentative de son époque, mais qui ne le prive pas d'une merveilleuse spontanéité.

Comme Schubert, Schumann écrivit des centaines de lieder. Il vint relativement tard à ce genre, mais il rattrapa vite le temps perdu puisqu'en 1840 l'année de son mariage avec Clara, il n'écrivit pas moins de cent trente-huit mélodies dont certaines sont parmi les plus fameuses (*l'Amour et la vie d'une femme*). Naturellement, il convient de mettre en rapport le lied chez Schubert et chez Schumann. Le premier est le précurseur : la mélodie est au centre de son œuvre. Il définit le genre, mais pour autant il le fait évoluer constamment. Schumann se veut le débiteur de Schubert, mais pourtant le mélomane reconnaîtra tout de suite que leurs mélodies sont différentes. Et particulièrement en raison de la place que Schumann donne au piano. Celui-ci n'a plus un simple rôle d'accompagnateur, mais au contraire devient le partenaire naturel de la voix humaine.

La musique de chambre et la musique symphonique de Schumann n'offrent pas les mêmes qualités. En particulier Schumann n'est pas à l'aise avec trop d'instruments ; l'orchestration de ses symphonies reste souvent pauvre.

EN VEDETTE

Musique de chambre :

Les œuvres pour le piano sont les plus représentatives du talent de Schumann. D'une manière générale, elles sont difficiles à jouer.

Carnaval, scènes mignonnes sur quatre notes, pour piano.

Etudes Symphoniques, en forme de variations, pour piano.

Félix Mendelssohn-Bartholdy

Kreisleriana, fantaisies pour piano, dédiées à Clara.
Fantaisie, pour piano en ut majeur.

Le premier trio pour piano, violon et violoncelle.
Les trois quatuors à cordes.

Musique concertante :

Le Concerto pour piano et orchestre, en la mineur. D'une parfaite beauté, constamment inspiré, ce concerto, achevé en 1845 et dédié au compositeur Ferdinand Hiller, fut écrit par Schumann après une étude approfondie de Bach, qui selon l'expression même du compositeur a « fortifié son style ».

Musique symphonique :

La première symphonie, en si bémol majeur, dite *le Printemps.*

La quatrième symphonie, en ré mineur.

Œuvres vocales :

L'amour et la vie d'une femme (Frauenliebe und Leben). Bien sûr, la version de Schwarzkopf fera longtemps référence.

Les amours du poète (Dichterliebe).

Félix MENDELSSOHN-BARTHOLDY (1809-1847).

Mendelssohn appartient à la génération romantique ; il est pourtant le dernier des classiques. Homme d'excellente compagnie, fin, doué, ses conceptions de la musique heurteront pourtant certains musiciens de son époque. Liszt trouvera trop réactionnaire l'enseignement donné au Conservatoire de Leipzig créé par Mendelssohn vers 1835.

Issu d'une famille de riches banquiers israélites, Mendelssohn connut une enfance dorée. Ce fils à papa de la musique classique était particulièrement doué pour le piano dont il jouait en virtuose, mais aussi pour la composition musicale dont il maîtrisa rapidement les règles.

Son physique charmeur, une manière d'être aisée, l'habitude des voyages et des rencontres firent de Mendelssohn un homme équilibré et heureux. Ses talents, les facilités de tous ordres qu'il avait, lui permirent de gagner rapidement la notoriété. Toute sa vie, et longtemps après sa mort, il a occupé une des premières places dans l'histoire de la musique.

A dix-sept ans, il présente l'*Ouverture du Songe d'une nuit d'été,* œuvre d'une remarquable maîtrise qu'il ne dépassera jamais. Un de ses plus grands titres de gloire est de faire découvrir à ses contemporains les œuvres de Bach. Il dirige la *Passion selon saint Matthieu* qu'il présente dans différentes villes, puis la *Passion selon saint Jean* et la *Messe en si mineur*.

En 1835, il prend la direction de l'orchestre de Leipzig, puis en 1842 il est nommé, à Berlin, directeur général de la Musique de Prusse.
Il meurt en 1847.

EN VEDETTE

Les deux concertos pour violon et orchestre (1823 et 1844).
Les cinq symphonies.

Frédéric CHOPIN (1810-1849).

Frédéric Chopin a une double ascendance, vosgienne par son père, professeur à Varsovie, et polonaise par sa mère Justyna Krzyzanowska. C'était un enfant intelligent et doué. A sept ans il écrit sa première polonaise, et donne à neuf son premier concert face au public. Le piano sera l'unique inspirateur de Chopin.

Il poursuit des études brillantes tout en se produisant dans les salons de Varsovie. Prodige en herbe, sa réputation est immense ; elle franchit rapidement les limites de la capitale. Invitation chez les Radziwill, tournées à Dresde, Vienne, Prague, Berlin. Publication des premières œuvres, en particulier variations sur le thème de « La cidarem la mano » (d'après le *Don Juan* de Mozart).

En 1830 Chopin quitte la Pologne pour voyager et se produire à travers l'Europe. L'année suivante, il se fixe définitivement à Paris. La musique que l'on y jouait alors, n'a que peu de rapport avec la sienne. Aubert et Rossini tiennent le haut du pavé. Meyerbeer vient d'y faire représenter son *Robert le Diable.*

Séduisant, fin, le teint pâle, Frédéric Chopin, par nature aristocratique plut à la société parisienne. Il donna son premier concert à la salle Pleyel le 26 février 1832. Le succès était au rendez-vous ; il ne devait jamais le quitter. Pourtant Chopin aimait mieux se produire dans un cercle restreint et plus intime correspondant mieux, lui semblait-il, à sa musique.

La vie amoureuse de Chopin fut abondante et génératrice de ses plus belles créations. La cantatrice Constance Gladkowska lui inspira le larghetto du premier concerto en fa mineur. Il s'enflammait facilement pour plusieurs

Frédéric Chopin

femmes à la fois. Certaines liaisons furent des feux de paille. Au contraire Maria Wodzinska ou George Sand lui inspirèrent une passion brûlante et durable.

Chopin avait connu Maria Wodzinska alors qu'elle n'était qu'une enfant et qu'il lui donnait des leçons de piano au château paternel. Il la revit à Dresde en 1835, mais la jeune fille étant d'une famille aristocratique, son père ne voulut pas d'une mésalliance. La passion des jeunes gens ne put lever les interdits du comte.

Lorsque leur liaison fut définitivement rompue en 1837, Chopin fut atteint dans ce qu'il avait de plus profond. Sa mauvaise santé et une constitution faible ne l'aidèrent pas à supporter l'épreuve.

Heureusement il devait quelques mois plus tard rencontrer George Sand. Celle-ci était à l'opposé de Maria. Autant l'une était réservée, farouche, autant l'autre était excessive et provocatrice. Il semble que leur liaison — difficilement imaginable — resta intellectuelle et que George Sand fut plutôt une compagne attentive et consolatrice qu'une maîtresse. Ils se séparèrent vers 1846-1847. Chopin devait mourir en 1849, totalement miné par la tuberculose.

La musique de Chopin est extrêmement simple et pure. Il a trouvé très tôt son style et s'y est tenu toute sa vie. On connaît les sources de son inspiration : Mozart, surtout Bach et la musique populaire polonaise (il eut toujours la nostalgie de son pays). Quelquefois on retrouve des sources classiques dans son œuvre, mais il est plus exact de dire que Chopin a très tôt et très facilement assimilé sa technique de composition.

Il faut lorsque l'on choisit une interprétation d'une œuvre de Chopin veiller à ce que le virtuose respecte la pensée du compositeur et en particulier, à ce qu'il ne joue pas d'une manière excessivement sensible — proche de la sensiblerie. Que la composition soit enthousiaste ou mélancolique, la sensibilité romantique de Chopin est toujours retenue et sobre. Les ressorts de sa musique sont graves.

Chopin connut à son époque un immense succès. Il ne devait jamais tomber dans l'oubli et aujourd'hui, il est toujours célébré avec le même enthousiasme.

EN VEDETTE

Les Ballades.
Les Etudes.
Les Nocturnes.
Les Préludes.
Les Polonaises.

La deuxième Sonate en si bémol mineur, dite *Marche Funèbre.*

Le premier Concerto pour piano et orchestre.

Il existe une intégrale de l'œuvre de Chopin due à des artistes polonais. En 25 disques sont réunis toutes les œuvres pour piano mais aussi, plus rares la Sonate pour piano et violoncelle et le trio pour violon, violoncelle et piano qui démontrent à l'évidence que Chopin n'était pas seulement à l'aise dans les limites de l'instrument soliste.

Parmi les grands interprètes de Chopin citons, Samson François, Cziffra, Pollini, Horowitz, Lipatti...

Franz LISZT (1811-1886).

Dès son enfance, passée en Hongrie, Liszt fut nourri par la musique tzigane et par celle de Beethoven. Son père, honnête musicien, découvrit tôt le don de son fils. Franz fit ses premiers débuts sur une scène à Vienne à l'âge de onze ans et Beethoven vint l'embrasser et le féliciter à la fin du concert. Il reçut les leçons de Czerny (piano) et de Salieri (composition). A douze ans, Cherubini lui ayant refusé l'entrée au Conservatoire de Paris (il est étranger), il choisit alors de se produire en France, en Angleterre, en Suisse. C'est un immense succès.

Il s'intéresse à la révolution de Juillet et aux idées saint-simonniennes, se plonge dans l'étude des grands auteurs. Au point de vue musical, il travaille chaque jour le piano cinq heures de suite. En 1830, première audition de la *Symphonie Fantastique* de Berlioz ; il découvre ce que peut être la musique descriptive. Le théoricien Fétis le met dans la voie d'une conception élargie de la tonalité. Il entend Chopin et Paganini. Il fréquente les milieux artistiques, George Sand, Henri Heine, Hugo et Lamartine.

En 1835 c'est la rencontre avec la comtesse d'Agoult qui quitte mari et enfants pour le suivre. Ils mènent une vie vagabonde à travers l'Europe. Liszt donne des récitals pour financer leurs folies.Les rumeurs du scandale ne les touchent pas. Un fils et deux filles naîtront de cette relation, dont Cosima qui épousera en seconde noce Richard Wagner. Son amour pour la comtesse durera jusqu'en 1844, mais il poursuivra sa vie itinérante à travers l'Europe jusqu'en 1847. Liszt est le véritable inventeur du récital tel que nous le concevons aujourd'hui. Et la formule qu'il inaugure remporte le succès le plus total.

En 1847 il prend le poste de Kapellmeister à Weimar ; il

fera de cette ville un des plus grands centres musicaux de l'Europe en créant par exemple des œuvres de Wagner dont il est un ardent défenseur (*le Vaisseau fantôme, Lohengrin, Tannhäuser*), de Berlioz, de Saint-Saëns et de Schumann.

En 1861 il reçoit à Rome la tonsure et les ordres mineurs ; de cette époque datent ses grandes œuvres religieuses (*La Légende de sainte Elisabeth, Christus*). Mais il ne fut pas vraiment loué comme compositeur ; le public réclamait le virtuose. De 1870 à sa mort, ce ne furent que d'incessants voyages à travers l'Europe. Il mourut à Bayreuth le 31 janvier 1886 après avoir assisté au triomphe de Wagner.

Liszt est un personnage éminemment sympathique. A vingt ans, il a le visage d'un jeune dandy à qui rien ne résiste ; à la fin de sa vie, une lumière particulière, une grande bonté illuminent toujours son visage. Son intérêt aux autres est constant, ses dons à des œuvres charitables sont multiples. Il est un ami pour tous.

Le prestige de Liszt est aujourd'hui fabuleux en Hongrie. Ailleurs ce sont un peu toujours les mêmes œuvres qui sont interprétées (*Rhapsodies Hongroises*) et en réalité il est mal connu.

Son œuvre pour piano est importante : *deux concertos, vingt-quatre Grandes Etudes, douze Etudes d'exécution transcendante, Années de Pèlerinage, six Etudes d'après Paganini, la Sonate en mi mineur* dédiée à R. Schumann, etc. Liszt a apporté une technique de jeu qui est nouvelle ; ses compositions imposent que tout le corps du pianiste participe à l'exécution. Il est le créateur du poème symphonique moderne tel que nous le retrouverons chez Richard Strauss. Il en a écrit douze dont le plus célèbre est le troisième, *Les Préludes.*

EN VEDETTE

Œuvres pour piano :

Liszt fut à la fois un merveilleux virtuose et l'inventeur de ressources nouvelles du clavier. Il arriva jusqu'à étager trois ou quatre plans de sonorités différentes. Grâce à lui le piano démontre sa richesse quasiment orchestrale.

Les Années de Pèlerinage.
Les Etudes d'après Paganini.
Les Rapsodies Hongroises.
La Sonate en si mineur.

Œuvres concertantes :
Les deux concertos pour piano et orchestre.

Orchestre et Voix :
Faust. Symphonie pour ténor, chœur d'hommes et grand orchestre.
Les Préludes, poème symphonique n° 3.
Mazeppa, poème symphonique n° 6.
Christus, oratorio en trois parties.
La légende de sainte Elisabeth, oratorio.

Il existe une intégrale de l'œuvre pour piano par France Clidat. G. Cziffra a également donné de bonnes interprétations de l'œuvre de Liszt. Berman, pianiste soviétique inconnu en Europe il y a seulement deux ans, a révélé un jeu magnifique dans Liszt.

3. LES MUSICIENS ITALIENS ET LE « GRAND OPÉRA »

Troubles et guerres de la Révolution, campagnes de l'Empire, pendant près de vingt-cinq années, les forces vives de la France se sont épuisées. Lorsque le calme revient c'est vers la facilité, la gaieté, les œuvres souriantes que se tourne le pays. Pendant que Beethoven, avec ses dernières œuvres, ouvre des perspectives nouvelles, le public français choisit le bel canto italien, les mélodies faciles, une musique de théâtre réactionnaire, mais qui flatte le goût pour la simplicité.

Niccolo PAGANINI (1782-1840).

Cet extraordinaire virtuose du violon, qui n'appartient à aucune école et ne fit pas de disciple, composa pour son instrument des pièces écrites seulement en fonction des difficultés techniques qu'il voulait vaincre. Il est le représentant de ce que l'on pourrait appeler « le bel canto instrumental ». Son talent d'exécutant lui apporta fortune et honneurs. A conseiller à ceux qui aiment le violon.

EN VEDETTE

Vingt-quatre caprices pour violon seul.
Premier concerto pour violon et orchestre.

Luigi CHERUBINI (1760-1842).

Cet Italien installé à Paris en 1786, devait connaître sous la Restauration un énorme succès pour ses opéras. Beethoven l'admira, ce que nous comprenons mal aujourd'hui car il est un excellent représentant de ce que peut être l'italianisme pseudo-classique.
Il devait, en 1822, devenir directeur du Conservatoire, période où il se consacra presque exclusivement à la musique religieuse.

EN VEDETTE

Médée, opéra. Le seul intérêt est de pouvoir y entendre Maria Callas.

Gasparo SPONTINI (1774-1851).

Volontiers vindicatif, cet Italien qui fut influencé par Gluck, dut quitter Paris malgré le triomphe obtenu par son opéra *La Vestale*, puis Berlin où il fut Kapellmeister. Le succès de Rossini lui était intolérable et heurtait une nature vaniteuse.

EN VEDETTE

La Vestale, opéra.

Gioacchino ROSSINI (1792-1868).

Lorsqu'en 1816, Rossini fait représenter *le Barbier de Séville* à Rome pour la première fois, le succès est immense et à vingt-quatre ans ce jeune compositeur devint célèbre à travers l'Europe. Mais avant d'écrire son chef-d'œuvre, Rossini s'était taillé une jolie réputation en Italie, en donnant toute une série d'opéras séria, dans le goût du public, mais déjà marqués par l'originalité de son talent. En particulier, le compositeur a supprimé le « recitativo secco » qui permettait en accélérant le récit, de privilégier les grands airs du ténor ou de la prima donna au détriment d'une unité dramatique autrement riche. Avec Rossini, l'opéra séria et l'opéra buffa retrouvent tous leurs ornements, cette jeunesse et cette homogénéité qu'ils avaient perdues pour plaire à un public frivole. Cette décadence du bel canto italien n'aura en fin de compte duré que quelques dizaines d'années.

Riche, adulé, Rossini, après le succès du *Barbier* doit cependant quitter Naples après la révolte des Carbonari. L'idole des théâtres lyriques est partout reçu en triomphateur. Il est le seul, l'unique, une sorte de dieu. A Vienne, il rencontre Beethoven : deux géants de la musique et ô combien différents qui s'admirent l'un l'autre ! En 1822, il est à Londres, en cinq mois il gagne 175 000 francs or, somme fabuleuse si l'on songe qu'il recevait à Naples 15 000 francs or d'appointements annuels à la condition d'écrire deux opéras par an, rétribution que tous les compositeurs italiens de l'époque lui enviaient déjà.

En 1824, il se fixe à Paris, comme directeur du Théâtre Italien, puis est nommé « premier compositeur du Roi ». Quel changement pour ce petit Italien, fils d'un inspecteur des Boucheries, qui, à dix-huit ans, n'avait pas un sou en poche. En 1827, création de *Moïse* qui est un succès. Puis Rossini met trois ans à composer *Guillaume Tell,* opéra d'un ton différent, d'une veine plus difficile, dans un style mélodique plus épais. La légèreté, la bonne humeur qui avaient caractérisé la musique de Rossini jusqu'alors, y font défaut. Les événements de 1830 font d'autre part perdre au compositeur ses fonctions officielles. Ajouté à cela la vogue nouvelle des opéras de Meyerbeer, et l'on comprendra pourquoi Rossini cesse d'écrire et se retire dans une retraite dorée où il ne pense plus qu'à bien vivre et à bien manger. Lorsqu'il meurt en 1868, les plus grandes vedettes de l'époque chantent son *Stabat-Mater* dans l'église de la Trinité.

EN VEDETTE

Le Barbier de Séville, opéra-bouffe (d'après Beaumarchais), 1816. C'est le chef-d'œuvre de Rossini et l'un des tous premiers chefs-d'œuvre du Théâtre Lyrique. L'ironie de Beaumarchais réussit parfaitement au compositeur qui sut tirer le meilleur de l'œuvre. Un autre musicien napolitain, Paesiello, avait traité le sujet. Avec l'accord de celui-ci, Rossini, en treize jours écrivit une nouvelle adaptation. Le jour de la première, à Rome, le public reçut mal ce qui lui semblait être une offense au vieux compositeur Paesiello. Mais la verve et la bonne humeur de l'Opéra de Rossini l'emportèrent facilement. L'ouvrage fit le tour de l'Europe et fut joué presque sans cesse jusqu'à la fin du siècle. Aujourd'hui, *le Barbier de Séville* est très souvent repris dans les théâtres lyriques. On connaît l'intrigue : le vieux Bartolo retient sequestrée sa pupille Rosine, et veut l'épouser de force. Pour cela il compte faire venir la nuit un notaire. Mais le comte Almaviva, aidé de Figaro, barbier de Bartolo, prend la place du maître de musique de Rosine, Don Bazile. En escaladant le balcon, le comte et Figaro pénètrent dans les lieux, et c'est Almaviva qui appose sa signature au bas du contrat de mariage. Le vieux Bartolo qui a été chercher le guet, est maintenant obligé de s'incliner.

Les airs les plus célèbres sont : la Cavatine du comte, la Cavatine de Figaro, Air de la Calomnie (Bazile), le Trio Rosine, le Comte et Figaro.

La Cenerentola, opéra bouffe (d'après Perrault : Cendrillon) 1817.

Ouverture de Guillaume Tell. (Il existe des disques qui regroupent les différentes ouvertures des opéras de Rossini.)

Bellini et Donizetti allaient marcher sur les pas de Rossini, qui d'ailleurs les encouragea volontiers, la retraite du Maître facilitant leurs carrières à Paris.

Vincenzo BELLINI (1801-1835).

Malgré une santé fragile, Bellini fut un compositeur heureux ; la chance lui sourit au bon moment, le succès vint facilement, il aimait les femmes, la bonne chère, la vie facile.

Il fut d'abord un mélodiste inspiré, et les neuf opéras qu'il nous a laissés, par la mesure, l'inspiration, la fraîcheur, témoignent de son talent pour le beau chant. Chopin fut un de ses adeptes. Une tumeur intestinale devait l'emporter en pleine jeunesse ; il avait encore beaucoup à dire.

EN VEDETTE

La Norma, opéra. Extraordinaire version avec Maria Callas, soprano dramatique comme on en fait peu, et l'orchestre de la Scala de Milan, sous la direction de Sérafin.
Les Puritains, opéra.

Gaetano DONIZETTI (1797-1848).

Donizetti a laissé le meilleur et le pire. Son extraordinaire puissance créatrice lui a inspiré plus de soixante-dix opéras. Rival de Bellini, il fut un bon mélodiste, mais son instrumentation resta toujours à un niveau bas, même s'il s'essaya à la musique symphonique.

Ses succès italiens l'amenèrent à s'installer à Paris en 1838. Il devait y donner, au milieu d'une production plus courante, l'un des meilleurs opéras-bouffe du répertoire, *Don Pasquale*. D'une manière générale, toutes ses œuvres privilégient la voix humaine. Donizetti a donné aux interprètes un répertoire où ils peuvent briller en surmontant les difficultés et en exposant toutes les qualités de leur voix.

EN VEDETTE

Lucia di Lammermoor, opéra.
Don Pasquale, opéra-bouffe.

4. LE DRAME MUSICAL : VERDI, WAGNER

Giuseppe VERDI (1813-1901).

Verdi et Wagner, les deux grands créateurs du drame lyrique au XIXe siècle, sont comme les deux faces de Janus. L'un et l'autre sont des génies éternels ; la même puissance, la même invention créatrice, une verve égale, les ont, à la même époque, élevés au-dessus de leurs contemporains. Ils étaient des concurrents farouches, s'épiant à travers leurs œuvres et pourtant ils s'admiraient. A la mort de Wagner, Verdi lui rendit un hommage vibrant et sincère.

De fait, ils étaient profondément dissemblables. Dans le genre du drame lyrique qu'ils renouvelèrent l'un et l'autre, autant Wagner était Allemand, et proche de cet héritage des légendes germaniques, autant Verdi était Italien. Son don mélodique, son goût du décorum, ses excès témoignent d'une bonne santé méditerranéenne.

Verdi selon ses propres dires était « un paysan » peu cultivé. Il reçut une formation musicale assez rudimentaire et ne put entrer au Conservatoire de Milan. En 1837, grâce à des protections, il fit représenter son premier opéra *Oberto*, à la Scala de Milan. Devant le succès remporté, il reçut la commande de trois ouvrages. Très vite, il devint célèbre, et s'engagea dans la défense des insurgés de 1848 et du Risorgimento. Il s'installa près de sa ville natale, Busseto, et prit le parti de Garibaldi. Lorsque sur les murs on lisait « Viva Verdi », c'était un hommage au compositeur, mais aussi cela signifiait « Viva *V*ictor *E*mmanuel *R*oi *D'I*talie ».

Le travail de Verdi se ressentit de cet engagement politique, si l'on se souvient que jusqu'en 1857 il avait fait représenter au moins un opéra chaque année. La production du compositeur est inégale. Au total vingt-six opéras ; certains sont des commandes pour lesquelles Verdi montra

Giuseppe Verdi

peu d'intérêt ; d'autres recèlent un trésor d'inspiration, de talent, d'enthousiasme. Les amateurs de bel canto fouillent sans fin l'œuvre du compositeur pour y retrouver un air oublié ou quelques morceaux qu'ils ne connaissent pas. Verdi est le roi de l'opéra italien, il reste inégalé. Il connut de son vivant une gloire dont peu de compositeurs peuvent se prévaloir. Aujourd'hui toutes les grandes voix l'ont interprété : de Callas à Schwarzkopf.

EN VEDETTE

Rigoletto (1851).

Opéra en quatre actes dont le livret s'inspire directement de l'ouvrage « Le Roi s'amuse » de Victor Hugo. La scène se passe à Mantoue au XVIe siècle. Le duc séduit Gilda la fille de son bouffon. Rigoletto réclame son enfant : les courtisans raillent sa douleur. Il montre alors à sa fille que le duc de Mantoue la trompe dans un bouge avec Maddalena. Rigoletto décide de tuer le duc, mais Gilda toujours éprise se livre au frère de Maddalena, chargé d'exécuter la besogne. C'est le corps de sa fille que Rigoletto retrouvera...
Le moment le plus célèbre est celui du quatuor vocal : d'un côté Gilda et Rigoletto sur la route, de l'autre Maddalena et le duc de Mantoue dans le bouge. Selon L. Rebatet, « la première réussite d'aussi longue haleine chez Verdi, sans un fléchissement, et dont le célèbre quatuor est une merveille de construction musicale, en même temps qu'il exprime chaque personnage dans toute la vérité de sa nature et de ses impulsions ».

Aïda (1871).

Opéra en quatre actes, commandé par le Khédive Ismaïl-Pacha et représenté pour la première fois dans le théâtre nouvellement construit du Caire, en novembre 1871. Souvent critiqué — on lui reproche en particulier son pompiérisme — cet opéra, si l'on accepte de jouer le jeu, est très attachant et charmant. Le passage du récitatif au « cantabile » y est pour beaucoup.
La fameuse marche des Trompettes qui sert de finale à l'acte II est particulièrement célèbre. Les troupes égyptiennes défilent devant le roi. L'effet est obtenu grâce à une seconde fanfare qui répète le thème des trompettes dans un ton plus élevé.

Otello (1887).

Ce n'est pas la première rencontre de Verdi avec

Shakespeare. Mais *Macbeth* n'avait pas été convaincant. Dans *Otello* (comme d'ailleurs dans *Falstaff*) le « discours » est sans interruption, ni partage, homogène. La distribution de l'expression musicale et dramatique, d'une part entre l'orchestre et la voix, d'autre part entre le chant et la parole, entre la mélodie pure et la déclamation ou le récitatif, est mieux réglé.

Le vieux Verdi, sans se contraindre et sans se démentir réussit là une de ses plus belles œuvres.

et aussi :
La Traviata (1853).
Le Trouvère (1853).
La Force du Destin (1862).
Don Carlos (1867).

L'auditeur devra faire attention à n'acquérir que des versions en italien. Lorsque les airs sont traduits, ils perdent de leur puissance et de leur charme.
Requiem (Messa da Requiem), 1874.

Ecrit à la mémoire du poète Manzoni, superbement théâtral, richement orchestré, le Requiem est un des chefs-d'œuvre de Verdi.

Richard WAGNER (1813-1883).

Richard Wagner naît à Leipzig en 1813. Son beau-père, l'acteur Geyer l'aime et l'élève comme son propre fils. Ses premiers goûts vont plutôt à la littérature, à la poésie et au théâtre. Il fait ses études à Dresde et à Leipzig. Ce sont Beethoven et Weber qui, les premiers, le fascinent, particulièrement le *Freischütz* de ce dernier. Il se met à composer mais s'aperçoit qu'il ne possède pas les bases indispensables. Il étudie alors la composition et apprend son métier dans les œuvres des Grands Maîtres (Beethoven, Mozart). En six mois, il assimile l'harmonie. Il s'inscrit à l'Université de Leipzig (philosophie et esthétique), travaille le contrepoint avec le cantor de Saint-Thomas, Weinling. Il dirige l'orchestre du théâtre de Madgebourg (1834), où une jeune actrice, Minna Planer, devient sa maîtresse ; il l'épousera en 1836. Il y fait représenter son deuxième opéra, après *les Fées, La défense d'aimer* (Liebesverbot) et devant l'insuccès doit démissionner.

De 1837 à 1839, il est Kapellmeister à Riga où il compose un ouvrage de longue haleine, *Rienzi*, qu'il voit, dit-il « à travers les lunettes du grand opéra ». Ses dettes l'obligent à fuir. Il passe deux ans à Paris (1839-1842) toujours dans le même dénuement. Il y rencontre Liszt et l'on sait quel

Richard Wagner

ardent défenseur de Wagner sera celui-ci. C'est alors qu'il compose le *Vaisseau Fantôme.*

De 1842 à 1849, il est maître de chapelle à la Cour de Dresde. Il y fait représenter *Rienzi* et *le Vaisseau Fantôme.* Le premier est un succès, le second un échec. En 1845 il fait entendre *Tannhaüser,* succès d'estime.

Wagner travaille à *Lohengrin* et commence *les Maîtres Chanteurs.* Il commet l'erreur de s'engager politiquement au côté des révolutionnaires, et de militer pour une Saxe libre et indépendante. Recherché par la police, il s'enfuit et trouve refuge chez Liszt à Weimar. Il n'a pas le temps d'y voir représenter *Lohengrin* et passe la frontière pour Zurich.

Il va rester dix ans en Suisse. Il y publie ses premiers essais théoriques (L'Art et la Révolution), mais surtout il y conçoit toute son œuvre dramatique à venir. Il écrit la plus grande partie de l'*Anneau des Nibelung* (1854-1857) et trouve là l'occasion d'exposer sur le papier à musique ses idées théoriques.C'est aussi sa première rencontre avec les Wesendonck. En 1856 les poèmes symphoniques de Liszt le bouleversent. En 1857, il compose des lieder en l'honneur de Mathilde Wesendonck dont il est amoureux. Mais ils doivent se séparer. De cette rupture naîtra *Tristan et Isolde,* achevé à Venise en 1859.

Il s'installe à Paris, y fait représenter à l'Opéra son *Tannhaüser* (13 mars 1861), que les membres du Jockey Club viennent siffler. C'est un échec relatif, car malgré la cabale, Wagner obtient la protection de l'Impératrice, mais surtout trouve des défenseurs ardents de sa musique : Baudelaire, Gounod, Rossini, Saint-Saëns...

En 1861 il rompt avec Minna et voyage. Une amnistie lui permet de retourner en Allemagne et, chance inespérée, le Roi Louis II de Bavière le prend sous sa protection et permet en 1865 la représentation à Munich de *Tannhaüser,* du *Vaisseau* et de *Tristan.* Mais des intrigues de Cour obligent Wagner à quitter la ville. Il s'installe près de Lucerne et s'éprend de Cosima, fille de Liszt, femme du chef d'orchestre Bulow. Il l'épouse en 1870, alors qu'elle lui a déjà donné trois enfants. Elle restera sa compagne aimée jusqu'à la fin de sa vie. Là se situent les années les plus heureuses du compositeur. C'est l'époque des *Maîtres Chanteurs.* Il dicte son autobiographie « Ma vie » à Cosima.

En 1872, commence la construction de son théâtre à Bayreuth, le Festpielhaus. En 1876, la *Tétralogie* complète y sera présentée. Mais le déficit est trop important. *Parsifal* sera créé en 1882. Un an plus tard, Wagner mourra à

Venise où des crises cardiaques successives l'avaient fait se réfugier.

La personnalité de Wagner est à plus d'un titre ambiguë. Ce compositeur — et c'est le moins qu'on puisse dire — n'est pas homme de mesure et d'équilibre. Toute son œuvre est traversée à la fois par des idées nobles et aristocratiques et par un goût de la mort, de la destruction et de la nuit qui prend ses racines dans une zone trouble de l'esprit. Son pan-germanisme, sa conviction de la supériorité totale de la culture germanique, ses opinions racistes puisées auprès de théoriciens tels que Gobineau, ont fait que les nazis se sont approprié son œuvre et l'ont célébré comme l'un des leurs. Cette tache, qui trouble beaucoup de mélomanes, et contre laquelle Wagner ne put rien, bien sûr, s'estompe aujourd'hui et la confusion cesse.

Il n'en reste pas moins que Wagner est un « musicien maudit » tout comme il y a des poètes maudits. Son orgueil qui dépassait la bienséance fut le catalyseur qui lui permit de terminer son œuvre. Il était une défense, face à ses opposants et à ses créanciers. Il existe dans toute création une part de mystère. Wagner restera secret et inexpliqué dans bien des domaines. Cette ambiguïté et ce mystère sont la part du génie.

Wagner prend sa place dans l'histoire de l'opéra allemand après Mozart et Weber. Il ne faut jamais oublier qu'il est avant tout un homme de théâtre (que Shakespeare influença notamment). Le drame doit être dans la musique, toute idée doit devenir une musique, le langage de la scène et du drame. Avec Wagner l'auditeur (et le spectateur) doit pénétrer dans un monde différent, se laisser gagner à cette ambiance envoûtante. L'union est complète entre le drame et la musique.

L'orchestre wagnérien avec sa puissance et ses paroxysmes est un des moyens pour atteindre cette unité. L'emploi de techniques telles que le leit-motiv crée cette atmosphère d'envoûtement. La musique de Wagner procède par magnétisme. Pour toutes ces raisons Wagner est généralement considéré comme un des tout premiers génies de la musique.

EN VEDETTE

Opéras :

Rienzi, opéra en cinq actes — écrit en 1840 — présenté pour la première fois à Dresde en 1842, avec un grand succès.

Le Vaisseau Fantôme. (Der Fliegende Hollander), opéra en trois actes, présenté à Dresde en 1843.

Tannhaüser, opéra en trois actes. La partition fut terminée en 1845. Créé à Dresde, cet opéra rencontra un succès mitigé. Lors de sa première représentation à Paris en 1861 le scandale fut énorme : sifflets et cris d'animaux.

Lohengrin. Opéra romantique en trois actes. Créé à Weimar par Liszt en 1850.

Tristan et Isolde. Opéra en trois actes. Achevé en 1859. Première de Tristan dirigée par Bülow, en juin 1865.

Les Maîtres Chanteurs de Nüremberg. (Die Meistersinger von Nümberg), opéra en trois actes. Représenté en juin 1868 à Munich, Bülow au pupitre.

Parsifal. Drame sacré en trois actes, créé à Bayreuth en juillet 1882.

La Tétralogie de l'Anneau de Nibelung. (Der Ring des Nibelungen). Cycle en trois parties et un prologue. Cet opéra fut représenté pour la première fois en 1876 au Festspielhaus de Bayreuth sous la direction de Hans Richter. Le sujet en est une combinaison des légendes germaniques de Siegfried et du trésor de Nibelungen avec le mythe scandinave des dieux du Walhalla.
C'est une œuvre complexe. Une culture musicale et littéraire importante, une attention appliquée et beaucoup de temps sont nécessaires à la compréhension de toutes les allusions et de toutes les références. Il existe une présentation aussi simple que possible de la Tétralogie : « Première rencontre avec la Tétralogie » par G. Lafarge. Les principaux thèmes musicaux y sont présentés et interprétés au piano par France Clidat. Les notions élémentaires sont données, l'action dramatique y est analysée. Une excellente introduction.

L'Or du Rhin (Das Rheingold), (1854). Prologue.
La Walkyrie (Die Walküre) (1870). Première journée.
Siegfried (1871). Deuxième journée.
Le Crépuscule des Dieux (Götterdämmerung). Troisième journée.

Musique vocale :

Wesendonck-Lieder, mélodies.

Musique instrumentale :

Symphonie en ut majeur, 1832.

Siegfried Idyll, œuvre symphonique sur des thèmes de « Siegfried », 1869.

5. LA MUSIQUE ALLEMANDE APRÈS WAGNER

Wagner a opéré dans la musique romantique allemande une révolution d'une puissance telle que ses successeurs sont imprégnés de l'œuvre du maître de Bayreuth. Les Bruckner, Mahler, Richard Strauss, Wolf et même Schönberg, Berg ou Webern sont les héritiers et les continuateurs d'une musique qui paraissait une somme et suscita de nouvelles recherches, ouvrit des voies inexplorées.

Johannes BRAHMS (1833-1897).

Johannes Brahms est cependant à classer à part. Il aimait la musique de Wagner, mais n'en fit pas son évangile. Salué par Schumann comme « un nouveau génie », Brahms mena une carrière et une œuvre en marge de Wagner. Il réunit parfois autour de lui — et sans le vouloir — la cohorte des anti-Wagnériens. On le traita de réactionnaire. Pourtant l'œuvre de Brahms n'est pas classique. D'un certain point de vue il est l'héritier direct de Haydn, de Bach et de Beethoven : son écriture reste classique ; la forme n'évolue pas, elle ne fait que se préciser et gagner en sûreté. Et pourtant, cet Allemand du Nord, amoureux de l'ordre, qui ne comprend pas bien les excès de Wagner ou de Berlioz et qui déteste la musique de Liszt, est profondément romantique. Sa sensibilité, puisée aux sources les plus profondes de l'âme germanique, une tension intime et douloureuse font de Brahms un romantique pur de la première époque. Cette émotivité, cette vie intérieure intense et maîtrisée, donnent à sa musique, traitée dans des formes classiques, une densité et une présence qui la rendent particulièrement attachante.

La vie de Brahms fut assez terne et difficile jusqu'à sa rencontre avec Schumann (1853). Issu d'un milieu pauvre, Johannes dut rapidement gagner sa vie par des tâches alimentaires. C'est son nouvel ami qui le « lance » et lui apporte des conseils dont il tient le plus grand compte. Lorsque Robert Schumann connaît ses troubles mentaux, il est auprès de Clara ; leurs relations sont un peu plus que simplement amicales ; ils seront toujours liés par une

Johannes Brahms

communauté d'esprit. A partir de 1862, Brahms vit à Vienne où il est chef de la Singakademie. Le véritable succès vient en 1868 à la présentation du *Requiem allemand* dans la cathédrale de Brême. De 1875 à sa mort il ne se consacra plus qu'à la composition.

EN VEDETTE

Musique symphonique et musique concertante :

Les quatre symphonies. En particulier, la première.
Le premier concerto pour piano et orchestre.
Le concerto pour violon et orchestre.
Le double concerto pour violon, violoncelle et orchestre.

Musique de chambre :

Trio pour piano, violon et violoncelle.
Quintette pour clarinette et cordes.
Sonates pour alto (ou clarinette) et piano.
Il existe une très belle intégrale de la musique de chambre de Brahms par le quatuor Bartok.

Musique vocale :

Le Requiem allemand (Ein Deutsches Requiem). Le chef-d'œuvre de Brahms ; par cette œuvre il égale les plus grands.
Rapsodie pour contralto, chœur d'hommes et orchestre. Une extraordinaire version, due à K. Ferrier.
Lieder. Deux interprètes favoris, Fischer-Dieskau et K. Ferrier.

Hugo WOLF (1860-1903).

Cet Autrichien, au caractère indomptable, se fit connaître comme critique, prenant la défense de Wagner contre « la réaction » et contre ce pauvre Brahms qui n'en méritait pas tant. Parler de Hugo Wolf, c'est parler de ses lieder qu'il se mit à composer dans sa vingt-huitième année. Instable, complexe, déchiré, proche de Schumann et de Wagner, maîtres qu'il égala presque, ce compositeur « entrait en création », comme on entre en religion, par de brusques assauts mystiques, par une sorte de détente créatrice. Incapable d'efforts prolongés, ni de projets de longue haleine, il laisse des mélodies d'une rare beauté, composées sur des vers de Gœthe, de Moerike, d'Eichendorff. Il devint fou en 1897 ; son esprit n'avait pu supporter la tension de ses contradictions. Il fallut l'enfermer à l'asile psychiatrique de Vienne où il mourut en 1903.

EN VEDETTE

Lieder. En particulier *Moerike Lieder.*

Anton BRUCKNER (1824-1896).

Il est malaisé de situer A. Bruckner, en particulier parce qu'il est mal connu. Aujourd'hui on revient à lui et ses œuvres commencent à être entendues pour ce qu'elles sont. L'admiration que lui portent certains de nos contemporains, le chef d'orchestre Karajan par exemple, y est pour beaucoup. On est en train de redécouvrir Bruckner, comme il y a quelques années, on a redécouvert Brahms.

Il fit ses études à Linz et débuta comme maître d'école à un poste très modeste. En 1856, il est organiste de la cathédrale de Linz. Il étudie à Vienne l'art du contrepoint, et commence ses premières compositions. Sa rencontre avec Wagner (1865) est déterminante, l'admiration qu'il vouera au maître de Bayreuth ne sera jamais démentie. Il est nommé professeur au conservatoire de Vienne. Mais ses œuvres rencontrent des échecs successifs et l'enthousiasme d'un musicien comme Mahler qui use de son crédit pour le faire connaître, ne peut vaincre l'hostilité d'une grande partie du public viennois.

Anton Bruckner avait une personnalité extrêmement simple, candide et provinciale. Autodidacte, il ne se souciait ni de gloire ni de pouvoir. Il composa jusqu'à l'âge de soixante-douze ans, laissant le final de sa neuvième symphonie inachevé.

Bruckner descend en ligne directe de Beethoven (deuxième manière, neuvième symphonie avec chœurs). Le drame lyrique de type wagnérien n'est pas son langage. Mais l'orchestre de Wagner, son instrumentation, seront les moyens de son style pour exprimer son œuvre avec la grandeur et l'éclat nécessaires. Ses détracteurs lui reprochent la longueur de ses symphonies. C'est précisément cette particularité qui permet à Bruckner de créer une atmosphère quasiment religieuse, et certainement imprégnée d'un profond mysticisme. Son œuvre ne se laisse pas découvrir facilement : il nous fait pénétrer dans un monde qui est en rupture totale avec la réalité de son temps.

EN VEDETTE

Septième symphonie en mi majeur.
Neuvième symphonie, en ré mineur.
Te Deum, pour soli, chœur, orgue et orchestre.
Messe en ré mineur.

Gustav MAHLER (1860-1911).

D'origine paysanne et juive, Gustav Mahler fit ses études au Conservatoire de Vienne et débuta tôt une carrière

Gustav Mahler

très brillante de chef d'orchestre. Ce don particulier pour la direction le mit en vedette mais ne lui permit pas de faire apprécier sa musique rejetée par ses contemporains. C'est donc entre deux tournées, ou l'été en vacances, qu'il composait. Son œuvre s'organise autour de deux pôles, la musique symphonique et le lied. C'est d'ailleurs dans ce deuxième genre qu'il débuta puisqu'il avait vingt ans lorsqu'il composa *Das Klagende Lied*.

Mais il ne faut pas laisser dans l'ombre sa carrière de chef d'orchestre. Il fut le plus brillant et occupa à son époque une place comparable à celle d'un Toscanini ou d'un Karajan. Il dirigea les plus grands orchestres, celui de Vienne, ou le Metropolitan de New York par exemple, et les œuvres des compositeurs qu'il aimait, Mozart, Beethoven, Wagner. On ne songerait à nier l'influence que ce travail put avoir sur son œuvre. Mahler est un romantique, mais à la différence de Bruckner il n'est pas tourné vers lui-même, vers une sorte d'introspection destructurante. Au contraire il est de plain-pied avec l'histoire du monde, avec la réalité et le vécu. La grandeur, l'émotion chaleureuse que suscitent les symphonies de Mahler, sont à l'image même du compositeur : son visage inquiet, tourmenté, la vivacité des yeux derrière les lunettes témoignent de l'ambitieux projet de Mahler.

On lui a souvent reproché une certaine confusion dans son œuvre symphonique. C'est peut-être exact si l'on ne voit en Mahler qu'un disciple de Wagner et de Bruckner. C'est faux si l'on réalise que le compositeur ne craint pas de briser les formes classiques de la symphonie, pour transcender le contenu du message. En ce sens, il est proche des compositeurs de « l'Ecole de Vienne ».

EN VEDETTE

Musique symphonique :

L'Intégrale des symphonies de Mahler. En particulier :
La première symphonie, dite *"Titan".*
La deuxième symphonie, dite *"Résurrection".*
La troisième symphonie.
L'Adagio de la *cinquième symphonie,* rendu célèbre par le film « Mort à Venise ».
La neuvième symphonie.

Les Lieder :

Kindertotenlieder (chant funèbre pour un enfant).
C'est peut-être l'œuvre qui permet le mieux de découvrir ce qu'est le lied. Une version inégalée, celle de Kathleen Ferrier / Bruno Walter.

Das Lied Von der Erde (le chant de la terre).
Inspiré de « la Flûte chinoise », c'est un chant douloureux et passionné à la terre, rempli du désespoir de devoir la quitter. Mahler, qui l'écrivit en 1908, se sentait condamné. Il devait mourir deux ans plus tard alors qu'il avait « plus que jamais soif de la vie ».

Richard STRAUSS (1864-1949).

Richard Strauss est un des compositeurs les plus importants du post-wagnérisme. Dramaturge né, après avoir pris la mesure de ses capacités dans huit poèmes symphoniques, il a laissé des opéras d'une somptuosité effrayante où s'expriment un lyrisme violent et une sensibilité à fleur de peau. Il mena conjointement son activité de compositeur et celle de chef d'orchestre. Remarqué par le célèbre directeur Von Bülow, qui facilita ses débuts, Richard Strauss devait lui succéder en 1898 à la direction de l'Opéra de Berlin.

Ses œuvres les plus intéressantes sont antérieures à 1915. Passé cette date, le compositeur du *Chevalier à la Rose* semble s'être retranché derrière un classicisme, certes toujours inspiré, mais qui nous intéresse moins. Ce retour à Mozart et à Wagner, cette vision plus tranquille du monde trouvent peut-être leurs origines dans le goût qu'avait Richard Strauss pour le confort matériel et intellectuel. Il fut un homme paisible et rangé ; en apparence au moins, car bien qu'il se soit toujours déclaré agnostique, toute son œuvre est traversée par une angoisse profonde de la mort, même dans ses ouvrages aux sujets plus légers.

L'influence de Wagner est chez Richard Strauss aussi nette que chez Mahler ; ses premières œuvres, les huit poèmes symphoniques qu'il composa de 1886 à 1898, sont exemplaires à cet égard. Un grand orchestre de type wagnérien permet de donner aux fortissimi toute leur force et leur amplitude. Richard Strauss a porté le poème symphonique à son plus haut degré de perfection. A la base de chaque ouvrage, on trouve un « programme » littéraire, générateur de l'inspiration et comme le fait remarquer Antoine Goléa, chez Strauss « ce programme est un parfait échafaudage que le maître d'œuvre enlève une fois l'œuvre achevée. et voici qu'elle tient debout, en toutes ses parties, que l'on s'amuse à penser ou non à ce qui a servi à l'élever ».

Ses premiers opéras (*Salomé, Elektra*) sont d'un abord difficile. Audacieux, complexes, violents, aux rythmes exacerbés, ils révèlent la nature profondément originale du compositeur. « La voix y est traitée de façon inhumaine » (Roland de Candé). Comme tous les grands créateurs, Richard Strauss a su créer un monde bien à lui ; il est logique qu'il ait ses admirateurs et ses détracteurs. *Le Chevalier à la Rose* (1911) et *Ariane à Naxos* marquent le retour du compositeur vers une forme plus classique. Ces œuvres ne manquent ni de charme, ni de poésie.

Il fallut attendre la vieillesse du compositeur pour retrouver des œuvres de la même qualité que celles antérieures à 1915 : *Le Capriccio* (1941), *les Métamorphoses* (1945), les *quatre derniers lieder.* Il a aussi laissé deux *concertos pour cor et orchestre* très intéressants : le père de Richard Strauss était cor solo à l'opéra de Munich.

EN VEDETTE

Poèmes symphoniques :

Mort et Transfiguration. « Dans une misérable chambre, un malade git sur son lit. La mort approche au milieu du silence, pleine d'épouvante. Le malheureux rêve de temps en temps et s'apaise dans ses souvenirs. Sa vie repasse devant ses yeux : son enfance innocente, sa jeunesse heureuse, les combats de l'âge mûr, ses efforts pour atteindre le but sublime de ses désirs. Il lutte désespérément et s'acharne même dans l'agonie à réaliser son rêve ; mais le marteau de la nuit brise son corps, et la nuit s'étend sur ses yeux. Alors résonne dans le Ciel la parole du salut à laquelle il aspirait vainement sur la terre "Rédemption, Transfiguration" » (Romain Rolland).

Ainsi parlait Zarathoustra.

Don Juan.

Don Quichotte.

Till l'espiègle.

Opéras :

Salomé (1903-1905).

Elektra (1906-1908).

Le Chevalier à la Rose (1911).

et aussi :

Les quatre derniers lieder. Version Schwarzkopf.

Concerto pour cor et orchestre.

6. LA MUSIQUE EN FRANCE

De Rameau à Charles Gounod, la musique est aú creux de la vague. Si elle cherche sa voie, elle ne la trouve pas. Le seul véritable génie, Berlioz, est boudé et incompris. Alors qu'en Allemagne et en Italie, de grandes œuvres voient le jour, en France, Meyerbeer, Auber, Halevy sont les compositeurs qui ont alors les honneurs et la faveur du public. Ils sont aujourd'hui pratiquement oubliés. Seuls Adam (qui a laissé un joli ballet romantique, *Giselle*), Thomas (auteur de *Mignon*) et Victor Massé (*les Noces de Jeannette*), laissent des ouvrages dignes d'intérêt.

Gounod est le premier à restituer à la musique française une certaine élégance. Ce n'est qu'un début. Avec Bizet, Saint-Saëns et César Franck le renouveau se confirme. Fauré et Debussy lui rendront sa grandeur.

Hector BERLIOZ (1803-1869).

H. Berlioz fut un compositeur de génie dans le désert de la musique française du milieu du XIXe siècle. Cet homme au profil d'aigle dut toute sa vie combattre pour imposer son œuvre. Berlioz fit ses études secondaires à Grenoble et s'initia rudimentairement à la musique. Son père, médecin, l'envoya poursuivre ses études à la Faculté de médecine de Paris.

Il n'y est pas un étudiant très assidu et on le retrouve plus souvent à l'Opéra, où Gluck le fascine. Il entre au Conservatoire en 1826, et après trois échecs obtient le prix de Rome en 1830. Mais avant de partir, il a le temps de voir interpréter sa *Symphonie Fantastique*, la plus grande peut-être de ses œuvres. Immédiatement il reçoit les encouragements de la jeune école (Liszt). Mais le succès n'est pas suffisant pour vivre et conjointement Berlioz débute une carrière de critique musical au « Journal des débats » où son talent de feuilletoniste et sa lucidité musicale font merveille. En 1839, il sera conservateur de la Bibliothèque au Conservatoire.

La vie amoureuse de Berlioz sera un échec. Il épouse en première noce une actrice anglaise Harriet Smithson qu'il ne rendra pas heureuse. A la mort de celle-ci en 1853, celle qui avait été sa maîtresse, la mauvaise cantatrice espagnole Maria Recio, avide d'engagements en toutes sortes devient sa femme. Dans sa carrière Berlioz connut des échecs,

Hector Berlioz

dont le plus blessant fut sans doute de ne pouvoir faire représenter dans son intégralité *Les Troyens*. Mais il connut aussi des succès dont le plus fameux fut la semaine de concerts que Liszt consacra à son œuvre, à Weimar.

Cette vie de combat pour imposer son génie, épuisa Berlioz qui vers la fin de sa vie, abandonna plus ou moins la lutte. Il mourut à Nice en 1869 d'une congestion cérébrale.

La musique de Berlioz a longtemps été méprisée. On lui reprochait des développements sans logique, son ignorance de l'harmonie et de la composition, sa « superficialité », ses « mauvaises basses ». Mais ses détracteurs oubliaient de dire que sa conception tout à fait nouvelle de l'orchestration allait révolutionner la musique symphonique et que cet « instinct » pour l'écriture instrumentale faisait de Berlioz un des musiciens français les plus remarquables.

EN VEDETTE

La Symphonie Fantastique (1830).

La plus romantique des symphonies. La première symphonie française. Il en existe près de trente versions

Berlioz a vingt-sept ans lorsqu'il l'écrit. Miss Smithson est au centre de cette œuvre : Il faut fustiger la Belle qui ne veut pas de lui. Il écrit seul l'argument de la symphonie qui porte pour sous-titre : monodrame lyrique, épisode de la vie d'un artiste. Un jeune musicien, hypersensible s'empoisonne à l'opium. La dose est trop faible et ne lui donne que d'étranges hallucinations parcourues par la vision incessante de la femme aimée. L'idée fixe de la femme est représentée par une mélodie qu'il entend partout, sorte de « motif conducteur » circulant à travers l'ouvrage. Berlioz est à l'origine du leitmotiv qui aura tant d'importance chez Wagner.

Certains musicologues donnent au compositeur de *la Fantastique* le privilège d'avoir écrit le premier poème symphonique. Il est certain que Liszt a été enthousiasmé par cette symphonie et que la parenté d'esprit entre les deux compositeurs est évidente. Cinq parties :
I. Rêveries, Passions. II. Un bal. III. Scène aux champs. IV. Marche aux supplices. V. Songe d'une nuit de Sabbat.

La Damnation de Faust.
A vingt-cinq ans, enthousiasmé par le *Faust* de Gœthe traduit par Gérard de Nerval, Berlioz écrit *Huit*

Scènes de Faust. On y retrouve les plus belles pages de la partition définitive de 1846. C'est devant une salle à peu près vide (Opéra-Comique), louée par le compositeur lui-même, que Berlioz dirigea pour la première fois la *Damnation* le 6 décembre 1864.

Les Troyens, opéra (1836), d'après Virgile.

Une seule intégrale, dirigée par Colin Davis à la tête du Royal Covent Garden.

Requiem ou « Grande Messe des Morts » (1837). Parmi les meilleures versions, celle où Charles Munch dirige l'Orchestre symphonique de Boston.

Benvenuto Cellini, opéra (1838).

Roméo et Juliette, Symphonie dramatique (1839).

Harold en Italie, poème pour alto et orchestre (1834).

OPÉRA, OPÉRA-COMIQUE, OPÉRETTE

Charles GOUNOD (1818-1893).

Il fut le premier à réagir contre l'art de Meyerbeer et à ramener la musique française vers sa véritable tradition. Né à Paris, premier prix de Rome en 1839, Gounod s'initia en Italie à l'art de Palestrina, rencontra Berlioz, Schumann et Mendelssohn qui lui fit aimer Bach et Mozart.

Son goût et une certaine tendance au mysticisme le portèrent d'abord vers la musique religieuse ; mais ce qui nous intéresse, aujourd'hui, ce sont ses opéras. Il lui fallut pourtant attendre l'âge de quarante et un ans pour faire triompher sur la scène du Théâtre Lyrique d'abord, puis de l'Opéra, son chef-d'œuvre, *Faust*. Gounod avait trouvé sa voie ; après quelques ouvrages qui n'eurent pas le même succès, *Mireille* et *Roméo et Juliette* consacrèrent le talent lyrique du compositeur. En dehors de ses opéras et de ses œuvres religieuses (13 Messes, 2 Requiem, etc.), Gounod laisse deux symphonies et des mélodies, élégantes dans leur forme, qui annoncent Fauré.

EN VEDETTE

Faust, opéra (d'après Gœthe).
Mireille, opéra-comique (d'après Mistral).
Roméo et Juliette.

Léo DELIBES (1836-1891).

Nous conservons sa mémoire, surtout grâce à ses musiques de ballets, fraîches et légères, à l'orchestration déliée. Il est aussi l'auteur d'un opéra-comique, *Lakmé.*

EN VEDETTE

Coppélia, ballet.
Lakmé, opéra-comique.

Georges BIZET (1838-1875).

Voilà enfin le musicien de génie qui va donner un élan de jeunesse à l'opéra français. Encouragé très tôt dans la carrière musicale, élève du Conservatoire dès l'âge de neuf ans, Bizet obtint en 1857 le Grand Prix de Rome. Ce musicien au métier solide, pianiste virtuose, improvisateur de talent, eut dès sa vingtième année le goût de la réussite. Les premières œuvres qu'il donna : *Les Pêcheurs de Perles* (1863), *La Jolie Fille de Perth* (1866), *Djamileh,* sont des opéras-comiques dans un style pseudo-oriental, d'un académisme issu en droite ligne de Meyerbeer. Le compositeur n'avait pas encore trouvé son style.

Ce n'est que vers la trentaine que Georges Bizet rejeta toutes les facilités de cette musique pour lui préférer Beethoven (qu'il place au-dessus de tout) et Wagner. Cette prise de conscience va le mener à composer ses chefs-d'œuvre. D'abord l'*Arlésienne* en 1872, aux scènes sobres et colorées, qui le place immédiatement à part. Puis *Carmen* en 1875, opéra-comique réaliste, tout ensoleillé par l'Espagne. Les critiques de son époque ne comprirent pas cette dernière œuvre et accuseront Bizet de plagier Wagner. Et pourtant combien cette saveur méditerranéenne qu'a su nous restituer Bizet est éloignée de la problématique wagnérienne. Le compositeur de *Carmen* eut une carrière extrêmement courte puisqu'il devait disparaître à l'âge de trente-sept ans. On lui doit également des mélodies, une suite à quatre mains, une suite symphonique, une symphonie.

EN VEDETTE

Carmen, opéra (1874). Présenté pour la première fois à l'Opéra-Comique, salle Favart le 3 mars 1875, d'après la nouvelle de P. Mérimée, jugée scandaleuse à l'époque, sur un livret bien construit de Meilhac et Halévy. L'accueil resta froid. En revanche à Madrid, en 1876, l'œuvre reçut un immense triomphe qui fut confirmé à la reprise à Paris en 1883. Aujourd'hui elle connaît le succès réservé aux grandes œuvres. Seule différence, on a substitué au « parlé » liant les scènes, un récitatif qui lui convient mieux.

L'histoire est celle d'une cigarière de Séville, dont le brigadier Don José tombe amoureux. A l'occasion d'une querelle de femmes où la force armée a dû intervenir, le brigadier, qui a permis à Carmen de prendre la fuite, est emprisonné. Une fois libéré, il déserte pour rejoindre sa belle. Carmen que courtise le torero Escamillo, déclare à Don José qu'elle ne l'aime plus. Il supplie. Elle se moque de lui, le brave. Il la tue.

Le fameux Air du Toréador n'est pas le meilleur de l'œuvre. Là, Bizet donne au public ce qu'il aime et ce dont il a l'habitude.

Les grands moments dans Carmen sont ailleurs : la scène V de l'acte I « L'amour est un oiseau rebelle », sur le rythme caractéristique de la Habanera. La scène X de l'acte I « Près des remparts de Séville », « J'irai danser la Séguedille et boire du manzanilla... » etc.

L'Arlésienne, musique de scène pour le drame d'A. Daudet (1872).

Jules MASSENET (1842-1912), connut de son vivant une gloire immense. Aujourd'hui son nom est un peu oublié. Ce mélodiste qui n'était pas sans talent, laisse vingt-deux opéras de qualité inégale. Certains cependant sont pleins de sensibilité et de charme.

EN VEDETTE

Manon, opéra-comique.
Le Jongleur de Notre-Dame, opéra.
Werther, drame lyrique.

Gustave CHARPENTIER (1860-1956). élève de Massenet et bien médiocre compositeur qui ne donna plus rien à partir de 1913 et vécut tranquillement des reprises de sa *Louise,* « roman musical » populaire.

Jacques OFFENBACH (1819-1880). Que les amateurs d'opérette se rassurent, Offenbach est bien vivant. Plein de verve et de faconde, ce fils de musicien ambulant, mis à part un opéra-comique d'un style plus sérieux, *Les contes d'Hoffmann,* a laissé toute une série d'ouvrages gais, pleins de fraîcheur et d'humour.

EN VEDETTE

La belle Hélène, opéra bouffe (1864).
La Vie Parisienne, opéra bouffe (1866).
La Périchole, opéra bouffe (1868).

Les Contes d'Hoffmann, opéra comique (1880).

André MESSAGER (1853-1929). fut un remarquable chef d'orchestre, à l'Opéra, à la Société des concerts, à Covent-Garden, etc. Il créa *Pelléas et Mélisande* et laissa des œuvres faciles et sans prétention, d'une écriture assurée dont *La Basoche* (1890) illustre bien le genre.

RENAISSANCE DE LA MUSIQUE ORCHESTRALE

Camille SAINT-SAËNS (1835-1921).

Issu d'une famille bourgeoise et parisienne aisée, Camille Saint-Saëns fut un jeune prodige qui dès l'âge de onze ans se produisait en concert. Tout lui fut facile. Cet amoureux de l'ordre et de la clarté, était un classique qui défendait — et sans doute avec excès — la pureté de la musique française face au romantisme allemand, et à l'opéra italien représenté par Verdi. Saint-Saëns aimait Bach, Haendel, Rameau, Mozart, Beethoven et Liszt qui le fit découvrir en Europe.

Compositeur particulièrement fécond, il laisse une œuvre importante. Mais aujourd'hui, ne sont plus écoutés que quelques ouvrages. Principalement son chef-d'œuvre : *la troisième symphonie avec orgue*, où le compositeur, pour une fois, laisse apparaître son émotion et sait la traduire par une instrumentation attachante. Tous ses opéras, excepté *Samson et Dalila* sont oubliés ; de même que la plupart de ses pièces pour piano, d'un classicisme trop froid. Introducteur en France du poème symphonique, il ne l'illustra que d'une manière descriptive, sans véritable inspiration.

Ce compositeur qui eut tous les honneurs et qui connaissait sans doute les limites de son talent, supporta difficilement de voir naître autour de lui des génies d'une envergure toute différente de la sienne. Son parti-pris vengeur l'amena à des extrémités regrettables puisque non seulement il méprisa, mais il attaqua les meilleurs compositeurs français et étrangers : Verdi, Wagner, Franck, Debussy, Ravel, etc.

EN VEDETTE

Troisième symphonie avec orgue (1886).

Deuxième (1868) et *cinquième* (1895) *concertos pour piano et orchestre.*

Carnaval des Animaux (1886).
Danse Macabre, poème symphonique (1874).

Edouard LALO (1823-1892).

Né à Lille, Lalo qui aspirait à un succès au théâtre — seule manière de réussir à cette époque — cultiva cependant son goût pour la musique instrumentale, et laissa des œuvres que nous écoutons aujourd'hui avec le plus vif des plaisirs. Sa musique, inédite, ne permet pas de le classer ; et cette indépendance est tout à son avantage.
Un rythme particulier, coloré, chaleureux, sincère, caractérise ses meilleures œuvres, sa *Symphonie espagnole*, ses pages concertantes et son ballet *Namouna* d'inspiration très libre.

EN VEDETTE

Symphonie espagnole, pour violon et orchestre (1873).
Namouna, ballet (1882).
Concerto pour violoncelle et orchestre (1876).
Le Roi d'Ys, opéra (1888).

Emmanuel CHABRIER (1841-1894).

Proche des mouvements d'avant-garde de son temps, de Manet et de Renoir, autodidacte, obscur bureaucrate et admirateur de Wagner, tels sont quelques traits du caractère du jeune Chabrier. Il ne se considérait que comme un « amateur » en musique, qui avait appris le piano — pour lequel il était doué — avec d'obscurs professeurs. *España*, sa rhapsodie pour orchestre, lui apporta en 1883 son premier grand succès populaire.
Ce compositeur ne comptait plus ses amis tant il était de compagnie agréable et enthousiaste. Les franckistes l'engagèrent à composer des opéras. Mais ce n'était pas son genre et il n'eut pas le souffle pour de telles entreprises. Le meilleur, les pièces pour piano et pour orchestre sont à la fois tendres et gaies, savoureuses et personnelles, pleines d'inventions mélodiques, de richesses rythmiques, d'harmonies colorées.

EN VEDETTE

España, rapsodie pour orchestre (1883).
Bourrée Fantasque, pour piano (1891).

CÉSAR FRANCK ET SON ÉCOLE

César FRANCK (1822-1890).

Belge naturalisé français à quatorze ans, élève de Reicha au Conservatoire, organiste à Sainte-Clotilde à partir de

1859, puis titulaire d'une classe d'orgue en 1872, César Franck au physique modeste, fut un compositeur tardif puisque ses œuvres majeures, ne furent écrites que la cinquantaine passée (mis à part un trio pour piano, violon et violoncelle de bonne facture et donné à dix-huit ans). Longtemps, Franck n'a été qu'un organiste besogneux, à la recherche d'engagements, pour « joindre les deux bouts ». En 1871, la Société Nationale de Musique, en lui permettant de faire entendre ses œuvres donna un élan nouveau au compositeur. Le meilleur que nous a laissé César Franck est sans doute sa musique de chambre dont il fut le premier à renouveler le genre délaissé alors. Il écrivit aussi pour l'orgue, son instrument de prédilection, des ouvrages solides, générateurs d'un renouveau, 'telle sa dernière œuvre : les *trois chorals* (1890).. Sa musique symphonique ne porte pas en elle les mêmes richesses. Cependant *sa symphonie en ré mineur*, comme la *symphonie avec orgue* de Saint-Saëns, occupe une bonne place dans le répertoire symphonique français.

EN VEDETTE

Sonate pour violon et piano.
Œuvre pour orgue (en particulier les *trois derniers chorals*).
Prélude, Choral et Fugue, pour piano.
Variations symphoniques pour piano et orchestre.

Si César Franck ne connut par la célébrité de son vivant, il eut la joie de voir se réunir autour de lui, dans sa classe du Conservatoire en particulier, toute une génération de jeunes musiciens en rupture d'académisme. Ceux de « la bande à Franck » étaient des jeunes gens issus de la bourgeoisie, cultivés et enthousiastes. Nous donnerons simplement les noms des principaux d'entre eux :

Henri DUPARC (1848-1933) qui a apporté à la mélodie française un ton nouveau, aéré, évocateur d'une sensibilité particulière, attachant par sa capacité à créer une atmosphère puissante. Tout en restant françaises, les mélodies de Duparc sont proches du lied allemand.

EN VEDETTE

Mélodies.

Ernest CHAUSSON (1855-1899), remarquable par son : *Poème pour violon et orchestre.*

Charles-Marie WIDOR (1844-1937), qui a laissé une œuvre pour orgue puissamment évocatrice : *Neuvième symphonie pour orgue.*

Vincent d'INDY (1851-1931) fondateur de la Schola Cantorum et théoricien sûr de lui.

FAURE

Gabriel FAURE (1845-1924).

La musique de Gabriel Fauré est à l'image de ses origines et de sa vie, simple. Ses dons exceptionnels se sont manifestés tôt. Admis à titre gracieux à l'Ecole Niedermeyer, il y eut pour maître Saint-Saëns son aîné de dix ans avec lequel il devait se lier d'amitié.

Après un chagrin d'amour dont il semble avoir beaucoup souffert, Fauré se marie et oublie toutes les supplications de son adolescence. Il mène alors une vie tranquille, mais financièrement difficile, puisque ses principales ressources sont les leçons de piano qu'il donne au domicile de ses élèves, à Paris et dans sa banlieue. Bien que successivement organiste à Rennes (1866-1870), à Notre-Dame de Clignancourt et à Saint-Honoré d'Eylau, il est toujours pratiquement inconnu. En 1896, il est nommé organiste à la Madeleine, en remplacement de Saint-Saëns et obtient une classe au Conservatoire, dont il deviendra d'ailleurs le directeur en 1905 pour le plus grand bien de l'établissement. Son enseignement très libéral, plein de bonhomie, réunit autour de lui quelques-uns des meilleurs musiciens à venir, parmi lesquels : Enesco, Ravel, Florent Schmitt.

Fauré est un des rares musiciens de son époque à ne pas subir, d'une manière ou d'une autre, l'influence de Wagner, ni à adhérer à l'esthétique de Liszt. Pourtant ces deux compositeurs l'impressionneront très fortement.

Gabriel Fauré est surtout remarquable par sa musique de chambre et par ses mélodies. Son œuvre symphonique, essentiellement écrite la cinquantaine passée, est d'un intérêt secondaire. Tout l'art de Fauré réside dans la simplicité, totalement exempte de grandiloquence ou de motifs pontifiants. Proche par sa conception de l'art d'un Verlaine, par exemple, sa musique aux inflexions subtiles et délicates révèle une suavité, une fausse nonchalance, une intelligence charmeuse jusqu'alors inconnues dans la musique française.

Atteint de surdité en 1920, Gabriel Fauré devait donner sa démission du Conservatoire. Il mourut en 1924, après avoir terminé l'un de ses plus grands chefs-d'œuvre, *le Quatuor à cordes.*

EN VEDETTE

Musique de chambre :

Sonates pour violon et piano.

Gabriel Fauré

Sonates pour violoncelle et piano.
Le Quatuor à cordes en mi mineur (op. 121).
Trio pour piano et cordes (op. 120).
Quintettes pour piano et cordes (op. 89 et 115).
Les œuvres pour piano, postérieures à 1900, et parmi celles-ci :
Les Préludes.

Musique vocale :

Requiem, pour soprano, baryton, chœurs et orchestre (1887-1888). C'est une œuvre très populaire, une prière d'espoir où il est fait appel à la mansuétude et à la pitié de Dieu. La terreur de la mort n'est pas exprimée dans ce requiem, finalement assez lénifiant. Ecrit pour chœurs, orgue et orchestre, il fut exécuté pour la première fois à la Madeleine en 1890.

Mélodies :

Quand on parle de Fauré, on pense à ses mélodies, dont la plus courte est un joyau. On écoutera d'abord les *cinq mélodies de Verlaine,* les cycles de *la Bonne chanson,* et de la *Chanson d'Eve.*

Musique orchestrale :

Masques et Bergamasques, suite d'orchestre (1919).
Pelléas et Mélisande, musique de scène (1898).

7. LA RUSSIE ET LE GROUPE DES CINQ

Longtemps la Russie se contenta de la musique de la liturgie orthodoxe chantée a cappella, et d'une musique populaire, extrêmement abondante et riche. Le système de notation musicale n'était pas connu. Il fallut attendre Pierre le Grand pour qu'une politique d'ouverture vers l'Europe permette à la musique de l'Ouest d'atteindre les villes de la Russie Blanche, (Moscou et surtout Saint-Pétersbourg) et ainsi de susciter des vocations nouvelles. Les opéras italiens les plus frivoles eurent la faveur de ce public de hobereaux et d'aristocrates vivant dans un régime encore quasiment féodal. Les grands maîtres allemands, Mozart ou Beethoven, restèrent négligés.

Les premiers compositeurs russes sont surtout des imitateurs qui n'ont laissé que peu de traces.

Michel GLINKA (1804-1857).

Glinka est le véritable père de toute la musique russe. Ses voyages en Europe, la nostalgie de la mère patrie, le portèrent à composer des opéras typiquement russes, aussi bien par le choix des sujets, par la langue, que par la matière mélodique et rythmique. Il est cependant un compositeur de second ordre et nous ne le citons que pour expliquer la genèse de la musique russe.

LE GROUPE DES CINQ

Un groupe de cinq musiciens, admirateurs de Glinka se réunirent vers 1862. Leurs talents étaient divers et seuls Borodine, Rimski-Korsakov et Moussorgski ont laissé des œuvres importantes. César Cui et Balakirev le mentor du groupe, n'eurent pas la même inspiration. Avec des personnalités différentes, attachantes, les cinq réunissaient à la fois les qualités et les défauts propres à ce genre d'association. La passion, le parti-pris injustifié voisinaient la bohème et la vigueur créatrice. Contemporains de Dostoïevski, ils ont donné à la musique russe ses lettres de noblesse. Ils furent aussi le catalyseur d'une nouvelle génération de compositeurs ; personne ne songerait à nier ce que leur doit un musicien tel que Stravinski.

Alexandre BORODINE (1833-1887).

Toute sa vie Alexandre Borodine se considéra comme un amateur en musique. Stravinski lui en fit d'ailleurs le reproche ainsi qu'à ses amis. A sa décharge, il faut préciser qu'il ne reçut pas de formation musicale sérieuse. Borodine était un scientifique, passionné de chimie et de médecine. Grâce à Liszt, admirateur de ses œuvres, il connut une certaine notoriété en Europe occidentale.

EN VEDETTE

Prince Igor, opéra.

Son unique chef-d'œuvre. Il y travailla dix-huit ans et le laissa inachevé. Rimski-Korsakov et Glazounov le terminèrent.

Nikolaï RIMSKI-KORSAKOV (1844-1908).

Sa plus grande gloire est peut-être d'avoir eu Stravinski pour élève et de lui avoir évité l'enseignement conventionnel du Conservatoire de Saint-Petersbourg. Toute la musique de Rimski-Korsakov allait d'un coup être démodée par les ombrages de son brillant élève.

Il fut pourtant le plus sérieux du groupe. Alors jeune officier de marine, et parce qu'on lui proposait une classe d'enseignement au Conservatoire, il se mit à l'étude sérieuse de la musique et rapidement combla ses ignorances. La longue lutte qu'il mena, le travail acharné auquel il s'astreignit, firent beaucoup pour l'avenir de la musique nationale russe, même si on peut lui reprocher un certain académisme, une rigueur de « vieux maître » pour la musique des autres.

EN VEDETTE

Capriccio espagnol. Suite pour orchestre (1887). La découverte de la terre d'Espagne, de sa luminosité par un homme du Nord, une fête du soleil.

Shéhérazade, suite symphonique (1888). D'après « Les mille et une nuits ».

L'Ouverture de la grande Pâque Russe (1898).

Modeste Petrovitch MOUSSORGSKY (1839-1881).

Elève du tyrannique Balakirev, commis d'administration par nécessité, alcoolique, nevropathe, Moussorgski est de très loin le plus remarquable musicien du Groupe des Cinq. Pourtant ses œuvres révèlent une faiblesse d'écriture assez explicable chez ce musicien qui ne reçut pas de formation musicale sérieuse. La première version de son opéra *Boris Godounov* fut refusée en 1869. Représenté enfin en 1874, les critiques désobligeantes de Borodine et de Balakirev affectèrent sa nature hypersensible.

D'emplois temporaires dans l'administration en cures de désintoxication, de nouvelles compositions en crises d'épilepsie, toute la vie du compositeur fut un long drame. Moussorgski devait mourir le 16 mars 1881 des suites d'une crise de delirium.

L'esthétique de Moussorgski est fondée sur la « vérité artistique », en réaction contre la musique « pure » et formelle. Le compositeur, très tôt proche des idées prérévolutionnaires (progrès social, démocratisation de l'art, etc.) considérait que la musique était un moyen de communication privilégié entre les êtres. Lyrisme, naturalisme, vérisme sont donc aux sources même de son art. Ses œuvres sont d'ailleurs en ce sens très efficaces ; la mélodie chantée, faisant corps avec le sens même des paroles crée un pouvoir de suggestion remarquable. Celui qui ne fut en rien un théoricien a donné à son pays des œuvres nouvelles, populaires, aux inflexions humaines.

On peut regretter aujourd'hui l'intervention un peu lourde et pesante de Rimski-Korsakov qui s'est chargé de la révision (pour la publication) d'une grande partie de l'œuvre de Moussorgski. Il n'a en rien respecté l'originalité du travail de son ami, a « banalisé » le meilleur, substituant à la rudesse de Moussorgski un brio très académique.

EN VEDETTE

Boris Godounov. Drame musical populaire en quatre actes, d'après Pouchkine. C'est un des chefs-d'œuvre de l'art lyrique. On peut regretter cependant certaines faiblesses du livret dont Moussorgski s'est chargé lui-même.

Le thème principal est celui du remords de Boris qui s'est fait proclamer tsar par le peuple, alors qu'il est le meurtrier de Fédor Ier son maître et du Tsarevitch Dimitri, frère de Fédor. La première scène se passe en 1598 et nous montre l'installation de Boris sur le trône. Les trois autres actes se déroulent en 1604, alors qu'un moine. qui se fait passer pour Dimitri soulève le peuple contre le Tsar. Rongé par les remords et les angoisses de sa conscience, Boris meurt dans les bras de son fils.

Cette œuvre est pleine d'une vie palpitante, d'une humanité grouillante.

La Khovanstchina (1872-1880), opéra.

Tableau d'une Exposition (1874)

Version originale pour piano

Transcription pour l'orchestre par Ravel.

Une Nuit sur le Mont-Chauve (1866-1867), pour orchestre.

Piotr-Illich TCHAIKOVSKI (1840-1893).

Un enfant fragile, d'une hypersensibilité, un homme tout autant inquiet qui a de grandes difficultés à s'assumer, un compositeur au métier solide qui adapte les formes de la musique occidentale, tel nous apparaît aujourd'hui Tchaïkovski.

Musicien national de la Russie Soviétique, compositeur inégal (une grande partie de son œuvre manque d'intérêt), Tchaïkovski a ses fervents admirateurs et ses critiques qui vont jusqu'à le comparer à un musicien de Casino.

A vingt-trois ans, il abandonne un poste dans l'administration pour se consacrer totalement à la musique. Grâce à l'aide d'Anton Rubinstein, il obtient un poste de professeur au Conservatoire de Moscou. Un mariage malheureux qui restera morganatique et pour lequel il n'était pas fait, met sa sensibilité à rude épreuve. Heureusement la mystérieuse Mme Von Meck lui vient en aide et grâce à elle et à ses encouragements épistolaires il peut se consacrer à la composition.

Treize ans de suite, elle fut son « ange gardien ». Lorsque vint la rupture, il partit en tournée aux Etats-Unis, et se mit à la composition de son chef-d'œuvre, sa *sixième symphonie.* Mais ces différents succès n'apaisaient pas une mélancolie et une angoisse toutes slaves. Il fut emporté par le choléra en cinq jours.

Piotr-Illich Tchaïkovski

Pour Chostakovitch, son œuvre est « une des pierres angulaires de la culture musicale russe ».

EN VEDETTE

Premier concerto pour piano et orchestre, en si bémol mineur (1875).

Une des œuvres les plus populaires du répertoire classique. Elle est pourtant parfois lassante et doit sans doute son immense succès à son premier mouvement très entraînant. Il n'existe pas moins de trente-quatre versions disponibles au catalogue français. Un virtuose tel que Sviatoslav Richter l'a interprété pas moins de cinq fois.

Concerto pour violon et orchestre, en ré majeur (1878).

Sixième symphonie, en si mineur dite *Pathétique* (1893), son chef-d'œuvre.

Le Lac des Cygnes (1875-1876), ballet.

Le Casse-Noisette (1891-1892), ballet d'une charmante fraîcheur musicale.

Eugène Onéguine, opéra (1878).

La Dame de Pique, opéra (1890).

Alexandre SCRIABINE (1872-1915).

Impossible de classer Scriabine. Au début du siècle, considéré comme un génie supérieur à Tchaïkovski, il fut interdit par Staline. Celui qui est le plus occidental des musiciens russes fut le premier à s'affranchir des lois tonales.

EN VEDETTE

Prométhée, ou le poème du feu.

Sonates pour piano, en particulier la dixième sonate.

Serge RACHMANINOV (1873-1943).

Admirateur et continuateur de Tchaïkovski, ce musicien profondément russe, était un remarquable virtuose au clavier. Ses concertos pour piano, très souvent joués ne permettent pas de juger réellement le compositeur. Une œuvre telle que *Les Cloches* nous découvre une rigueur de composition digne d'intérêt.

EN VEDETTE

Concertos pour piano et orchestre.

Les Cloches, pour soli, chœur et orchestre.

8. LES ECOLES NATIONALES

La musique européenne a longtemps été cosmopolite : les frontières restaient politiques, les compositeurs n'assignaient d'autre but à leurs œuvres que l'universalité. Chopin, éloigné de sa terre d'origine le premier, puisa son inspiration dans le folklore profond de son pays. Ce même phénomène devait se répéter dans la deuxième moitié du XIXe siècle ; la musique, un parmi les autres arts, devenant un moyen d'expression et de libération face à des forces d'oppression. Le même processus est employé aujourd'hui par les minorités ethniques, lorsqu'elles revendiquent leur individualité par la chanson.

ECOLES DE L'EUROPE DU NORD

Edvard GRIEG (1843-1907).

Fils de la Norvège, enfant des brumes du Nord, Edvard Grieg, puise dans les chants et les danses des montagnards et des pêcheurs, les thèmes et les accents d'une musique intimiste et foncièrement nationale. Pianiste virtuose, chef d'orchestre, il fut le propre propagandiste de sa musique. Considéré au début du siècle comme un génie dans son pays, auquel il donna une âme « musicale », ses œuvres sont aujourd'hui plus controversées.

EN VEDETTE

Peer Gynt, musique de scène pour le drame d'Ibsen (1876).

Concerto pour piano et orchestre, en la mineur (1868). C'est une œuvre souvent favorite des virtuoses. Malgré ses rythmes alertes et gais, parfois mélancoliques, ce concerto est assez banal.

Jean SIBELIUS (1865-1957).

Ce musicien finlandais est un de ceux qui aujourd'hui, provoquent le plus de polémiques. Il a ses partisans qui sont prêts à tout pour le défendre, ses détracteurs qui le prennent de haut. Le nationalisme finnois s'affirme d'une manière quasiment partisane dans ses œuvres. Il a laissé de belles symphonies qui font parfois penser à Brahms, et un concerto pour violon très attachant. En France, on ne connaît pratiquement que son tableau symphonique *Finlandia*, et la fameuse *Valse triste* extraite de la musique de scène, *Kuolema*.

EN VEDETTE

Ses *Symphonies* les plus intéressantes sont la 4e, la 5e et la 7e.

Concerto pour violon et orchestre, en ré mineur.

ECOLE TCHEQUE

La Bohême et la Moravie ont été au XVIIe et au XVIIIe siècles, des centres importants de la culture musicale. Prague était, comme Vienne en Autriche, un lieu de rencontre et d'exhibition pour les musiciens. Les compositeurs de ce que nous appelons l'école tchèque ont donc derrière eux, un passé et une tradition dont leur musique est en partie redevable. Quatre d'entre eux sont particulièrement célèbres : Smetana, Dvorak, Janacek et Suk.

Bedrich SMETANA (1824-1884).

Enfant prodige, après de solides études, Smetana s'installa à Prague et y fonda une école privée de musique, sur les conseils de Liszt. Défenseur ardent du mouvement bohémien contre les visées des Habsbourg, il dut s'expatrier de 1856 à 1861. Son action nationaliste est particulièrement sensible dans ses œuvres, où il fait figure de véritable initiateur d'une musique tchèque moderne. Ami et disciple de Liszt il a coulé avec aisance sa musique dans la forme du poème symphonique. Il manque peut-être à ses œuvres une instrumentation digne de leur contenu.

EN VEDETTE

Ma Vlast (Ma patrie) comprenant six poèmes symphoniques dont le plus célèbre est la fameuse *Moldau.*

La Fiancée vendue. Opéra.

Anton DVORAK (1841-1904).

Compositeur d'origine paysanne, il est l'héritier spirituel de Smetana, dont il prolongea les efforts. Malgré les réminiscences classiques proches de Brahms et même de Beethoven, que l'on trouve étrangement accolées à des morceaux d'une autre veine, Dvorak laisse des symphonies pleines de fougue, de spontanéité et d'enthousiasme. Toute son œuvre, musique de chambre y compris, contient et traduit un lyrisme national, cher au cœur du peuple tchèque.

EN VEDETTE

Neuvième Symphonie, dite *du Nouveau Monde,* écrite en 1895, à son retour des Etats-Unis.

Danses slaves pour orchestre.

Concerto pour violoncelle et orchestre.

Sixième quatuor, en fa majeur dit *Américain.*

Leos JANACEK (1854-1928).

Janacek mena une vie d'obscurité ; méprisé et mal connu

de ses contemporains, ce petit organiste de province dut attendre la soixantaine avant que son opéra *Jenufa* ne connaisse le succès. Il mit alors les bouchées doubles et composa jusqu'à sa mort, une œuvre cohérente, originale et sans doute trop mal connue en France.

EN VEDETTE

Le *premier quatuor à cordes* (1923).
Messe slave Glagolitique (1926).

Josef SUK (1874-1935).

Cet élève de Janacek, violoniste de quatuor, a laissé une œuvre symphonique intéressante que l'on ne peut trouver en France, malheureusement.

ECOLE ESPAGNOLE

Avant Albeniz et Granados, le catalan Felipe Pedrell (1841-1922), se livra avec passion à des recherches sur le folklore espagnol. Par ses découvertes, il peut être considéré comme le véritable générateur d'une renaissance de la musique espagnole.

La musique allemande et sa lourde machinerie symphonique n'ont eu aucune influence sur ces nouveaux compositeurs. L'Espagne est d'ailleurs un des rares pays d'Europe à avoir échappé à ce virus. En revanche une même proximité méditerranéenne, « une sensibilité du soleil », ont permis à l'opéra italien et au bel canto d'influencer la musique ibérique.

Isaac ALBENIZ (1860-1909).

Enfant prodigieusement doué pour le piano, fugueur à ses heures, totalement instable, Albeniz fut un grand voyageur (Bruxelles, Budapest, l'Amérique Latine, les Etats-Unis, l'Angleterre, l'Allemagne, Rome). Son mariage en 1883 l'assagit quelque peu. Une dizaine d'années plus tard, il se fixait à Paris, où grâce à de nombreux amis parmi les musiciens français, il obtint une classe de piano à la Schola Cantorum. Il délaissa alors quelque peu ses dons de pianiste virtuose pour se consacrer à la composition. Il est l'auteur d'ouvrages vocaux et symphoniques de peu d'intérêt. Au contraire, son œuvre pour piano le place tout près des grands, tels que Beethoven, Chopin et Liszt. Une remarquable richesse du langage harmonique, l'originalité de l'écriture, une technique neuve du piano tels sont les trois apports fondamentaux d'Albeniz à la musique.

EN VEDETTE

Iberia, douze impressions pour piano (1905-1909). Son chef-d'œuvre.

Suites Espagnoles, pour piano.

Enrique GRANADOS (1867-1916).

Elève de Pedrell, Granados fut comme Albeniz un remarquable virtuose du piano. Un romantisme légèrement fade et un lyrisme mal tenu affaiblissent des œuvres attachantes par d'autres côtés. Granados devait trouver la mort dans le naufrage du « Sussex » qui le ramenait de New York : il venait d'y faire présenter un opéra tiré de son chef-d'œuvre, les deux suites pour piano des *Goyescas.*

EN VEDETTE

Goyescas, pour piano (1911).

Manuel de FALLA (1876-1946).

Falla est le représentant le plus grand et le plus intéressant de l'Ecole Espagnole. Elève de Pedrell au Conservatoire de Madrid, son maître le détourna d'une carrière de virtuose qui s'annonçait brillante pour lui faire étudier le folklore espagnol, particulièrement le folklore andalou, et la musique de la Renaissance espagnole (Victoria). Les années d'avant-guerre qu'il passa en France, lui permirent de se lier avec Debussy et de s'imprégner d'un univers harmonique profondément neuf. L'apport de Falla à la musique espagnole est d'avoir su tirer, non pas seulement les rythmes des danses et des chants pour les reproduire dans sa musique, mais l'essence même d'un peuple et de sa pensée. Il n'a pas fait œuvre d'imitation ou de reproduction.

Sa musique est classique en ce sens qu'elle atteint à l'universel. Soutenues par une imagination pétillante et une instrumentation à la fois sobre et solaire, ses œuvres nous ouvrent la porte d'un univers animé.

EN VEDETTE

La vie brève, opéra (1904-1905).

Les Tréteaux de Maître Pierre, opéra (1919-1922).

Les deux ballets : *L'Amour Sorcier, Le Tricorne.*

L'OPERA VERISTE ITALIEN

On aime, ou l'on n'aime pas. Cependant le cercle des amateurs se restreint de jour en jour. Le vérisme, nouvelle esthétique théâtrale de l'école italienne, après Verdi, inspiré du naturalisme cher à Zola, a ouvert la voie à toutes les vulgarités et naïvetés possibles. Par un faux réalisme, les compositeurs véristes (Giordano, Leoncavallo, Mascagni) ont accentué les défauts de la musique italienne. Sauf... sauf Puccini, créateur de génie, mais qui comme Verdi n'allait pas résoudre les problèmes de la musique de théâtre.

Giacomo PUCCINI (1858-1924).

Puccini est l'exception qui confirme la règle, le seul compositeur vériste, au métier sûr, à l'inspiration habile, à l'instinct dramatique efficace. Une erreur courante consiste à extraire de leur contexte les « grands airs » ce qui souligne certaines facilités et certaines concessions du compositeur au goût du public, et laisse dans l'ombre l'efficacité dramatique, le charme, le naturel de l'œuvre. Dramaturge au meilleur sens du terme, Puccini est aussi un orchestrateur raffiné.

Après des études musicales sérieuses, le compositeur connut une période difficile. Le premier succès vint en 1893 avec *Manon Lescaut*. Mais il devait connaître bientôt le triomphe avec *La Bohème* (1896) et *la Tosca* (1900). Puccini qui était d'une intelligence vive chercha toujours à améliorer son talent, et au risque de perdre son public, entreprit des ouvrages plus consistants, au souffle plus élevé, tels que la *Fille du Far-West* (1910) ou *Turandot* (laissé inachevé) qui témoignent d'une belle qualité d'esprit. Son génie fut célébré aussi bien par Verdi, par Ravel, par Richard Strauss, que par les compositeurs de l'école de Vienne.

EN VEDETTE

La Bohème, opéra (1896).
La Tosca, opéra (1900).
Turandot, opéra. Resté inachevé à la suite de la mort subite du compositeur, la partition fut complétée par Alfano, d'après les notes de Puccini. *Turandot* fut représenté pour la première fois à la Scala de Milan en avril 1926.
Messe de Gloria, pour soli, chœur et orchestre, 1878.

Umberto GIORDANO (1867-1948).

EN VEDETTE

Andrea Chenier, opéra.

Ruggiero LEONCAVALLO (1858-1919).

Beaucoup de facilités chez ce compositeur, qui possédait cependant une certaine verve mélodique.

EN VEDETTE

Paillasse, opéra.

Pietro MASCAGNI (1863-1945).

Un seul opéra, *Cavalleria Rusticana*, sortit de l'ombre ce modeste professeur de musique.

EN VEDETTE

Cavalleria Rusticana, opéra.

Première moitié du XXe siècle

1. DEBUSSY ET LA MUSIQUE EN FRANCE

Claude DEBUSSY (1862-1918).

On a souvent dit que Claude Debussy était un musicien impressionniste. L'impressionnisme est à la fois un état d'esprit et une technique, et, par bien des aspects (originalité, volonté de rompre avec l'art académique, harmonies lumineuses, juxtaposition de touches, recherche de la pureté du sentiment et de la sensation), ce jugement ne manque pas d'exactitude. Le choix même de certains titres est significatif : arabesques, cahier d'esquisses, estampes, images...

Les poètes symbolistes aussi bien que les peintres impressionnistes ont aidé Debussy dans ses recherches créatrices. Il fut leur ami et fréquenta « les apéritives soirées » de la rue de Rome, le mardi chez Stéphane Mallarmé. Il se lia avec Pierre Louys, Verlaine, Laforgue, écouta Satie jouer du piano au cabaret du Chat Noir. Il fut au Conservatoire l'élève de Franck et de Massenet, rencontra Brahms, écouta Wagner dont il retint d'abord la richesse de l'harmonie et de l'instrumentation.

Claude Debussy entra au Conservatoire dès l'âge de onze ans. Auprès de la baronne Von Meck, l'étrange muse de Tchaïkovski, trois été de suite, il voyagea en Europe. Le prix de Rome, qu'il obtint en 1884, lui permit de s'installer à la Villa Médicis. Ses « envois » à Paris scandalisaient l'académisme de ses maîtres. Il faut dire que déjà Debussy s'était libéré des contraintes de l'écriture officielle. La découverte de la musique russe, à travers Borodine, Rimski-Korsakov, Balakirev, Tchaïkovski et surtout Moussorgski, avait élargi sa vision. Les musiques exotiques qu'il eut l'occasion d'entendre aux expositions de 1889 et de 1900 et dont on retrouve l'écho dans ses œuvres lui apportèrent

l'idée d'une musique profondément originale.
Sa carrière fut difficile. Brouillé avec les membres de l'Institut, il dut faire face pratiquement seul à la critique, au public. Son opéra *Pelléas et Mélisande,* son chef-d'œuvre, sur un livret du poète Maeterlinck eut à affronter une des plus belles cabales de l'histoire des Arts. Eternelle querelle des Anciens et des Modernes, nouvelle bataille d'Hernani où il ne s'agit plus d' « escalier dérobé », mais de notes de musique qui scandalisent les uns et enthousiasment les autres. « Cinquante gilets rouges » aux dernières galeries, défendirent le chef-d'œuvre de Debussy.

Ce révolutionnaire de la musique possède une technique remarquable. Toutes ses innovations s'appuient sur un métier très sûr, Debussy sait où il va et s'il choque un certain public ce n'est pas délibérément. A aucun moment le compositeur n'a recherché le succès facile. Vivant la plupart du temps à l'écart, évitant tout vedettariat, Debussy est un créateur authentique qui occupe une place de premier choix dans l'Histoire de la Musique.

Bien qu'il ne soit pas un théoricien, son apport est essentiel et les révélations qu'il fit faire aux compositeurs à venir sont à la mesure du plaisir que ses œuvres donnent au public, aujourd'hui.

Debussy est le musicien des atmosphères. Ne cherchant pas en lui son inspiration, mais autour de lui, il sut « rapporter » par des sonorités toutes particulières, faites de grâce et de fraîcheur, basées sur l'équilibre des résonances naturelles d'un accord et sur l'indépendance des sons harmoniques, le mystère du monde tel qu'il le vit.

EN VEDETTE

Musique vocale :

Pelléas et Mélisande, opéra (1902).

Résultat d'un travail de dix ans, ce merveilleux chef-d'œuvre, parfaitement homogène, est tout le contraire de la copie laborieuse. Sur un livret de Maeterlinck Debussy a composé son opéra, en substituant aux airs et aux chœurs, un style de déclamation très souple.

L'histoire se passe dans le château d'Arkel et met en conflit trois personnages : Golaud, un solide seigneur féodal, sa femme, Mélisande qu'il trouva un jour abandonnée dans la forêt, et Pelléas, adolescent passionné, frère de Golaud. L'anecdote en elle-même, proche du théâtre de boulevard, n'a pas grand intérêt. Bien entendu, Pelléas et Mélisande vont s'aimer et Golaud les châtiera, sans vouloir s'avouer que ses craintes sont justifiées. Le drame réside plus dans le

Claude Debussy

trouble de ces trois personnages que dans l'analyse précise de leurs sentiments.
Le Martyre de saint Sébastien (1911). Mystère de G. d'Annunzio.
28 Mélodies toutes des merveilles, parmi lesquelles on peut remarquer :
Chanson de Bilitis,
Poèmes de Baudelaire.

Musique symphonique :

La Mer, trois esquisses symphoniques (1905).
1. De l'aube à midi sur la mer.
2. Jeux de vagues.
3. Dialogue du vent et de la mer.
Les titres même suggèrent les « images ».
« Je travaille à trois esquisses symphoniques, écrivait Debussy à André Messager. Vous ne savez peut-être pas que j'ai été promis à la belle carrière de marin et que, seuls, les hasards de l'existence m'ont fait bifurquer. Néanmoins j'ai gardé pour la mer une sincère passion. »
Prélude à l'après-midi d'un Faune (1894).
Debussy mit deux ans pour composer ce poème symphonique. L'origine en est un défi lancé à Mallarmé qui ne croyait pas à une musique ne s'appuyant pas sur un texte.
Images pour orchestre (1906-1912)
1. Gigues. 2. Ibéria. 3. Rondes de Printemps.
Nocturnes pour orchestre (1899). Triptyque symphonique.
« Ils sont peinture, non des objets et des êtres, mais de leurs lumières, de leurs reflets, des vibrations qu'ils communiquent à l'air, de leur action sur l'espace ému : tableaux où il ne subsiste des choses que leur enveloppe de changeantes clartés » (L. Laloy).

Musique de chambre :

Trois sonates pour divers instruments, écrites pendant la Grande Guerre. Particulièrement la troisième :
Sonate pour violon et piano.
Intégrale de l'œuvre pour piano.
en particulier :
Children's corner (1908).
Estampes (1903).
Images (1905-1907).
Et bien entendu :
Le Quatuor pour cordes, écrit à l'âge de vingt et un ans. Souvent couplé avec celui de Ravel, il est intéressant de pouvoir ainsi les comparer.

Maurice RAVEL (1875-1937).

« Classique tout en étant moderne, et cela sans jamais cesser d'être soi-même », ainsi Jean Gallois justifie le succès ininterrompu de Ravel. Classique, il l'est incontestablement et il adopte pour sa musique les formes de la sonate, du quatuor. Son langage est lui moderne en ce qu'il « désentimentalise » de son contenu affectif toute une certaine musique et qu'il introduit des termes incisifs et des harmonies proches de celles des compositeurs contemporains. Enfin Ravel reste lui-même, son goût pour l'Espagne toujours présent dans son œuvre lui permet de développer et d'affirmer sa rythmique si caractéristique.

Elève au Conservatoire de Musique, en particulier de Fauré pour la composition, Ravel ne put obtenir le premier Grand Prix de Rome, malgré des candidatures successives et l'intervention de Romain Rolland. Peu importe, il était déjà célèbre, ayant publié *La Pavane pour une Infante Défunte,* le *Quatuor à cordes, les Miroirs,* etc.

Le compositeur eut une vie calme, sans histoire, presque mystérieuse. De petite taille, mais toujours élégant, Ravel était un homme pudique et bon. Sa sensibilité naturelle et une vie intérieure émotionnelle très puissante sont à l'origine même de son génie.

Après la guerre de 14-18 qu'il fit dans le Train des Equipages, il achète en 1920 une propriété à Montfort-L'Amaury qu'il ne quitta plus, et où il mena une vie paisible jusqu'à la fin de sa vie. Blessé dans un accident de la circulation, Ravel mourut le 28 décembre 1937.

On a souvent dit que Ravel imitait Debussy. Cette légende tenace date de la première audition des *Histoires Naturelles* en 1907. Certes, par quelques détails d'écriture les deux compositeurs ont des points communs. Mais leurs tempéraments sont profondément différents. « Ravel nous séduit par sa netteté, sa perfection, son souci de la composition, le raffinement de son orchestration ; Debussy par ses visions mystérieuses, ses évocations, ses reflets qui parlent plus au cœur et à l'imagination qu'à l'esprit » N. Dufourcq. En plus de son génie de compositeur, il faut ajouter au crédit de Ravel un extraordinaire talent d'orchestrateur.

EN VEDETTE

Théâtre :

Daphnis et Chloé (1909-1912).
Ballet en trois parties tiré par Michel Fokine du roman de Longus. Créé en 1912 par les Ballets russes de Diaghilev, Nijinsky, Karsavina et Bolm tenant les

Maurice Ravel

principaux rôles. Sans doute le chef-d'œuvre de Ravel. Deux suites symphoniques ont réuni les plus belles pages de ce ballet.
Suite 1 : Nocturne. Interlude. Danse guerrière.
Suite 2. Lever du jour. Pantomime. Danse générale.
L'Enfant et les sortilèges, fantaisie lyrique (1925).

Musique symphonique :

Rhapsodie Espagnole, pour orchestre.
Créée en 1908 par Edouard Colonne : 1. Prélude à la nuit. 2. Malaguena. 3. Habanera. 4. Feria.
Boléro, pour orchestre (1927).
Atmosphère extrêmement envoûtante créée par la répétition sans changement de rythme et sans modulation, d'un thème de danse d'origine populaire ; seule l'orchestration est modifiée à chaque répétition.
Premier Concerto, en sol majeur (1929).
Deuxième Concerto, en ré majeur dit *Concerto pour la main gauche* écrit pour le pianiste allemand Paul Wittgenstein.
Il faut ajouter à cela, toutes les œuvres écrites pour piano et auquelles Ravel a donné une orchestration appropriée.
Ma Mère l'Oye (pour piano à quatre mains ou pour orchestre).
Pavane pour une Infante Défunte (pour piano ou pour orchestre).

Musique de chambre :

Quatuor à cordes (1903).
Jeux d'eau, pour piano (1901).
Miroirs, pour piano (1905).
Gaspard de la Nuit, pour piano (1908).
Le tombeau de Couperin.
(Recueil de six pièces pour piano à la mémoire de Couperin.)

Mélodies :

Difficiles et très belles.

Paul DUKAS (1865-1935).

Syncrétisme et alternance, c'est pour Paul Dukas une triple influence, celle de Wagner, de Richard Strauss et de Debussy que l'on retrouve dans ses œuvres, mais à des places différentes, et dans des mesures plus ou moins importantes. Il est un classique par son goût de la structure bien organisée, un romantique par sa sensibilité poétique et son amour des couleurs.
Ce compositeur intelligent et honnête détruisit un grand

nombre de ses partitions. Lorsqu'il eut le sentiment qu'il ne pourrait dépasser ses limites, il s'arrêta de composer (vers 1912). En 1897, l'*Apprenti Sorcier* lui avait apporté le succès populaire, mais son œuvre majeure est surtout son *Ariane et Barbe Bleue* sur un texte de Maeterlinck, présenté pour la première fois en 1907 à l'Opéra-Comique.

EN VEDETTE

L'Apprenti Sorcier, scherzo symphonique.
Cette œuvre de très bonne qualité est assez peu représentative de l'art de Paul Dukas. Elle n'a pas non plus le génie descriptif des poèmes symphoniques de R. Strauss. Le thème est tiré de la célèbre Ballade de Gœthe, où l'on voit le disciple d'un vieux sorcier forcer, par une formule magique, le balai à accomplir sa tâche. Mais il ne connaît pas la phrase qui lui permettrait de rompre l'enchantement et tout va de désastres en désastres...
Ariane et Barbe Bleue, opéra (1906).

Florent SCHMITT (1870-1958).

Musicien original, puissant, considéré au début du siècle comme un des chefs de file de l'école française, Florent Schmitt est aujourd'hui desservi par une discographie insuffisante. Ce romantique avait le goût des puissantes machineries sonores. Usant avec bonheur des tons d'une palette instrumentale largement fournie, il a laissé des œuvres très belles, passionnées, d'un lyrisme généreux.

EN VEDETTE

La tragédie de Salomé, drame chorégraphique.
Psaume XLVII, pour soprano, chœur mixte, orgue et orchestre.

Albert ROUSSEL (1869-1937).

Cet ancien officier de marine, originaire du Nord est venu tard à la musique. En 1894, il s'installait à Paris pour suivre les cours de la Schola et parfaire des connaissances musicales assez timides. Cet homme de bonne compagnie avait une nature riche et équilibrée, qui lui permit d'évoluer sûrement vers un approfondissement de son art.
Il faut distinguer deux périodes dans la vie du compositeur. *Le Festin de l'Araignée,* œuvre dont Roussel devait « rougir » vers la fin de sa vie est représentatif de sa première manière. L'influence de Franck, de Vincent d'Indy, son professeur et de Debussy, y est sensible. Au contraire, *Bacchus et Ariane,* son chef-d'œuvre, écrit la soixantaine passée, marque un développement sensible de Roussel. Plus sévère, maintenue dans le cadre rigide de la forme classique, cependant riche de recherches polytonales et

modales, ce ballet éclaire le «retour vers Bach» d'Albert Roussel.

EN VEDETTE

Le Festin de l'Araignée, ballet pantomime (1912).
Bacchus et Ariane, ballet (1930).

Erik SATIE (1866-1925).

Satie est sans doute le musicien avec lequel on est le plus indulgent. Ce compositeur de cabaret — il fut pianiste au Chat Noir — a laissé quelques pièces pour piano, de gentille facture, faciles, entraînantes mais qu'on ne peut comparer avec les œuvres de ceux qui ont compté dans ce début du XXe siècle. Cette renommée, Eric Satie la doit à son ami Cocteau et à l'amitié de quelques compositeurs.

EN VEDETTE

Gnossiennes et Gymnopédies.

Jean Cocteau, en même temps qu'il défendait et lançait Satie, crut reconnaître dans un groupe de jeunes compositeurs les illustrateurs des idées qu'il venait de développer dans son ouvrage pamphlétaire « Le Coq et l'Arlequin ». Ils étaient six : Louis Durey, Arthur Honegger, Darius Milhaud, Germaine Tailleferre et les deux benjamins à peine âgés de vingt ans, Georges Auric et Francis Poulenc. Il n'en fallut pas plus pour qu'un critique les réunît sous le nom de « Groupe des six », faisant référence aux « cinq Russes ».

A la vérité, ils étaient plus unis par une même opposition à Wagner, à Debussy, à toute forme de romantisme et d'impressionnisme, aussi bien qu'à Beethoven, plutôt que par une vision commune de la musique. « Il est bon de commencer par la révolte » écrivait Sartre, et personne aujourd'hui ne leur tient rigueur de quelques excès, de quelques emportements un peu légers qui ont cependant permis à quatre d'entre eux de nous laisser des ouvrages intéressants. Le groupe ne fit pas long feu, ses membres restant cependant liés par l'amitié. Arthur Honegger devait déclarer : « Notre amitié que les gens prirent pour une école n'en était que la récréation. Nous partîmes en guerre contre des valeurs que nous devions réadorer un jour. »

Arthur HONEGGER (1892-1955).

A la différence de ses compagnons, Arthur Honegger qui avait découvert la musique par Bach, était un fervent admirateur de Wagner. Adversaire de la musique abstraite, amateur de musique de chambre et de musique symphonique, il possédait une écriture ferme, solide, capable d'humanité et de poésie. Ses œuvres en prise directe avec son temps, lui apportèrent le succès. Pourtant dans une production encore abondante, tout n'est pas de la meilleure qualité. Ce compositeur indépendant, à l'écriture polyphonique complexe, semble avoir fait une longue traversée du désert ; ses premières et ses dernières œuvres sont les plus neuves et les plus rigoureuses.

EN VEDETTE

Pacific 231, mouvement symphonique (1923).
Honegger a voulu y « traduire une impression visuelle et une jouissance physique par une construction musicale ». Une locomotive, d'abord à l'arrêt, puis en pleine vitesse, par le débordement heureux de l'orchestre, exprime la joie et l'euphorie de l'homme moderne face à la machine.
Le Roi David, oratorio (1921).
Symphonie n° 2, pour cordes et trompette.

Darius MILHAUD (1892-1974).

Ce « Français de Provence et de religion israélite » a laissé un nombre d'œuvres impressionnant (plus de cinq cents numéros), mais de qualités très différentes. Profondément hermétique au romantisme allemand — Wagner était sa bête noire — et même à l'impressionnisme français, à travers Debussy, Darius Milhaud a caractérisé son œuvre par un emploi rationnel de la polytonalité. Le folklore sud-américain qu'il eut l'occasion d'entendre avec Paul Claudel qu'il accompagnait en tant que secrétaire, ainsi que le véritable jazz noir américain, orientèrent son inspiration et son invention mélodique vers une spontanéité d'écriture et de création exempte de toute froideur et de toute prétention.

EN VEDETTE

Saudades do Brazil, suite de danses pour piano et orchestre.
La Création du Monde, ballet pour 18 instruments solistes.
Scaramouche, suite pour deux pianos.

Francis POULENC (1899-1963).

Francis Poulenc, compositeur heureux, d'une nature simple et limpide représente un retour pour les uns au classicisme, pour les autres à l'académisme. Influencé par Cocteau et par Satie, il ne subit pas l'enchantement des impressionnistes, mais sut introduire dans sa musique les rythmes nouveaux du jazz-band. Son œuvre pour clavier est secondaire en regard des œuvres vocales et religieuses. Très bon mélodiste, auteur d'œuvres chorales d'une belle gravité, Poulenc a aussi laissé pour le théâtre, le *Dialogue des Carmélites,* ouvrage où il montre un réel épanouissement de son talent.

EN VEDETTE

Concerto champêtre pour clavecin et orchestre.
Mélodies.
Stabat Mater, pour soprano, chœur mixte et orchestre. Mélodies.
Le Dialogue des Carmélites, opéra.

Georges AURIC (né en 1899).

Né en 1899, ce compositeur au talent prometteur allait très vite abandonner la musique pure, pour faire fortune dans le domaine de la musique de films.

Après Debussy, après Ravel, Dukas, Schmitt, après « les six », la musique française dans l'entre-deux-guerres, ne fut illustrée que par des compositeurs mineurs et indépendants, que rien ne semble devoir unir — Henri Sauguet, Reynaldo Hahn (auteur de *Ciboulette*), Marcel Dupré, Jacques Ibert, Maurice Emmanuel en sont les principaux représentants. Il faudra attendre 1936 et la création du groupe « Jeune France » (Jolivet, Lesur, Messiaen), pour assister à un renouveau de l'inspiration. Une étude est consacrée à ces compositeurs dans le chapitre musique contemporaine.

2. DE LA RUSSIE A L'UNION SOVIETIQUE

Igor Feodorovitch STRAVINSKI (1882-1971).

C'est à l'âge de vingt-huit ans, le 25 juin 1910, que Stravinski devint célèbre. Son *Oiseau de Feu,* commandé par Serge Diaghilev, et présenté au Châtelet, connut dès la première, un immense succès qui récompensait un compositeur que le talent ne devait pas abandonner au cours d'une vie longue et riche de créations.
Stravinski vit le jour à Oranienbaum, près de Saint-Pétersbourg, dans une famille de musiciens. Son père était une basse célèbre de l'Opéra Impérial, sa mère une bonne pianiste. Lui-même commença à étudier le piano dès neuf ans. Mais il n'abandonna pas pour autant ses études qu'il

mena à leur terme jusqu'à l'âge de vingt-trois ans. Il fut l'élève de Rimski-Korsakov, particulièrement pour l'orchestration.
Diaghilev, génial mécène-imprésario, le premier, décela le génie de Stravinski. Le succès de l'*Oiseau de Feu* confirma son instinct et permit au jeune compositeur de faire voir l'année suivante *Petrouchka*.
Les grands compositeurs de son époque, Debussy bien sûr, Ravel, Schmitt furent immédiatement ses défenseurs.
La Sacre du Printemps, par son extraordinaire modernité, consacra l'originalité et la maîtrise de Stravinski qui avait su se libérer de toutes les influences. Avec Schönberg et Debussy, il incarne toute la musique de la première moitié du XXe siècle.
En 1920, il s'installe, avec sa famille à Paris. Les œuvres qu'il écrit alors jusqu'à la fin de la guerre ne sont pas marquées du même génie. Se faisant le défenseur de la tonalité, il donne pourtant à entendre des œuvres « classiques » d'un remarquable métier. En 1939 il quitte la France, s'installe aux Etats-Unis et se fait naturaliser américain en 1945.
C'est alors, vers les années 1953, Schönberg et Webern disparus, une subite volte-face qui le fait se tourner vers la musique sérielle. Rejetant le principe de la tonalité, dont il fut pourtant l'ardent défenseur, il donne des œuvres dodécaphoniques d'excellente qualité, rigoureuses et denses et qui prouvent une fois de plus la capacité d'adaptation du compositeur. L'œuvre la plus intéressante de cette période est sans doute *In Memoriam Dylan Thomas* (non disponible en France).

EN VEDETTE

L'Oiseau de Feu (1910).

Créé à Paris par Serge Diaghilev le 25 juin 1910, l'*Oiseau de Feu* révéla au public le génie d'un compositeur de vingt-huit ans. Défini comme le chef-d'œuvre de « l'impressionnisme slave », ce ballet, fidèle à la tradition musicale russe, souligne l'influence encore importante de Rimski-Korsakov.
Le sujet est tiré d'un conte de l'Orient russe. Ivan le chasseur capture un bel oiseau auquel il rend la liberté, incapable de résister à ses supplications. Mais l'enchanteur Katscheï qui a fait prisonnier Ivan, parce que celui-ci a eu l'imprudence de pénétrer dans le jardin maléfique, veut le transformer en monstre. L'oiseau de feu viendra à son secours et grâce à une « berceuse magique » endort les gardiens

et tue Katscheï. Ivan épousera l'une des princesses captives.

Petrouchka (1911).
A l'origine, ce ballet devait être un concerto pour piano. Mais sur l'insistance de Diaghilev, Stravinski le transformera en ballet. La partie importante que joue le piano est le témoin de cette anecdote. Créé en 1911, ce ballet révèle l'évolution et les progrès du compositeur. Petrouchka, marionnette symbole de fraîcheur et de naïveté, se laisse facilement berner par la coquette ballerine dont il est amoureux et qui lui préfère une troisième marionnette — le Maure — guerrier brutal. L'action se passe pendant la « semaine grasse » à Saint-Pétersbourg et c'est l'occasion de nous montrer tout un petit peuple de faubourg en fête.

Le Sacre du Printemps (1913).
Présenté le 29 mai 1913 dans le tout neuf Théâtre des Champs-Elysées, ce fut un des plus beaux scandales de l'avant-guerre. La nouveauté des accents, l'étrangeté des sonorités, désorientèrent le public. La chorégraphie et les costumes ne firent rien pour calmer les esprits. Un an plus tard, le Sacre fut représenté en concert ; ce fut un beau succès.
Cette symphonie nous fait assister aux rites étranges d'une religion de la terre pratiquée par l'une des premières tribus de la civilisation russe.

Histoire du Soldat. Mimodrame (1918).

Serge PROKOFIEV (1891-1953).

Après une enfance baignée par la musique, Prokofiev fut élève au Conservatoire de Saint-Pétersbourg. Rebuté par l'académisme de ses maîtres, il composa dès sa vingtième année des œuvres originales. Son *premier concerto pour piano*, en bousculant les habitudes, fit scandale et le compositeur devint très vite « l'enfant terrible » de la musique russe, impression que ne démentiront, ni son *deuxième concerto pour piano*, ni *la Suite Scyte*, ni *le premier concerto pour violon*. Prokofiev était tellement préoccupé par son œuvre qu'il ne participa pas à la révolution de 1917. Il quitta son pays n'y trouvant pas la sérénité nécessaire pour son travail.
Il ne fut d'ailleurs à aucun moment tourmenté par l'engagement politique. Cet homme, au physique assez banal, n'eut dans la vie d'autre but que sa musique.
De 1918 à 1922 le compositeur vécut aux Etats-Unis, puis en 1923 se fixa à Paris, ville à partir de laquelle il put entre-

prendre toute une série de voyages et de concerts. De retour en Union Soviétique en 1933, les plus hauts honneurs lui furent réservés. Il devait cependant subir comme Chostakovitch, en 1948, les attaques de l'Union des Compositeurs Soviétiques pour « formalisme et déviationnisme bourgeois ». Trois ans plus tard, il retrouvait la confiance des dirigeants de son pays. Prokofiev mourut d'une hémorragie cérébrale quelques jours avant Staline.

Sa musique, originale, claire dans son écriture, populaire au meilleur sens du terme, à la fois simple et dense, est marquée du double sceau de l'homogénéité et de l'universalité.

EN VEDETTE

Musique de chambre :

La Septième sonate en si bémol majeur.
Les quatuors à cordes.

Musique symphonique :

La cinquième Symphonie en si bémol majeur.
La première Symphonie, dite « *classique* », où Prokofiev voulut restituer la musique des « bons vieux jours d'antan », ceux de Haydn et de Mozart.

Musique concertante :

Les *premiers et troisième concertos pour piano.*
Le *deuxième concerto pour violon.*
Pierre et le loup, conte musical pour enfants.

Dimitri CHOSTAKOVITCH (1906-1975).

Dimitri Chostakovitch est mort le 9 août 1975 à l'Hôpital Kountsevo de Moscou. Dans son communiqué rendant hommage au compositeur, l'agence Tass déclarait : « Ses symphonies traduisent la tension des conflits sociaux, l'affrontement des forces de la paix et de la guerre, le triomphe de la raison humaine. »

Chostakovitch est d'abord populaire en France grâce au *Chant des Forêts* qu'il composa en 1949 à l'occasion du reboisement des steppes. Mais d'une manière générale son œuvre est peu et mal connue du public. Sa discographie a longtemps été peu importante dans notre pays, mais la raison principale de cette ignorance est autre. On reproche volontiers au compositeur son adhésion au régime communiste et sa soumission aux oukases culturels des dirigeants de son pays. C'est oublier sans doute assez facilement que Chostakovitch fut loin d'être toujours en odeur de sainteté.

Enfant particulièrement doué, il fit jouer à Léningrad sa *première symphonie* à l'âge de dix-neuf ans. Le succès fut immédiat et salué par des chefs d'orchestre tels que Bruno Walter, Toscanini et Stokowsky qui le firent connaître dans le monde entier. La découverte que fit alors Chostakovitch de la musique de Schönberg, de Berg, de Bartok et de Milhaud le mena à des recherches dans le domaine des méthodes, recherches qu'il abandonna après plusieurs échecs successifs et les critiques très violentes de la *Pravda.* Sa *cinquième symphonie* (1937), écrite en commémoration de la Révolution d'Octobre, marque le retour du compositeur à une forme plus classique. La guerre mondiale de 39-45, particulièrement dure pour l'Union Soviétique, et ses horreurs, inspireront à Chostakovitch sa *septième symphonie* dite *symphonie de Léningrad* et sa *huitième symphonie.*

Vers l'année 1948, ses rapports vont se détériorer avec l'Etat soviétique. Le directeur de la Culture, le trop fameux Jdanov l'accuse de « déviation » ainsi que Prokofiev et Khatchatourian. Chostakovitch ne sera réellement réhabilité que dix ans plus tard. Mais en 1962, sa *treizième symphonie* sur des poèmes d'Evtouchenko dénonçant le racisme antisémite provoque de nouveau des réactions diverses. Il est pourtant célébré maintenant comme le grand compositeur soviétique et les honneurs officiels pleuvent sur lui. En 1966, une crise cardiaque l'oblige à ralentir ses activités, mais il donnera encore deux symphonies, *la quatorzième* et la *quinzième ;* cette dernière représentée à Moscou pour la première fois en 1972.

C'est sans doute un géant de la musique qui nous a quittés. Il est cependant difficile de classer la musique de Chostakovitch, si tant est qu'il soit nécessaire de le faire. Côte à côte l'on trouve des œuvres gigantesques, et des compositions mineures. Sa musique ne se laisse pas approcher facilement. On retrouve les influences de Beethoven et de Richard Strauss, de Mahler et de Prokofiev. Le compositeur développe volontiers sa pensée. Ses symphonies sont fort longues, on lui en fit souvent la remarque. Mais comme l'écrit très justement M. R. Hofmann, Chostakovitch est Russe et de la même manière que l'on ne saurait reprocher à Dostoïevski ou à Tolstoï leur rythme, on ne peut lui en tenir rigueur. « L'âme russe » est présente dans la musique comme dans la littérature.

EN VEDETTE

Le Chant des Forêts, oratorio pour ténor, basse, chœur d'enfants, chœur mixte et orchestre.
Premier concerto pour piano, trompette et cordes.
Cinquième symphonie, en ré mineur.
Treizième symphonie « Babi Yar » pour basse solo, chœur de basses et orchestre, en si bémol mineur.

Septième symphonie (non disponible actuellement en France).
Les *cinq dernières symphonies*, dont la treizième déjà citée.
Les *deux concertos pour violon et orchestre.*

Aram KHATCHATOURIAN (né en 1903).
Compositeur arménien mineur du « réalisme socialiste ». Il est connu, en France, pour *La Danse du Sabre*, extrait de son ballet *Gayaneh.*

3. L'ECOLE VIENNOISE : SCHÖNBERG ET SES DISCIPLES

Arnold SCHÖNBERG (1874-1951).

Arnold Schönberg, aussi bien par ses recherches théoriques (atonalité, dodécaphonisme) que par leurs applications, peut être considéré comme le grand compositeur du XXe siècle. Son œuvre est d'un abord difficile, non seulement par les formes nouvelles qui imposent une « rééducation » de la sensibilité, mais aussi par une pensée dense et ténue qui demande concentration et approfondissement.

Schönberg né à Vienne, apprit très jeune le violon et le violoncelle. La découverte de Wagner eut sur ce compositeur un impact particulier. Ses premières œuvres, écrites encore dans le langage tonal, en témoignent : d'abord en 1899, le poème symphonique *La Nuit Transfigurée* et surtout ce grand oratorio que sont les *Gurre-Lieder* (1900) dont l'orchestration définitive terminée en 1911 nécessitait un vaste orchestre proche des exigences mahlériennes.

En 1904, Schönberg s'installa à Vienne et débuta une carrière de pédagogue : vinrent à lui deux élèves particulièrement doués qui allaient devenir ses disciples, Berg et Webern. L'Ecole de Vienne était née. C'est à cette période que s'inscrivent ses premières découvertes. Schönberg se libère de la tonalité que les conquêtes du chromatisme semblent avoir épuisée. Dans l'atonalité ou « suspension des fonctions tonales », le compositeur supprime l'interdépendance des notes de la gamme chromatique. La première œuvre atonale (*Trois pièces pour piano*, op. 11) date de 1908. Mais l'ouvrage le plus remarquable de cette période est le *Pierrot Lunaire,* mélodrame pour récitant et huit instruments (piano, flûte et piccolo, clarinette et clarinette basse, violon et alto, violoncelle). La grande originalité de Schönberg est d'avoir introduit un genre nouveau d'expression, entre le chant et la déclamation, le « Schechgesang ».

Mais Schönberg n'allait pas en rester là. Pour que son entreprise conserve sa cohérence, il formula un mode de composition sur la base des douze sons de la gamme chromatique, libres de toute dépendance tonale, « sans répétition et disposés par le compositeur dans un ordre qui déterminera le développement ultérieur » R. de Candé. Schönberg ne mit en pratique ses découvertes que lentement. Le *Quintette pour instruments à vent* (op. 26) en 1924, est la première œuvre écrite en totalité dans le système sériel dodécaphonique. Mais son chef-d'œuvre le plus abouti est l'opéra *Moïse et Aaron* (1930-1932), à l'esthétique difficile et profonde.

D'origine juive, Schönberg devait quitter l'Allemagne nazie en 1933, et après quelque temps passés à Paris, s'installer définitivement aux U.S.A.

EN VEDETTE

La Nuit Transfigurée, pour sextuor à cordes (1899). Il existe aussi une version pour orchestre à cordes.
Gurre-lieder, pour soli, chœurs et orchestre (1901).
Le Pierrot Lunaire, mélodrame pour récitant et cinq instruments (1912).
Suite pour piano, op. 25 (1924).
Moïse et Aaron, opéra (1930-1932).

Alban BERG (1885-1935).

Berg, tout en profitant de l'enseignement et des découvertes de son ami et maître Schönberg, est le plus romantique, le plus mahlérien pourrait-on dire des trois compositeurs de l'Ecole viennoise (Schönberg, Berg, Webern). Toute la carrière du compositeur devait se passer à Vienne, assez paisiblement et sereinement, à l'image même de sa personnalité.

Son goût pour la concision, sa sévérité envers son travail, lui permirent, sans renoncer à cette sensibilité post-romantique qui allait rendre son œuvre plus accessible et peut-être plus attachante, de donner des ouvrages d'abord libérés du cadre tonal classique puis relevant de la technique dodécaphonique pure. Berg ne fait pas figure de simple suiveur de Schönberg, il participe à cette évolution à part entière et ouvre les voies qui donnent à la musique des possibilités neuves.

On distingue dans la carrière de Berg, deux périodes. En 1909, il écrit sa première œuvre atonale : le *quatuor de l'opus 3.* Durant cette première phase qui va durer une quinzaine d'années, ses ouvrages les plus remarquables sont un opéra *Wozzeck* et la *Suite Lyrique pour Quatuor à Cordes* (1925). A partir de 1929, il assimile totalement le dodécaphonisme et c'est de cette technique que relève son opéra *Lulu* et le *concerto pour violon « A la mémoire d'un Ange »*.

EN VEDETTE

Wozzeck, opéra (1922).
Suite Lyrique pour Quatuor à Cordes (1925-1926).
Lulu, opéra (1928-1935).
Concerto pour violon « A la mémoire d'un Ange » (1935).

Anton WEBERN (1883-1945).

On a souvent comparé le travail de Webern sur la musique à celui de Mallarmé sur la poésie : même goût de la précision, même recherche de l'absolu, même exigence envers les sons qu'envers les mots, même sévérité et même concision. Webern était un homme extrêmement discret, modeste, vivant solitairement, uniquement occupé par ses recherches, sans souci de gloire. Une première période de sa vie est tournée vers une étude très personnelle et très originale des possibilités atonales. Puis il adopte la technique sérielle dodécaphonique de Schönberg et c'est dans cette voie qu'il mène son travail.
Webern laisse une œuvre difficile, subtile (il renonce à la forme sonate, rendue caduque par l'atonalité) très brève aussi puisque certains morceaux ne durent pas plus de quelques secondes. Méprisant toute concession, par un travail ascétique, Webern a laissé une œuvre d'une intériorité fondamentale dont se réclament de jeunes compositeurs d'aujourd'hui tels que Stockhausen, Nono ou Boulez.

EN VEDETTE

Variations pour piano, opus 27 (1926).
Quatuor à cordes, opus 28, (1938).

4. LES NOUVELLES ECOLES NATIONALES

Dans ce chapitre, nous regroupons des compositeurs de tempéraments différents, issus d'horizons divers. Ils sont les représentants d'une musique de notre temps, aux inspirations variées et souvent étonnantes. Seules quelques lignes directrices permettent de s'y reconnaître, mais c'est à l'auditeur d'abord de faire le tri entre ce qu'il aime et le reste. Pour une fois le conformisme culturel, célèbre lamineur de la musique classique, n'a encore qu'un effet limité.

Georges ENESCO (1881-1955).

Georges Enesco domine *l'école roumaine* dont il peut être considéré comme le fondateur. Il fut à la fois violoniste, pianiste (il joua avec Thibaud), chef d'orchestre et compositeur. Bien qu'installé à Paris après la Première Guerre mondiale, son œuvre fait constamment référence au folklore de son pays.

EN VEDETTE

Œdipe, son œuvre majeure, créée à l'Opéra de Paris, en 1936.
Sonates pour violon et piano.
Il existe une version interprétée par Yehudi Menuhin qui fut l'élève préféré et le fils spirituel de Georges Enesco.

Il faut encore citer, parmi les représentants de l'école roumaine, *Marcel Mihalovici* (né en 1898) et le célèbre pianiste *Dinu Lipatti* qui a laissé quelques pièces pour son instrument.

Bohuslav MARTINU (1890-1959).

Après Smetana, après Dvorak et Janacek, Martinu est le meilleur représentant de l'*école tchèque*. On peut regretter que ce compositeur particulièrement prolixe, aux ouvrages élégants et faciles, ait puisé son inspiration à la fois dans le folklore morave et dans la musique baroque (concerto grosso).

Il vécut à Paris, aux Etats-Unis où il prit la nationalité américaine, puis revint en Europe. Le meilleur de son œuvre est constitué par sa musique de chambre et aussi par quelques ouvrages symphoniques.

EN VEDETTE

Quatrième symphonie (1945).
Premier Concerto pour violoncelle et orchestre.
Sextuor (non disponible en France).

Bela BARTOK (1881-1945).

Il est le représentant le plus éminent de l'*école hongroise*. « Son art a une double racine ; il procède de la musique paysanne hongroise et de la musique française moderne. » Ce jugement porté par son ami et compatriote, le compositeur Zoltan Kodaly donne une image assez exacte de l'art de Bela Bartok.

Initié très jeune à la musique, pianiste virtuose, Bartok fut d'abord influencé par Bach, Beethoven et bien sûr Liszt. Mais son plus grand émoi musical fut la découverte du poème symphonique de R. Strauss : *Ainsi parlait Zarathoustra.* Dans le même temps — il avait alors un peu plus de vingt ans — un profond sentiment nationaliste le poussa à étudier le folklore magyar.

Sa vie fut difficile, le succès ne venant pas. En 1940, le totalitarisme nazi le fit s'expatrier vers les Etats-Unis où sa situation financière fut malaisée à supporter malgré les propositions d'aide que lui firent ses contemporains (Menuhin lui commanda la *Sonate pour violon seul*) et que l'orgueil et l'intransigeance envers soi-même le portaient à refuser. Il mourut en 1945, à New York d'une leucémie.

La musique de Bela Bartok est lumineuse, transparente, profondément nouvelle au niveau de l'instrumentation (les cordes). Les recherches, ses expériences harmoniques le rendent original à plus d'un titre ; les raffinements de sa musique n'ont pas fini de nous étonner. Son audience grandit chaque jour.

EN VEDETTE

Musique pour cordes, percussion et celesta (1936).
Sonate pour deux pianos et percussion (1937).
Les six quatuors à cordes.
On trouve là sans doute la meilleure part du compositeur. Il faut aussi ajouter des œuvres plus marginales pour certains, mais qui sont très populaires.
Le fameux *Concerto pour orchestre* (1943).
Les trois concertos pour piano et orchestre, dont le dernier fut composé l'année de sa mort.
Mikrokosmos, pièces progressives pour piano (1926-1937).

Zoltan KODALY (1882-1967).

En marge de Bela Bartok il faut signaler un de ses compatriotes, compositeur mineur, Zoltan Kodaly.
Influencée par Brahms et Debussy, l'œuvre de Kodaly est imprégnée d'un profond sentiment populaire et national.

EN VEDETTE

Psalmus Hungaricus pour ténor, chœurs et orchestre.
Et un opéra, *Hary Janos.*

La musique dans l'*Allemagne* de l'entre-deux-guerres se caractérise par une réaction antiromantique. La guerre a été dure, les clauses du traité de Versailles apparaissent blessantes et pratiquement inapplicables par leurs exigences.

Le pays subit une crise économique très violente et lorsque les effets de la chute de Wall-Street se font sentir en Europe, l'Allemagne est le premier pays touché. Un phénomène d'inflation galopante ne peut être maîtrisé. Les intellectuels cessent de croire en « les valeurs établies » et cet état d'esprit, fait de scepticisme et d'amertume, se transmet à tous les arts, y compris la musique. Un goût pour l'anticonformisme, le renouveau, l'insolence, le sarcasme va imprégner toutes les œuvres de cette période de l'entre-deux-guerres.

Paul HINDEMITH (1895-1963).

Paul Hindemith est le meilleur représentant des tendances de la nouvelle école allemande. Altiste dans un quatuor qui portait son nom, Hindemith, au moins jusqu'en 1930, composa une musique objective, austère, froide, d'une écriture essentiellement contrapuntique. Cette réaction brutale, excessive, au romantisme qui avait occupé la place que l'on sait en Allemagne, il devait par la suite la nuancer, et rendre à ses œuvres un peu de la chaleur humaine et de l'ampleur qui leur faisaient défaut. Tout en restant dans le cadre du système tonal, les œuvres de la maturité créatrice sont les plus intéressantes du compositeur. Vers la fin de sa vie, Hindemith devait revenir à une forme de néo-classicisme sec.

EN VEDETTE

Symphonie en mi bémol majeur (1940).
Cinq pièces pour orchestre à cordes (1927).

Kurt WEILL (1900-1950).

Kurt Weill est surtout célèbre pour avoir collaboré avec Bertolt Brecht à l'*Opéra de Quat'sous.* Cette orientation vers un art populaire, réaliste et engagé devait le contraindre à quitter l'Allemagne nazie. Créateur d'un style à l'accent personnel, il trace un trait d'union entre la musique classique et le répertoire de cabaret.

EN VEDETTE

Opéra de Quat'sous, sur un livret de Brecht. Il existe une version disponible avec les artistes de la création, chanteurs de cabaret, Lenya, Trenk-Trebitsch, Hestenberg, le chœur et l'orchestre de Berlin.

Carl ORFF (né en 1895).

Son adaptation de *Carmina Burana* et de *Catulli Carmina* rendit célèbre ce Bavarois autodidacte. Son art procède de l'envoûtement par les sons et le rythme. Cette simplification, ce retour vers une musique « archaïque » cet usage surdéveloppé des percussions, créent — malgré un pompiérisme indiscutable — une sorte d'atmosphère de participation cosmique.

EN VEDETTE

Carmina Burana, cantate scénique.
Catulli Carmina, cantate scénique.

Erich-Wolfgang KORNGOLD (1897-1957).

Célèbre à vingt-quatre ans pour son opéra, *La Ville Morte*, qui fait parfois penser à R. Strauss.

EN VEDETTE

Die Töte Stadt (La Ville Morte), opéra (1921).

Italie pays du bel canto, certes, mais cette veine semble s'épuiser et les compositeurs de l'entre-deux-guerres s'essayent avec plus ou moins de bonheur, quelquefois magnifiquement à la musique instrumentale.

Ottorino RESPIGHI (1879-1936).

Ottorino Respighi s'est fait connaître par ses poèmes symphoniques, *Les Fontaines de Rome* (1917) et *les Pins de Rome* (1924). Lassé par les opéras véristes, ce compositeur a tenté un retour vers les formes traditionnelles du classicisme. Son instrumentation colorée et vivante, parfois un peu sucre d'orge, tout en rappelant qu'il fut l'élève de Rimski-Korsakov, atteint à une belle sensualité épanouie.

EN VEDETTE

Les Fontaines de Rome, poème symphonique.
La Boutique Fantasque, ballet.

Ferrucio BUSONI (1866-1924).

Remarquable pianiste aux visions prophétiques sur l'avenir de la musique, influencé par Bach, par Liszt et par Brahms, ce compositeur chef d'orchestre opta pour un retour au classicisme malgré son goût pour une puissante instrumentation évocatrice. Les musiques de Stravinski et de Schönberg le passionnaient. Créateur au tempérament inquiet, il connut ses limites et s'y cantonna.

EN VEDETTE

Deuxième sonatine pour piano.

Joaquin RODRIGO (né en 1902).

Cet Espagnol, aveugle, élève de Paul Dukas, a donné des concertos pour guitares et orchestre, dans un style espagnol très caractéristique. Après avoir vécu longtemps à Paris, Rodrigo est actuellement professeur d'histoire de la musique à Madrid.

EN VEDETTE

Concerto de Aranjuez, pour guitare et orchestre.
Fantaisie pour un gentilhomme, pour guitare et orchestre.

Les compositeurs d'*Amérique latine* sont très nombreux et d'importance inégale. Pourtant le succès européen du Brésilien Villa-Lobos ne permet pas de le passer sous silence dans cet horizon des nationalismes musicaux.

Heitor VILLA-LOBOS (1887-1959).

Il n'est pas du tout certain que ce compositeur infatigable ait su restituer le folklore indien dans tout son mystère. Volontiers chaleureux, exubérant, homme du Midi, Villa-Lobos a cependant laissé des pages pleines de sensualité, aux accents sauvages et déroutants. Pour avoir voulu réaliser le syncrétisme entre les formes classiques, l'écriture contrapuntique et l'irrationnel d'une musique populaire, Heitor Villa-Lobos a échoué dans de nombreux ouvrages.

EN VEDETTE

Bachianas Brasilieras :
n° 2 pour orchestre de chambre,
n° 5 pour soprano et huit violoncelles,
n° 6 pour flûte et basson,
n° 9 pour orchestre à cordes.

De compositeurs *anglais* d'un peu de relief, le XIXe siècle n'en a pas connus. En revanche, cette première moitié de siècle est riche en talents originaux.

Edward ELGAR (1857-1934).

Edward Elgar débuta par des oratorios dans le style de Haendel, genre pour lequel ses compatriotes sont friands. Puis son écriture évolua sous la double influence de Brahms et de Wagner. Les symphonies qu'il donna alors, quoique parfois fastidieuses, révèlent une inspiration de meilleur aloi, une pensée mieux fouillée.

EN VEDETTE

Deuxième symphonie, en mi bémol majeur.
Pomp and Circumstance, 5 marches (qui servit d'illustration à Stanley Kubrick pour son film *Orange Mécanique*).

Ralph VAUGHAN-WILLIAMS (1872-1958).

Vaughan-Williams fut l'un des premiers à rejeter le romantisme allemand, sans doute sous l'influence de Ravel avec qui il étudia. Il s'intéressa aux mélodies populaires anglaises, ainsi qu'à la musique de l'époque élisabéthaine, particulièrement à celle de William Byrd.

EN VEDETTE

Fantaisie sur un thème de Tallis.
Symphonie n° 4.

Michael TIPPETT (né en 1905).

Michael Tippett est une des personnalités les plus riches de la musique anglaise. Son écriture dense, convaincante, a porté son opéra *The Midsummer Marriage* à un point d'intensité lyrique dont peu d'ouvrages contemporains peuvent se prévaloir.

EN VEDETTE

The Midsummer Marriage, opéra (disponible en Angleterre).

Benjamin BRITTEN (1913-1976).

Benjamin Britten est le plus connu — son audience est mondiale — et peut-être le compositeur anglais contemporain le plus important. A l'abri de toutes les modes du moment, Britten est allé trouver son inspiration dans la musique de Purcell et dans les mélodies du folklore anglais.

Homme de théâtre, sa prédilection pour la voix humaine s'est constamment manifestée. Il est le créateur de « l'opéra de chambre » genre où il est le plus brillant. On peut cependant regretter chez lui un manque d'originalité, une certaine superficialité que compensent un charme et un sens de l'humour très anglais.

EN VEDETTE

Le Songe d'une Nuit d'Eté, opéra (disponible en Angleterre).
War Requiem.

La musique est devenue dans le *Nouveau Monde* une affaire de cœur. Dans presque toutes les villes des Etats-Unis des orchestres de bonne qualité, d'excellents interprètes propagent une musique de tous les temps. Les meilleurs chefs d'orchestre du monde (Toscanini, Stokowski, Mitropoulos, Bruno Walter, Klemperer, Munch, Boulez, Ozawa, etc.) ont tenu le pupitre des orchestres de New York, Chicago, Boston, etc. De nombreux compositeurs européens, soit par choix, soit par obligation, se sont expatriés vers les Etats-Unis. Dans toutes les universités les classes de musique sont dynamiques. L'infrastructure musicale américaine est conçue en sorte de « produire » des talents nouveaux. Pour exemple, citons la fameuse Juilliard School of Music, financée, comme le reste, par des fonds privés, et qui a déjà permis à de nombreux musiciens de faire leurs preuves.

Charles IVES (1874-1954).

Charles Ives est certainement le représentant le plus étrange de l'école américaine. Solitaire, isolé, sans avoir eu connaissance des découvertes de Stravinski et de Schönberg, il avait adopté la polytonalité et la polymétrie. Pratiquant le collage de genres différents, usant d'enchaînements harmoniques et rythmiques singuliers avant tous les autres, il orienta ses recherches vers l'atonalité. Malheureusement il ne put faire entendre ses ouvrages, ni faire comprendre sa « modernité » à ses contemporains. Vers 1918, cet « amateur » devait abandonner la composition, pour une carrière d'homme d'affaires où il fit fortune.

EN VEDETTE

Symphonies n° 2 et n° 3 sous la direction de L. Bernstein (disponibles aux Etats-Unis).

George GERSHWIN (1898-1937).

George Gershwin est le plus célèbre parmi les compositeurs américains. Cette large audience lui fut accordée en 1924 à l'audition de sa *Rhapsody in blue* où le mélange classique-jazz créa quelque temps l'illusion. Son concerto pour piano rappelle plutôt Franck que Ravel qui lui trouvait cependant du talent. Un *Américain à Paris* et l'opéra *Porgy and Bess* sont peut-être le meilleur du compositeur par la verve, l'invention et l'enthousiasme que Gershwin sut y mettre.

EN VEDETTE

Rhapsody in blue, pour piano et orchestre. De très nombreuses versions, mais un choix difficile à faire.
Un Américain à Paris, pour orchestre.
Porgy and Bess, opéra.

Aaron COPLAND (né en 1900).

Aaron Copland s'essaya d'abord dans le genre de Stravinski, puis chercha une voie plus personnelle dans le folklore américain et dans le jazz.

EN VEDETTE

Appalachian Spring, ballet.

Leonard BERNSTEIN (né en 1918).

Leonard Bernstein en plus de son métier de chef d'orchestre est l'auteur de musiques de films (*West Side Story*), et de symphonies.

EN VEDETTE

West Side Story.

Musiques d'aujourd'hui

Les gens sont devenus fous ; les nouvelles règles rendent la musique désagréable à l'oreille.

Chanoine ARTUSI (1600).

La musique contemporaine exprime toutes les contradictions de notre époque. Même si une partie du public la refuse, cette musique est un témoignage de nos conflits, de nos crises, que bien sûr on préfère parfois oublier. Or, cette relation plus intense avec une expérience culturelle donne lieu à un rapport qui peut se manifester aussi dans les œuvres du passé. On peut progresser dans la compréhension des œuvres non seulement sur le plan de la beauté pure, de l'esthétisme, mais aussi pour des raisons plus profondes, comme expressions des problèmes fondamentaux d'une époque, d'une civilisation. Généralement, si on préfère les œuvres anciennes, c'est parce qu'on les considère comme de beaux objets mais qui ne nous touchent pas directement dans notre raison de vivre...

Maurizio POLLINI.

DE LA SERIE AU HASARD

Au lendemain de la seconde guerre mondiale, les jeunes compositeurs, sous l'influence de professeurs et de théoriciens tels que Leibowitz, se sont passionnés pour les recherches des trois dodécaphonistes viennois (Schönberg, Berg, Webern). Ce qui nous apparaît aujourd'hui, comme une sorte de « fétichisme aride de la série », « était un âge absolument nécessaire d'où l'art musical a pu tirer toute la matière de son évolution postérieure. Il a d'ailleurs comporté des réussites musicales de premier plan, à un moment où, partout ailleurs c'était le vide. Il est évident que tout assouplissement du langage, toute expression, devaient passer par cette ascèse. Je suis convaincu, déclare le compositeur Gilbert Amy, qu'il s'agit d'une période dont nous n'avons absolument pas à rougir. Au contraire ». C'est l'œuvre de Webern, particulièrement, qui apparut après ces années de silence de la guerre, comme claire, parlante, étonnamment nécessaire et représentative d'un nouvel univers sonore.

Pierre Boulez, le premier, devait ressentir les limites de cette nouvelle technique laissée en fin de compte, au service des anciennes formes classiques. Il comprit qu'il importait d'étendre la série à tous les éléments du son : (hauteur, durée, intensité, timbre). Un des premiers, vers 1955, il commença à parler de hasard. Il devenait, en effet, de plus en plus évident aux compositeurs qu'il leur était impossible de contrôler tous les éléments que les formes nouvelles de la série leur imposaient. L'évolution extrêmement complexe de la musique sérielle les conduisit tout naturellement à s'interroger sur la multiplicité éventuelle des cheminements. « J'ai pour ma part estimé, répond Gilbert Amy, que je devais décider d'un certain nombre de choix. » Le hasard en intervenant ainsi dans la création est à la musique contemporaine, ce que le chœur grec (le destin) est à la tragédie antique. Il faut encore préciser que les notions d'aléa (aléatoire, hasard) qu'ont les compositeurs ne sont pas identiques. L'aléa au sens boulezien du terme ne supprime pas tous les choix. Il ne correspond en rien à une démission du compositeur face au matériau musical ; à la différence de l'aléa de l'Américain John Cage où le compositeur choisit délibérément de renoncer à toute possibilité de choix.

PRECURSEURS ET INITIATEURS

Edgar VARÈSE (1883-1965).

Né à Paris, Edgar Varèse devait quitter la France en 1916 et prendre la nationalité américaine en 1926. Il est le précurseur de la musique expérimentale d'aujourd'hui et, à ce titre, se place tout naturellement à côté de Schönberg, Berg et Webern. Il a apporté des solutions nouvelles dans les domaines du rythme (que les dodécaphonistes viennois avaient négligé) et du timbre. Sa formation scientifique l'amena, un des premiers, à introduire des instruments électroniques dans l'orchestre.

EN VEDETTE

Hyperprisme, pour ensemble à vent et percussion (1923).
Intégrales, pour ensemble à vent et percussion (1925).
Amériques, pour orchestre (1925).

Olivier MESSIAEN (né en 1908).

Fils de Pierre Messiaen et de la poétesse Cécile Sauvage, élève au Conservatoire de Marcel Dupré (orgue) et de Maurice Emmanuel (histoire de la musique), fondateur avec Jolivet et Lesur du groupe « Jeune France », Olivier Messiaen est d'abord un professeur remarquable. En 1947, sa classe d'analyse et d'esthétique musicales au Conservatoire réunit toute la jeune génération. Il y développait ses principes, avec un esprit d'ouverture et d'unification. Chrétien presque mystique, il accompagne ses compositions de commentaires d'un logomachisme flamboyant qui le dessert plutôt, en irritant bon nombre de musiciens. Grande figure parisienne, excentrique, clairvoyant, Olivier Messiaen a formé des élèves (tels que Boulez), mais ne laisse aucun disciple. Dans l'histoire de la musique, il restera un phénomène isolé.

EN VEDETTE

Et exspecto resurrectionem mortuorum, pour orchestre de bois, cuivres et percussions métalliques (1964). (Préférer la version de Boulez avec le groupe des percussions de Strasbourg).
Le Livre d'orgue (1951).
Organiste à la Trinité, Messiaen est un extraordinaire improvisateur.
Oiseaux exotiques, pour piano, petit orchestre à vent, xylophone, glockenspiel et percussions (1955-1956).
Sept Haikai, esquisses japonaises pour piano, xylophone, marimba, deux clarinettes, une trompette et petit orchestre (1962).

André JOLIVET (1905-1974).

En 1935, André Jolivet se faisait connaître par une œuvre d'un ton très personnel, *Mana.* L'année suivante il fondait avec Olivier Messiaen, Yves Baudrier et Daniel Lesur, le groupe « Jeune France » pour l'indépendance esthétique, contre la musique de salon et contre le dodécaphonisme pur. Jolivet était un homme de tempérament, engagé et convaincu que la musique n'est qu'un art d'agrément.

Dans ses 130 opus on retrouve une volonté créatrice, une indépendance, un langage profondément homogène, une intuition efficace.

EN VEDETTE

Mana, six pièces pour piano (1935).
Première Symphonie (1953).
Concerto pour harpe et orchestre de chambre.
Concerto pour ondes (Martenot) et orchestre.

L'ECOLE FRANÇAISE

Pierre BOULEZ (né en 1925).

C'est la personnalité la plus originale de la musique contemporaine. Elève d'Olivier Messiaen et de René Leibowitz, disciple de Webern et dans une certaine mesure de Stravinski, Pierre Boulez a donné des œuvres qui sont à classer, déjà, parmi les chefs-d'œuvre de la musique française. Il est plus connu comme chef d'orchestre (voir l'article qui lui est consacré), que comme compositeur, peut-être parce que ses œuvres, difficiles à jouer, sont d'un abord aride. La manière abrupte, presque glaciale, qu'il a de défendre son esthétique signe sa passion pour la musique.

EN VEDETTE

Le Marteau sans Maître, pour voix d'alto et six instruments. Y. Minton, Ensemble musique vivante, Boulez.
C.B.S. 1 disque n° 76191

Pli selon Pli.
B.B.C. Symphonie Orchestra, Boulez
C.B.S. 1 disque n° 75770

Iannis XENAKIS (né en 1922).

Architecte (il fut l'assistant de Le Corbusier), mathématicien, Xénakis est un compositeur rigoureux, d'une grande probité créatrice. Intéressé par le rôle que peut jouer la cybernétique dans la création musicale, toute son œuvre est cependant traversée par un courant humaniste immédiatement sensible à l'auditeur.

EN VEDETTE

Metastasis. Eonta. Pithoprakta.
Orchestre National de l'O.R.T.F.
C.D.M. L.X.D. 1 disque n° 78368

Persephassa, pour six percussionnistes.
Percussions de Strasbourg.

PHI. 1 disque n° 6521020

Nomos Gama, pour grand orchestre disséminé dans le public.
Orchestre Philharmonique de l'O.R.T.F.

ERA. 1 disque n° STU 70529

Maurice OHANA (né en 1914).

Encouragé et conseillé par Falla, Ohana, originaire d'Andalousie, est un compositeur très personnel qui donne des œuvres subtiles, empreintes d'un charme méditerranéen.

EN VEDETTE

24 Préludes pour piano.
Pennetier.

ARI. 1 disque n° ARN 38261

Silenciaire, Improvisations pour flûte seule, Sibylle.

O.R.T.F. 1 disque n° 995-018

Marius CONSTANT (né en 1925).

Elève de Messiaen et de Nadia Boulanger, chef de l'ensemble de musique contemporaine « Ars Nova », Marius Constant construit avec intelligence et autorité une œuvre séduisante.

EN VEDETTE

Quatorze stations, pour percussion et six instruments.
Ensemble Ars Nova, Marius Constant.

ERA. 1 disque n° STU 70603

et aussi

André Boucourechliev, Gilbert Amy, Jean-Claude Eloy, Jean Barraqué, Charles Chaynes, François-Bernard Mache, Henri Dutilleux, etc.

A TRAVERS LE MONDE

Karlheinz STOCKHAUSEN (né en 1928).

Avec Boulez, l'Allemand Stockhausen est la personnalité la plus étonnante de la musique contemporaine. Ses premières conceptions, très strictes, se sont peu à peu assouplies, il est un des premiers à s'être intéressé à l'aléatoire ainsi qu'à avoir réussi l'intégration homogène de sons enregistrés et de sons naturels.

EN VEDETTE

Gruppen, pour trois orchestres (1955).

Orchestre de la Radio Symphonique de Cologne.
DG. 1 disque n° 137002

Hymnen, hymnes pour sons électroniques et concrets.
Réalisation électronique W.D.R. Cologne.
DG 2 disques n° 2707039

Klavierstücke (9 et 11), pour piano.
Bucquet.
PHI. 1 disque n° 6500101

Luciano BERIO (né en 1925).

Après une période de sérialisme strict, l'Italien Luciano Berio est revenu à une forme de lyrisme rayonnant mieux dans sa nature. Il a tenté de réhabiliter le chant et d'ouvrir la musique contemporaine aux découvertes des musiciens pop.

EN VEDETTE

Epifanie.
Berberian, BBC Symphony Orchestra, Berio.
RCA 1 disque n° SB 6850

Laborintus 2, pour 17 instruments, 3 chanteuses, speaker, chœur et bande magnétique.
Ensemble de Musique Vivante, Berio.
HM. 1 disque n° HMN 764

Luigi NONO (né en 1924).

Italien, Luigi Nono suit une voie proche de celle de Boulez et de Stockhausen. Ses œuvres, essentiellement vocales, témoignent d'un talent parfois admirable.

EN VEDETTE

Como una ola de fuerza y luz, pour soprano, piano, orchestre et bande magnétique.
DG. 1 disque n° 2530436

Witold LUTOSLAWSKI (né en 1913, Polonais).

EN VEDETTE

Concerto pour violoncelle et orchestre.
Rostropovitch, orchestre de Paris.
VSM, 1 disque n° C 069-02687

Krzysztof PENDERECKI (né en 1933, Polonais).

EN VEDETTE

Utrenja, pour voix solo, chœur de garçons, deux chœurs mixtes et orchestre.
PHI. 2 disques n° 6700065

Les Diables de Loudun, opéra.
PHI. 2 disques n° 6700042

John CAGE (né en 1912, Américain).

EN VEDETTE

First Construction, pour percussions.

PHI. 1 disque n° 6526017

Léo BROUWER (né en 1939, Cubain).

EN VEDETTE

Sonata pian'é forte, pour bande magnétique, piano et percussion.

VSM 2 disques n° EMSP 551

MUSIQUE CONCRETE. MUSIQUES EXPERIMENTALES ET ELECTRO-ACOUSTIQUES

Vers les années 1950, un certain nombre de compositeurs ont pris possession des studios d'enregistrement, de montage, de mixage. En France c'est autour du Centre de recherche de la Radio-Télévision Française, que Pierre Schaeffer et Pierre Henry ont mené leurs expériences.

Dans le même temps, Stockhausen et Luciano Berio menaient des recherches parallèles respectivement au Studio électronique de Radio Cologne et au Studio di Fonologia de la R.A.I.

A partir d'une matière sonore enregistrée qui peut être de tout ordre, ces compositeurs en la ralentissant ou en l'accélérant, en la diffusant à l'envers, etc., la transforment et l'ordonnent, la modèlent exactement comme un sculpteur pétrit la glaise. Le résultat est parfois étonnant. Ce procédé de composition est aussi la porte ouverte à tous les canulars.

L'apport de l'électronique dans ce procédé de composition est essentiel. C'est d'ailleurs sa seule véritable contribution à la musique, l'échec au niveau de la lutherie (ondes Martenot, orgue Hammond, synthétiseur) étant flagrant.

Pierre SCHAEFFER (né en 1910).

Ancien polytechnicien, ingénieur du son à la R.T.F., il est le créateur avec Pierre Henry, dans le cadre du Studio d'essai de la R.T.F. de la « musique concrète ».

EN VEDETTE

Symphonie pour un homme seul (1949-1950).

PHI. 1 disque n° 6510012

Pierre HENRY (né en 1927).

Après une formation classique très sérieuse au Conservatoire de Paris, auprès, notamment, de Nadia Boulanger et d'Olivier Messiaen, Pierre Henry, en 1949, rejoint Pierre Schaeffer au studio d'essai de la R.T.F. Rompu aux techniques électro-acoustiques, il a assumé au sein du Groupe de Recherche de Musique Concrète les fonctions de chef des travaux de 1950 à 1958. En 1960, il a fondé son propre studio (Studio Apsome) où il poursuit une carrière exemplaire de chercheur.

« Parmi les compositeurs d'après-guerre, Pierre Henry est probablement le plus capable d'amener à se rejoindre la tradition, la recherche et les musiques modernes de divertissement ou d'excitation collective » *(Le Figaro)*.

EN VEDETTE

Messe pour le temps présent. Résultat de sa collaboration au spectacle chorégraphique de Maurice Béjart.

PHI. 1 disque n° 6510014

La Reine Verte, musique concrète.

PHI. 1 disque n° 6332015

Variations pour une porte et un soupir.

PHI. 1 disque n° 836898

I.R.C.A.M.

Une des expériences les plus intéressantes est sans doute celle menée par Pierre Boulez à l'Institut de recherche et de coordination acoustique/musique (I.R.C.A.M.) au Centre Georges-Pompidou à Paris (Centre Beaubourg).

Une équipe de compositeurs et de chercheurs se propose de résoudre les problèmes de la création musicale qui ne peuvent plus se limiter à des recherches individuelles. De ces travaux doit naître un type nouveau de relations entre musiciens et chercheurs, entre créateurs, œuvres et public concernés. Laissons Pierre Boulez s'expliquer lui-même : « L'intuition du créateur, à elle seule, est impuissante à opérer la translation totale de l'invention musicale. Il faut donc avoir recours à la collaboration du chercheur scientifique pour envisager l'avenir à plus longue échéance, pour imaginer des solutions moins personnellement délimitées. Ce qu'il faut c'est que les musiciens intériorisent un certain savoir scientifique comme partie intégrante de leur imagination créatrice. Quant au scientifique, on ne lui demande évidemment pas de composer, mais de concevoir exactement ce que le compositeur ou l'instrumentiste attendent de lui, de comprendre les directions prises par le monde de la musique aujourd'hui et d'orienter son imagination en ce sens. Nous espérons forger ainsi une sorte de langage commun qui n'existe guère actuellement tout en formant une équipe essentiellement orientée vers la création musicale. »

Les recherches envisagées par l'I.R.C.A.M. exploreront des disciplines telles que l'acoustique physique, la psycho-acoustique, l'électronique, l'informatique, la neurophysiologie, la psychologie, la linguistique, la sociologie, dans la mesure où ces diverses branches sont en relation avec la musique et peuvent enrichir la théorie comme la pratique musicales.

« A l'heure actuelle, la musique contemporaine a moins besoin d'individualité originale et de débordements fantaisistes que d'un effort commun pour explorer le son lui-même, qu'il soit instrumental ou artificiel, ouvrir de nouvelles possibilités sonores à la composition, explorer la perception musicale, mieux comprendre pourquoi certains outils fonctionnent mieux que d'autres, explorer les relations entre la musique, les représentations et l'auditeur. » Gérald Bennet, responsable du département diagonal à l'I.R.C.A.M.

Troisième Partie

Lexique

A CAPPELLA :

Chant a cappella (ou alla cappella), signifie littéralement « dans le style d'église ». Se dit d'un chœur de voix humaines non accompagné d'instruments. Monteverdi, Bach, entre autres, ont écrit des pièces « a cappella ».

ACCORD :

Superposition d'au moins trois sons différents.

ADAGIO :

De l'italien « à l'aise ». Placé en tête d'un mouvement, adagio signifie que celui-ci doit être joué plus lentement. Il se situe entre l'andante et le largo. L'adagio de la cinquième symphonie de Mahler est devenu célèbre grâce au film de L. Visconti : « Mort à Venise ».

AGNUS DEI :

Un des cinq « chants communs » de la messe. La formule de ce chant, répétée trois fois est : « Agnus Dei, qui tollis peccata mundi, miserere nobis ». On compte au moins trois cents mélodies grégoriennes sur ce thème.

AIR :

(Musique profane). Air ou aria en italien. Pièce musicale écrite pour une voix seule, ou un instrument seul ou un groupe d'instruments, isolé ou inséré dans un ensemble dans lequel la recherche mélodique l'emporte sur l'homogénéité rythmique. Airs d'église, airs de cour, airs à boire, etc.

ALLEGRETTO :

Moins vite qu'allegro.

ALLEGRO :

Signifie « gai ». Ce mot indique le tempo. Le mouvement de la pièce musicale en tête de laquelle il est placé est rapide. C'est aussi le mouvement d'une sonate ou d'une symphonie joué dans ce tempo.

ALLEMANDE :

(Musique profane.) Danse lente à quatre temps. A l'origine danse folklorique, elle est devenue le premier mouvement de la suite classique.

ALTO :

a) Instrument à cordes pincées.

b) Le mot est pris parfois pour contralto et désigne la voix grave des femmes.

ANCHES :

Lamelle de roseau ou de métal placée à l'extrémité de certains tuyaux sonores et mise en vibration par la pression de l'air.

ANDANTE :

Signifie « allant » en italien. C'est une indication de tempo. Ce mot indique que le mouvement doit être joué modéré, sans lenteur. C'est aussi le mouvement d'une sonate ou d'une symphonie joué dans ce tempo.

ANDANTINO :

Diminutif d'andante. Légèrement plus rapide que l'andante.

ANTHEM :

(Musique religieuse.) Texte en anglais, tiré de la Bible ou la paraphrasant.

ANTIENNE :

C'est une contraction de « chants antiphoniques ». L'antienne est un passage de l'Ecriture qui est devenue la partie essentielle de la liturgie vocale de l'Eglise catholique. Tous les chants de la messe, mis à part les chants communs, sont des antiennes appropriées à l'office du jour.

ARIETTE :

(Musique profane.) Air court et simple. Mélodie alerte insérée dans une pièce de théâtre ou un opéra comique.

ARIOSO :

(Musique profane.) Pièce vocale, généralement courte, intermédiaire entre le récitatif et l'air.

ARPEGE :

Egrenage mélodique rapide des notes d'un accord, du grave à l'aigu ou vice-versa.

ATONALITE :

Qui n'est pas régi par les lois de la tonalité. « C'est un terme qui a prêté à confusion. On peut considérer comme atonal tout ce qui est hors de la tonalité classique. On tenait autrefois pour atonale la gamme par tons entiers (Saint-Saëns sur Debussy). Si en allemand le mot n'a aucun sens (ton voulant dire son), en français le mot atonalité est plus court, plus pratique à employer que le mot « suspension tonale ». L'usage en a prévalu pour désigner les développements de l'Ecole de Vienne, depuis le moment où l'on a réalisé la suspension de la tonalité jusqu'à la découverte de la série à proprement parler. On peut définir l'atonalité comme le mouvement historique grâce auquel le chromatisme a envahi d'une façon définitive l'écriture harmonique ou contrapuntique, rendant les rencontres de sons inanalysables par une pensée tonale rationnelle. L'atonalité est essentiellement une *période de transition,* étant assez forte pour briser l'univers tonal, n'étant pas assez cohérente pour engendrer un univers non banal » Pierre Boulez.

AUBADE :

C'est un concert donné à l'aube. A l'origine de ce mot sont les ménestrels qui, à l'aube, chantaient la séparation des amants.

— B —

BALLADE :

(Musique profane.) Anciennement c'était une chanson à danser (ballare : danser). On désigne aujourd'hui par ballade une pièce, chantée ou non, au piano, à l'orchestre, caractérisée par un développement très libre du thème.

BALLET :

Ensemble des danses intercalées dans un opéra, ou développées en une action scénique qui en fait une œuvre théâtrale distincte.

BARCAROLLE :

Chant des gondoliers de Venise. Toute pièce vocale ou instrumentale dont le rythme rappelle ce chant est dite barcarolle.

BASSE CONTINUE :

La basse continue, ou basse chiffrée, ou continuo, a pour objet de soutenir la monodie. Petit à petit, en se codifiant, les enchaînements d'accords ont donné naissance au concept d'harmonie fonctionnelle.

BEL CANTO :

Locution italienne signifiant « beau chant ». Désigne généralement un style vocal typiquement italien. On parle des amateurs de bel canto.

BEMOL :

Voir article « harmonie ».

BERCEUSE :

Pièce vocale ou instrumentale qui rappelle les chansons pour endormir les enfants.

BOIS :

On désigne souvent par ce seul mot les quatre instruments suivants : flûte, hautbois, clarinette et basson. Mais il existe aussi : le cor anglais (plus grave d'une quinte que le hautbois), la clarinette basse, le contre-basson...

BOLERO :

Danse espagnole à trois temps, au tempo modéré. Exemples : le boléro de Chopin, op. 19, pour piano, et le boléro de Ravel, pour orchestre.

— C —

CANON :

Imitation et reprise, par une partie vocale ou instrumentale, d'un fragment mélodique qui vient d'être énoncé. La mélodie exposée par la première voix, est reprise par les autres, tandis qu'est énoncé un nouveau motif qui sera lui-même repris.

CANTABILE :

« Digne d'être chanté ». Passage mélodique au mouvement lent, souvent empreint de mélancolie.
« Cantabile se dit de tous les chants dont, en quelque mesure que ce soit, les intervalles ne sont pas trop grands, ni les notes trop précipitées, de sorte qu'on peut les chanter aisément sans forcer ni gêner la voix » J.-J. Rousseau.

CANTATE :

(Musique profane ou religieuse : cantate d'église.) A l'origine ce mot désignait « ce qui se chante », par opposition à sonate, « ce qui sonne aux instruments ».

A partir du XVIIe siècle, cantate désigne une petite pièce lyrique destinée au concert et non au théâtre, un « drame sans action ». Musique de chambre, elle permettait au compositeur d'essayer ses effets pour des compositions plus importantes en vue de leur représentation sur scène.

CANZONE

(Musique profane.) Surtout œuvre vocale, adaptée aux instruments.

CAPRICCIO :

(Musique profane.) Signifie caprice. Composition où l'imprévu de la forme doit stimuler la curiosité de l'exécutant

CASSATION :

(Musique profane.) Divertissement en plein air, à jouer le soir.

CAVATINE :

(Musique profane.) Dans un opéra, pièce vocale réservée au soliste, plus courte que l'air.

CHACONNE :

(Musique profane.) A l'origine danse espagnole, elle est devenue une pièce instrumentale, d'allure lente où des variations plus ou moins nombreuses sont construites sur un motif court.
Exemple : sonate pour violon seul en ré mineur de Bach.

CHAPELLE :

C'est, en Allemagne, le mot qui désigne un orchestre payé par la ville. Le titre de Maître de chapelle est synonyme de celui de chef d'orchestre (voir Kapellmeister).

CHŒUR :

Ensemble de voix destiné à exécuter une œuvre polyphonique.

CHORAL :

Chants populaires religieux, simples et austères créés par Luther, à partir le plus souvent de mélodies grégoriennes. Le plus célèbre est sans doute le choral final de la cantate BWV 149 de Jean-Sébastien Bach : « Jésus que ma joie demeure ».

CHORALE :

Groupe de chanteurs.

COLORATURE :

Voix de femme capable d'exécuter des virtuosités (passages rapides, trilles, vocalises, etc.).

CONCERT :

Depuis le XVIIe siècle, ce terme sert à désigner une exécution face au public. Jusqu'alors les musiciens et instrumentistes n'avaient qu'un rôle subalterne d'amuseurs. Ils étaient attachés à un grand seigneur au même titre qu'un valet. Un exemple : les morceaux interprétés par les troubadours ou les ménétriers s'appelaient des « entremets ». Comme l'indique leur nom, ils étaient exécutés, au cours d'un repas, entre le service des plats, pour distraire et faire prendre patience aux convives. Jusqu'alors la musique était réservée à une élite très restreinte ; il fallut attendre 1656 pour voir le premier concert public et payant au Palais Royal. Les plus fameux des concerts ont été ou sont : concerts du théâtre Feydau (1794), concerts du Conservatoire, concerts Colonne (1874), concerts Lamoureux (1881), concerts Pasdeloup (1920), etc.

Le concert tend à évoluer et à échapper au cadre classique. « Plus on donne de concerts, plus on ressent l'absurdité comme faisant partie d'un mécanisme : ouverture, concerto, entracte, morceau principal. Les compositeurs contemporains ont dû se pénétrer de leurs œuvres, se trouver euxmêmes, le public aussi. Je veux faire sortir, déclare Pierre Boulez, ces artistes des encyclopédies, sinon le public ne pourra progresser. Je veux arriver à créer une atmosphère de fièvre et de découverte ».

CONCERTANT :

On appelle musique concertante, toute forme de musique où les instruments sont traités en solistes. Ainsi, si le compositeur indique qu'une œuvre doit être jouée dans un style concertant, cela signifie que les instruments doivent être plutôt antagonistes que complices.

CONCERTO :

(Musique profane.) Un concerto est une composition écrite pour un ou plusieurs instruments, accompagnés par un orchestre.

Jusqu'à la première moitié du XVIIe siècle, on ne fit pas de différence sensible entre sonate, sinfonia, canzone et concerto. Mais le triomphe de la monodie accompagnée sur la polyphonie dans l'opéra, devait forcément s'étendre aux autres formes du langage musical. Ainsi la mise en relief d'une ligne mélodique prédominante devait mener à la création de la sonate et du concerto.

On distingue le concerto grosso (pluriel : concerti grossi) et le concerto de solistes.

C'est le concerto grosso qui vit le jour le premier. Torelli, Corelli furent les grands précurseurs. Vivaldi, Bach, Haendel donnèrent à ce genre ses lettres de noblesse. Le concerto grosso est caractérisé par un petit groupe d'instruments (le concertino) qui dialogue avec une formation plus importante.

Le concerto de soliste est légèrement postérieur — Albinoni et Vivaldi en sont les créateurs — mais il a connu un avenir autrement brillant que le concerto grosso. Il s'en distingue par l'intérêt donné par le compositeur à la virtuosité d'un ou de plusieurs solistes.

Pratiquement jusqu'à la fin du XVIIIe siècle, le violon fut l'instrument de prédilection. Puis le piano prit sa place. Mais il existe aussi des concertos pour alto, pour violoncelle, pour contrebasse, pour cor, pour flûte, etc. Il en existe aussi pour deux, trois ou quatre instruments à cordes et orchestre, etc.

CONTINUO :

Voir basse continue.

CONTREPOINT :

(De punctum contra punctum, point contre point, note contre note.) C'est l'art de composer de la musique en superposant des lignes mélodiques diverses, mais en relation unique avec une ligne principale.

CORDES :

« C'est un énorme avantage pour un chef d'orchestre d'être violoniste. D'abord par la masse que ces pupitres constituent : 70 à 80 % du temps des répétitions sont pris par le travail des cordes. Ils forment l'essentiel d'un orchestre et c'est eux qui lui donnent sa qualité intrinsèque, sa rondeur, sa vraie couleur. Cela permet de mieux former, en connaissance de cause, le style que l'on veut imprimer à son orchestre » N. Marriner.

— D —

D :

Voir Deutsch.

DEUTSCH :

(« Catalogue Deutsch ».) Otto Erich Deutsch est un musicologue austro-anglais qui se consacre à l'étude des textes musicaux. Il existe des catalogues deutsch de Haydn, de Beethoven, de Mozart, de Brahms, de Schubert. La référence au catalogue deutsch permet de classer et de différencier les œuvres.

DIAPASON :

Petit instrument métallique, inventé par le luthiste anglais John Shore en 1711, qui frappé, reproduit le son de référence.

DIES IRAE :

(« Jour de colère ».) Le Dies Irae se chante après le Trait de la messe des morts.

DIÈSE :

Voir harmonie.

DIVERTISSEMENT :

(Musique profane.)

a) Voir article : fugue.

b) Suite de pièces instrumentales, légères, destinées à l'exécution en plein air. On en trouve pour les cordes, pour les vents, ou pour les deux à la fois. Haydn, Mozart, en ont composés.

DODECAPHONIE :

(Ou technique des 12 sons.) Arnold Schönberg a introduit « une méthode de composition au moyen de douze sons, ceux-ci n'ayant de relation que l'un avec l'autre ».

DRAME LYRIQUE :

Voir opéra.

DUO :

Ensemble de deux voix ou de deux instruments, avec ou sans accompagnement. Le duo d'amour est presque une constante dans l'opéra. Parmi les plus célèbres duos :
— le duo du Comte et de Suzanne dans *les Noces de Figaro.*
— le duo de Tristan et Iseult dans l'œuvre de Wagner.

— E —

ENSEMBLE :

a) En musique de théâtre, c'est une scène où tous les personnages chantent à la fois.

b) Réunion de musiciens jouant ensemble. Exemple : l'Ensemble I Musici.

ENTRÉE :

Désigne l'intervention d'un soliste ou d'un groupe d'instruments de même catégorie dans un ensemble vocal ou instrumental.

ENTRÉE DE BALLET :

Morceau qui accompagne l'entrée d'un groupe de danseurs.

EPITHALAME :

Petit poème accompagné de musique, composé pour la célébration d'un mariage.

ETUDE :

(Musique profane.) Nom donné à un morceau de musique destiné au perfectionnement technique de l'exécutant par l'étude — en général — d'une seule difficulté technique. Voir : les Etudes de Liszt, de Chopin ou de Debussy.

EXPOSITION :

Enoncé des thèmes principaux d'une sonate, d'une symphonie, etc.

— F —

FANFARE :

a) Sonnerie de trompettes ou de trompes de chasse.
b) Orchestre uniquement composé d'instruments de cuivre et de percussions.
c) En musique classique, c'est un passage joué par les instruments de cuivre dans le style des sonneries militaires ou des airs de chasse (Berlioz et *les Troyens*, Wagner et *Tannhäuser*, Verdi et *Aïda*).

FANTAISIE :

(Musique profane.) Pièce musicale de structure moins rigide que la sonate classique.

FESTIVAL :

Les véritables festivals remontent au début du XVIIIe siècle. Les toutes premières « fêtes musicales » furent données à Londres, à la cathédrale Saint-Paul. Le *Messie* de Haendel y fut accueilli avec un faste tout particulier. Vers la fin du siècle (1779), à Vienne, « la Société des Artistes Musiciens » réussit à imposer ce genre de manifestations. A partir de 1859, les Anglais, fidèles à l'esprit de Haendel, créèrent des exhibitions périodiques. Chaque année, à Bayreuth, au Théâtre des Fêtes, depuis le 13 août 1876, est célébré le culte de Wagner. Dans cette paisible cité margraviale, sans passé musical ni historique, tout est fait pour réaliser l'accord mystique. On va de l'hôtel au théâtre. Les représentations commencent à 16 heures... Au début du siècle, les principaux festivals se tenaient à Munich, Salzbourg, Florence, Lucerne, Moscou, Strasbourg, etc. Aujourd'hui, il faut compter avec ceux de Salzbourg, Lucerne, Prague, Edimbourg, Aix-en-Provence, Orange, Besançon et Paris avec le Festival d'Automne, le Festival de Printemps, le Festival Estival.

FINALE :

Dernier morceau d'un opéra, d'une sonate, ou d'une symphonie.

FORME :

(Forme sonate.) Voir sonate.

FORTE :

Mot italien qui désigne le renforcement d'un son, par opposition à « piano » qui signifie doucement.

FROTTOLE :

(Musique profane.) Chant populaire italien à trois ou quatre voix.

FUGUE :

(Musique profane.)
Composition polyphonique où un thème énoncé par chacune des parties vocales ou instrumentales subit des transformations et donne lieu à de nombreux développements La forme sonate lui succèdera. Il y a des fugues à deux, à trois, à quatre, ou à un plus grand nombre de voix ou de parties. La fugue n'a pas de caractère chromatique. Le maître incontesté de la fugue est J.-S. Bach.

— G —

GAMME :

Succession mélodique des sons constituant l'échelle musicale.

GLORIA :

Troisième des cinq « chants communs » de la messe.

GREGORIEN :

Chant liturgique de l'Eglise romaine.

— H —

HARMONIE :

a) NOTIONS D'HARMONIE

L'*Harmonie* est la science qui règle la formation et l'enchaînement des accords et fournit à la mélodie l'accompagnement qui lui convient.

On appelle *gamme*, une série de sons ascendants (du plus grave au plus aigu) ou descendants, séparés par des intervalles déterminés.

On appelle *gamme naturelle*, ou *gamme d'ut majeur* la succession des huit notes allant du grave à l'aigu (ut, ré, mi, fa, sol, la, si, ut). Ces notes sont placées sur et entre les degrés d'une échelle de cinq lignes appelée *portée.*

Un *intervalle* est la distance qui sépare un son d'un autre son. Dans la gamme d'ut, on distingue des intervalles appelés *ton* (entre ut et ré, ré et mi, fa et sol, sol et la, la et si) et des intervalles appelés *demi-tons* (entre mi et fa, et entre si et ut).

On peut créer des intervalles plus grands que celui d'un ton, en sautant d'une première note à une troisième, à une quatrième, à une cinquième, etc. Ce sont la *seconde,* la *tierce,* la *quarte,* la *quinte,* la *sixte,* la *septième,* l'*octave.*

L'octave est l'intervalle acoustique séparant une note donnée de la note de fréquence double. Le demi-ton est l'intervalle obtenu en divisant l'octave en 12 parties égales.

Les 5 tons et les 2 demi-tons dont se compose la gamme naturelle peuvent se diviser en 2 parties égales séparées l'une de l'autre par un ton.

Chacune des deux parties s'appelle un *tétracorde.* Le tétracorde est dit *majeur* quand, comme dans la gamme d'ut, il est composé de 2 tons successifs et d'un demi-ton. Il est dit *mineur* quand il est composé d'un ton, d'un demiton et d'un ton.

Altération veut dire modification des sons au moyen de deux signes qu'on appelle :
— dièse : ♯ (élève la note d'un demi-ton),
— bémol : ♭ (abaisse la note d'un demi-ton).

Le bécarre ♮ remet à sa place première une note altérée.

La *Transposition* est le transport d'une gamme sur un degré de l'échelle autre que celui où elle a été écrite. La transposition ne doit pas changer les intervalles primitifs. Ainsi, si on la continue jusqu'à la note du même nom un octave plus haut, on doit pour que les tétracordes soient identiques utiliser le ♯ pour agrandir l'intervalle ou le ♭ pour le diminuer.

Gamme de sol, gamme de fa ou gamme de mi, indiquent que ces gammes ont pour note initiale sol, fa ou mi. On les appelle *toniques.* On dit que le morceau est joué dans le ton de sol, de fa ou de mi.

La *gamme diatonique* est composée de tons et de demitons.

La *gamme chromatique* comporte 12 notes séparées d'un demi-ton.

La *clef* est un signe placé au début de la portée pour indiquer la position de la note à laquelle elle correspond. Cette position conditionne celle de toutes les autres notes.

La *forme des notes* indique la durée des sons. Ainsi la ronde est égale à 2 blanches, 4 noires, 8 croches, 16 doubles croches, 32 triples croches, 64 quadruples croches.

Les *silences* marquent l'arrêt des sons et correspondent aux valeurs des notes. *Pause :* ronde ; *demi-pause :* blanche ; *soupir :* noire ; *demi-soupir :* croche ; *quart de soupir :* double croche ; *huitième de soupir :* triple croche ; *seizième de soupir :* quadruple croche.

On forme un *accord parfait* en superposant une tierce et une quinte à une note fondamentale.

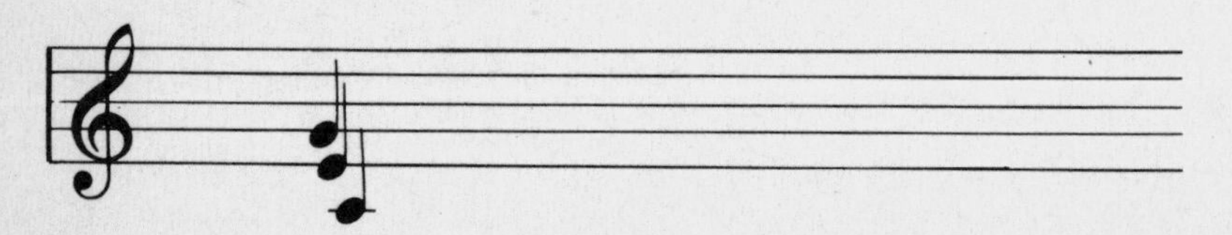

b) Ensemble d'exécutants d'où sont exclus les instruments à cordes. Restent les bois, les cuivres et les instruments à percussion.

— I —

IMITATION :

Procédé consistant à reproduire un motif musical sur différents degrés de l'échelle sonore.

IMPROMPTU :

(Musique profane.) Pièce pour instrument, à demi improvisée.

INSTRUMENT :

(Instruments transpositeurs.) Ce sont des instruments à vent qui reproduisent les notes d'une gamme autre que la gamme d'ut. L'intérêt des instruments transpositeurs est d'obtenir pour chacun une qualité de timbre particulière et donc d'élargir les possibilités sonores d'un orchestre. En modifiant la grandeur ou la longueur d'un instrument on obtient des sons de hauteur différente.

INSTRUMENTATION :

Travail du chef d'orchestre qui consiste à répartir les différentes parties d'une œuvre aux différents groupes d'instruments, pour les utiliser au mieux de leurs capacités.

INTERVALLE :

Voir : Harmonie.

INTRODUCTION :

Fragment musical, généralement court, servant à introduire un premier mouvement d'une œuvre.

INVENTION :

(Musique profane.) Petite étude de style, à imitation.

— K —

KAPELLMEISTER :

Maître de chapelle, chef d'orchestre.

KOECHEL :

Le musicologue Ludwig Koechel a dressé un catalogue

thématique et chronologique des œuvres de Mozart. Ce catalogue permet aujourd'hui de différencier les œuvres les unes des autres.

KYRIE ELEISON :

Premier des cinq « chants communs » de la messe. Voir : messe.

— L —

LARGO :

Mouvement plus lent que l'adagio.
Indique le style dans lequel doit être joué un morceau.

LEITMOTIV :

(Ou motif conducteur.) Motif mélodique très caractéristique, généralement court, dont la réapparition répétée tend à éclairer les péripéties de l'action. Wagner fut le grand utilisateur du leitmotiv.

LIED :

(Mélodie vocale.) On ne connaît pas bien l'origine exacte du lied (folklore, air du singspiel...). Mozart et Beethoven en ont eu la prémonition. Mais il semble que Schubert en soit l'inventeur, directement inspiré par un état d'esprit intimiste et bourgeois, par le folklore allemand. Les principaux auteurs de lied sont Schubert, bien sûr, Schumann, Wolf, Mahler, Brahms.

LIVRET :

(Ou libretto.) Texte à partir duquel le musicien compose un drame, un opéra ou une comédie lyrique. Quinault (XVIIe siècle), Metastase (XVIIIe siècle), Scribe (XIXe siècle) ont été des librettistes célèbres. De grands artistes tels que Offmenstahl ont apporté leur concours aux musiciens (R. Strauss). Wagner, en revanche, est l'auteur de tous ses livrets.

Debussy a donné sa définition du librettiste idéal : « Celui qui, disant les choses à demi, me permettra de greffer mon rêve sur le sien ; qui concevra des personnages dont l'histoire et la demeure ne seront d'aucun temps, d'aucun lieu ; qui ne m'imposera pas la scène à faire et me laissera libre, ici ou là, d'avoir plus d'art que lui et de parachever son ouvrage. »

MADRIGAL :

(Musique profane.) Pièce vocale de style libre.

MAGNIFICAT :

Cantique de la liturgie romaine, traité en particulier par Roland de Lassus (a cappella), et par Bach, sous la forme de soli, chœurs et orchestres.

MARCHE :

Pièce musicale — sonate ou symphonie — à rythme lent ou vif, à deux temps, qui rappelle l'allure du pas. Exemple : *la Marche funèbre* de Chopin.

MAZURKA :

(Musique profane.) Danse d'origine polonaise. Chopin a tiré de celle-ci les figures rythmiques de ses fameuses Mazurkas.

MELODIE :

(Musique profane.) Pièce vocale accompagnée au piano ou à l'orchestre.

MESSE :

Office de la liturgie catholique. Elle comporte cinq « chants communs » (l'ordinaire) qui sont : 1) le Kyrie eleison, 2) le Gloria, 3) le Credo, 4) le Sanctus, 5) l'Agnus Dei. Mais ce sont les chants propres à chaque jour de l'année, qui constituent l'essentiel du répertoire vocal liturgique. On les appelle antiphoniques parce que tirés des antiennes (Introït, Graduel, Alleluia, Offertoire, Communion).

Parmi les messes les plus célèbres, bien sûr la *Messe en si* de Bach qui est le sommet du genre et aussi la *Messe en ut mineur* de Mozart, la *Messe en ré* de Beethoven, la *Grande Messe des Morts* de Berlioz et le *Requiem* de Verdi où l'influence de l'opéra est évidente.

MODULATION :

Passage d'un ton à un autre ton. Exemple : Modulation du ton d'ut au ton sol.

MONODIE :

Monodie s'oppose à polyphonie. Ce style se caractérise par la continuité de la ligne mélodique, les autres parties n'ayant qu'une fonction d'accompagnement. Exemple : le chant grégorien.

MOTET :

(Musique religieuse.) Pièce musicale vocale composée sur

des paroles latines, dans un style religieux. Les motifs peuvent être a cappella.

MUSIQUE ALEATOIRE :

Introduction d'éléments de hasard (aléa) dans la composition ou l'interprétation.

MUSIQUE DE CHAMBRE :

Désigne des compositions musicales pour un nombre restreint de solistes et pouvant être jouées chez un particulier. Ce peut être la voix humaine accompagnée au piano ou des sonates pour un instrument, ou deux, des trios, des quatuors... Les combinaisons sont multiples. Ce sont les aristocrates et les princes qui commandaient ce type de musique pour qu'elle soit jouée dans leurs salons. La « musica da camera » s'oppose à la « musica da chiesa ».

MUSIQUE CONCRETE :

Emploi d'objets sonores enregistrés et pouvant être transformés par des moyens électro-acoustiques.

MUSIQUE ELECTRONIQUE :

L'électronique en musique « est ce qui fait appel à une source électronique pour produire des oscillations électriques qui seront transformées en vibrations mécano-acoustiques par le truchement d'une membrane (haut-parleur) » (Jean-Etienne Marie).

MUSIQUE DE SCENE :

La musique de scène est différente de l'opéra, de l'opéra-comique ou du singspiel, en ce sens qu'elle ne s'insère dans une pièce de théâtre que comme intermède musical entre des textes parlés.

MUSIQUE SERIELLE :

Voir Schönberg.

MYSTERES :

Pièces religieuses qui étaient représentées sur le parvis des cathédrales.

— O —

OCTUOR :

Formation instrumentale comportant huit instruments. Ce peut être huit instruments à cordes, à vent ou mélangés. Le piano peut aussi faire partie de l'ensemble.

OFFERTOIRE :

Un des cinq « chants propres » de la messe. Voir Messe.

OPERA :

Opéra. Opéra buffa. Opéra seria.

(Voir pages 113, 135, 162, 182, 186, 229).

OPUS :

Mot latin signifiant œuvre.

ORATORIO :

Drame religieux, sorte d'opéra avec soli, chœurs et orchestre où le jeu scénique fut peu à peu abandonné. Il faut chercher son origine dans les drames liturgiques du Moyen Age. Il est généralement en langue latine, mais peut être en langue vulgaire. Bien que différent, il possède cependant certains points communs avec l'opéra : narration récitative, expression dramatique, traitement de l'orchestre et des chœurs.

Exemples : les deux Passions de Bach (*saint Jean* et *saint Matthieu*), *le Messie* de Haendel, *les Saisons* et *la Création* de Haydn, *le Requiem allemand* de Brahms, *l'Enfance du Christ* de Berlioz, *le Martyre de saint Sébastien* de Debussy, *Œdipus Rex* de Stravinski, etc.

ORCHESTRATION :

L'orchestration est à la musique, ce que la mise en scène est au théâtre.

ORCHESTRE :

(Voir page 70 et suivantes).

OUVERTURE .

Pièce symphonique servant d'introduction à une œuvre et comportant des mouvements différents rapidement enchaînés. Dans les premiers opéras et oratorios, des pièces (sinfonia, sonate, canzone) avaient pour but d'annoncer le spectacle. Lully, le premier, écrivit de véritables ouvertures pour ses opéras. L'ouverture à la française (ou lulliste) se présente sous la forme suivante : adagio, allegro, adagio. Elle inspira Rameau, Purcell, Haendel et surtout Bach dont les quatre « suites » pour orchestre sont en réalité des ouvertures. L'ouverture dite à l'italienne (allegro, adagio, allegro) se développa parallèlement et fut adoptée par des compositeurs tels Cavalli, Scarlatti, etc.

L'une et l'autre formes sont à l'origine de la sonate et de la symphonie.

Gluck fut le premier à comprendre l'importance dramatique de l'ouverture, qui cessa d'être une simple mise en condition, pour maintenant renseigner et introduire le spectateur à l'action dramatique. L'ouverture du *Don Juan* de Mozart est exemplaire à cet égard. Wagner utilisa d'abord l'ouverture *(les Maîtres chanteurs)* avant de lui préférer le prélude, de structure plus souple.

Exemples : les quatre suites pour orchestre (ouvertüren) de Bach, les ouvertures des opéras de Mozart, Verdi, Rossini, etc.

— P —

PARTITA :

(Musique profane.) Partita (ou partie). Terme d'origine allemande désignant une suite de danses. Exemples : Sonates et Partitas pour violon seul de Bach.

PARTITION :

Texte imprimé de toutes les parties instrumentales et vocales d'une œuvre.

PASSION :

(Musique religieuse.) Un des plus anciens Mystères. La plus belle et la plus célèbre est *la Passion selon saint Matthieu* de Jean-Sébastien Bach.

PHRASÉ :

Art de ponctuer et de rendre sensible la structure d'une « phrase » musicale. C'est le rôle du chef d'orchestre qui, jugeant de l'ensemble de la partition, doit faire traduire toutes les nuances de l'œuvre.

PLAIN-CHANT :

Chant monodique, utilisé dès les premiers temps de l'Eglise dans la liturgie catholique.

POEME SYMPHONIQUE :

(Musique profane.) C'est une pièce de musique relatant et décrivant un texte qui l'a inspirée. La compréhension d'une telle œuvre musicale doit donc s'accompagner de la connaissance de ce qui l'a fait naître. Exemples : *les Préludes* de Liszt, les poèmes symphoniques de Richard Strauss.

POLONAISE :

(Musique profane.) Danse d'origine polonaise, à trois temps. Son rythme caractéristique a inspiré Weber, Liszt et Chopin, entre autres.

POLYPHONIE :

Superposition de « deux voix » ou de « plusieurs voix » ou de « plusieurs parties » vocales ou instrumentales. La polyphonie connut son apogée avec J.-S. Bach. Mais on retrouve les principes de la polyphonie dans la musique sérielle contemporaine. Parler de la polyphonie c'est parler de toute la musique occidentale.

POLYTONALITE :

Emploi simultané d'harmonies appartenant à des tonalités différentes. Par exemple, dans la scène 1 de l'acte II de *Tristan et Isolde,* Wagner fait jouer simultanément les cors en ut et en fa.

PORTÉE :

Système de notation musicale. Une portée est formée de quatre ou de cinq lignes parallèles sur lesquelles sont placées les notes.

PRELUDE :

(Musique profane.) Pour J.-S. Bach, le prélude sert d'introduction à une fugue ou à une suite. Il lui a donné une forme canonique. Exemples : Préludes et fugues d'orgue, le clavecin bien tempéré.

Par extension, le terme désigne une pièce musicale de genre indéfini sinon que caractérisée par une grande liberté de style. Exemple : les Préludes de Chopin pour le piano, ou ceux de Liszt pour l'orchestre.

PRESTO :

Ce terme désigne un mouvement rapide.

PRESTISSIMO :

Encore plus rapide.

PROLOGUE :

Dans les opéras français du XVIIe siècle, le prologue vantait les qualités des spectateurs et n'avait d'autre but que de mettre ceux-ci en bonne condition de réception musicale. Mais le prologue désigne surtout une partie musicale qui annonce ce qui va se passer dans les morceaux à venir. Ainsi *l'Or du Rhin* sert de prologue à *l'Anneau.*

PSAUME :

(Musique religieuse.) Chant hymnique tiré de l'Ancien Testament et dont les nombreux versets suivent la même mélodie. En dehors des liturgies religieuses, les musiciens ont souvent traité les psaumes en grandes œuvres lyriques pour soli, chœurs et orgues ou orchestre ; souvent avec orgues et orchestre (Bach, Franck).

PUPITRE :

Du pupitre, le chef dirige l'orchestre. On emploie l'expression : « être au pupitre de tel orchestre ».

— Q —

QUATUOR :

Réunion de quatre chanteurs (quatuor vocal) ou de quatre instrumentistes. Il existe des quatuors à cordes (premier et deuxième violons, alto, violoncelle), des quatuors à cordes avec piano (violon, alto, violoncelle, piano), des quatuors de bois (flûte, hautbois, clarinette, basson).

Les plus célèbres compositeurs de quatuors sont Haydn, Mozart (particulièrement les quatuors qu'il dédia à Haydn) et bien sûr Beethoven, etc.

QUINTETTE :

Réunion de cinq chanteurs (sous la Renaissance) ou de cinq instrumentistes. Il existe des quintettes à cordes seules, à cordes avec piano, de bois seuls, de bois avec piano, etc.

— R —

RAPSODIE :

(Musique profane.) On appelle rapsodie des compositions pour piano ou pour orchestre. Ce style, très en vogue au XIXe siècle, a marqué le renouveau des tendances nationales. Exemple : les *Rapsodies Hongroises* de Liszt.

RECITAL :

Mot d'origine anglaise signifiant exhibition d'un seul virtuose. C'est le « one-man-show » de la musique classique. Voir aussi : virtuose.

RECITATIF :

Désigne les parties chantées qui se rapprochent de la parole parlée et qui sont faiblement accompagnées.

Le « recitativo » s'oppose au « cantabile ».

REGISTRE :

L'échelle sonore est divisée en registres. Chanter une mélodie un octave plus haut ou plus bas constitue un changement de registre.

REQUIEM :

Ou messe de Requiem ou messe des Morts (musique religieuse).

La plus remarquable messe de Requiem est peut-être celle, inachevée de Mozart.

En revanche les Requiem de Berlioz, de Brahms (*Requiem*

Allemand) ou de Verdi désignent plus exactement des cantates funèbres. Voir : oratorio.

ROMANCE :

(Musique profane.) Petite composition vocale ou instrumentale, simple et naïve.

RONDO (ou rondeau) :

Petite pièce en vers, où l'un d'eux se répète à des moments donnés et forme refrain.
Dans une composition musicale en forme de rondo, on retrouve au moins trois fois le principal motif dans le même ton. Le rondo constitue souvent le final d'une sonate, d'un concerto, d'une symphonie.

— S —

SARABANDE :

(Musique profane.) Danse noble, d'origine espagnole, à trois temps, dont la guitare fournissait l'accompagnement. Elle est devenue au XVIIIe siècle, par l'intermédiaire de la suite, l'adagio de la sonate. Voir : suite.

SCHERZO :

(Musique profane.) Pièce brillante à trois temps.

SEPTUOR :

Groupe de sept instrumentistes ou de sept chanteurs. Aussi un ouvrage écrit pour sept instruments.

SERENADE :

(Musique profane.) En quelque sorte le pendant de l'aubade, un concert que l'on donnait le soir. Cette « musique du soir », aussi bien vocale qu'instrumentale, est devenue à la fin du XVIIIe siècle, un genre de composition libre, écrite de préférence pour instruments à vent, en vue de l'exécution en plein air. Exemples : les sérénades de Haydn et de Mozart.

SEXTUOR :

Formation de six voix ou de six instrumentistes. Pièce écrite pour une telle formation.

SINFONIA :

(Musique profane.) Au XVIIe et au XVIIIe siècles, désigne l'ouverture instrumentale à un motet, à un opéra ou à une suite de danses.

SINGSPIEL :

(Voir page 136)

SOLISTE :

Instrumentiste ou chanteur à qui est confiée la partie solo d'une œuvre.

SON :

Les sons sont produits par la pression qu'exerce un objet oscillant sur les molécules de l'air.

SONATE :

(Musique profane.) A l'origine, la sonate est une pièce « sonnée », par opposition à la cantate, « ce qui se chante ». On appelait sonate la pièce instrumentale qui servait d'introduction à un ouvrage chanté et le mot prenait ici accessoirement le sens de « prélude ». Par une analogie, on le retrouve appliqué à la première pièce d'une suite instrumentale et cette sonate-prélude donna son nom à la suite entière. A la fin du XVIIe, la sonate s'est peu à peu séparée de la suite pour prendre sa forme définitive au XVIIIe. Quatre mouvements : Allemande, Sarabande, Menuet, Gigue. Le terme italien de « sonata » fut adopté par toute l'Europe.

A partir de 1760, sous l'influence de Domenico Scarlatti, de Sammartini et de Ph.-E. Bach, on construisit chacune des pièces de la sonate sur deux thèmes distincts. Ce dithematisme (forme-sonate) va s'appliquer à toutes les compositions musicales, musique de chambre, concertos, œuvres instrumentales.

C'est à la même époque que la sonate va désigner seulement une composition pour un ou deux instruments. Les sonates pour plusieurs instruments deviennent des trios, quatuors, quintettes... Les « sonates pour orchestre » s'appellent des symphonies.

Le plan de la sonate classique est le suivant :

1er mouvement : Forme-sonate très développée. Le premier thème de cet allegro est d'ordinaire d'allure vive, de sonorité éclatante. Le second, plus expressif, plus mélodique, contraste avec le thème initial.

2e mouvement : Adagio.

3e mouvement : Menuet ou Scherzo (allegretto).

4e mouvement : Rondo (allegro vivace).

Beethoven a porté la forme-sonate à son plus haut point de perfection avec la sonate pour piano, op. 106 (Hammerklavier).

SOPRANO :

a) Voix de soprano.

b) Se dit également pour les instruments à vent dont

l'échelle sonore correspond, par analogie, à la voix de soprano.

SUITE :

(Musique profane.) Groupement de danses, de même tonalité, mais de rythme différent. Au XVIIe siècle, l'Allemande, la Courante et la Gigue, sont à peu près de toutes les suites. Au XVIIIe, la Sarabande s'y adjoint ; le Menuet s'y insinue entre elle et la Gigue. Puis la Courante s'efface peu à peu et le plan de la suite classique reste :

1. L'Allemande : allegro moderato.
2. La Sarabande : adagio.
3. Le Menuet : allegretto.
4. La Gigue ou le Rondo : allegro.

La suite classique a la même structure que la sonate, mais elle en diffère par deux aspects. D'une part, chacune des danses de la suite classique conserve son rythme, d'autre part, les différentes pièces de la suite sont dans le même ton, alors que dans la sonate obligation est faite de changer de ton, au moins dans l'adagio.

SYMPHONIE :

(Musique profane.) Depuis la fin du XVIIIe siècle, nom sous lequel on désigne une « sonate d'orchestre ». Elle en a les mêmes divisions : quatre morceaux de même structure et de même mouvement que dans la sonate : Allegro, Adagio, Menuet ou Scherzo, Allegro final.

C'est « l'Ecole de Mannheim » qui donna à la symphonie sa structure quasiment définitive. Haydn et Mozart (dans ses années de maturité) ont donné des modèles parfaits de la symphonie classique. Beethoven marque la transition avec la symphonie « romantique » telle que la pratiqueront Mendelssohn, Schumann, Brahms, Lalo, Franck, Saint-Saëns... La forme reste la même, l'instrumentation s'enrichit.

« La symphonie, a dit Mahler, doit être comme le monde, elle doit tout embrasser. »

— T —

TE DEUM :

Chant hymnique d'action de grâce attribué à saint Ambroise.

TESSITURE (de l'italien Tessitura : trame).

La tessiture qualifie généralement une voix, mais ce peut être aussi un instrument. La tessiture est l'espace occupé par une voix (ou un instrument) entre la note la plus grave et la plus aiguë de son registre. On la décrit en énonçant le nombre d'octaves ou de fractions d'octave qu'elle contient.

TIMBRE :

C'est une appréciation subjective qui fait que le timbre d'une voix est agréable ou non.

TOCCATA :

Littéralement « ce qui se touche ». C'est donc une pièce musicale écrite pour des instruments à clavier : orgue, clavecin, piano. La toccata est une composition alerte, rapide, se rapprochant d'un « mouvement perpétuel ». Bach a composé pour l'orgue de grandes toccatas. Pour le clavier, Schumann, Debussy, Ravel.

TON :

Voir harmonie.

TRAGEDIE LYRIQUE :

Voir Opéra.

TRAIT :

En plain-chant, psaume chanté après le graduel de la messe.

TREMOLO :

Figure instrumentale exécutée par la répétition très rapide soit d'une même note, soit de deux notes ou de deux accords.

TRIO :

a) Composition pour trois instruments : Par exemple : piano, violon et violoncelle ; violon, alto et violoncelle ; ou encore, flûte, alto et harpe, etc.

b) Dans un opéra, c'est une scène chantée à trois. Exemple : dans le *Don Juan* de Mozart, le trio des Masques.

— U —

UNISSON :

Absence d'intervalle entre deux sons entendus simultanément. Ils peuvent ne pas être du même timbre, mais ils sont de la même hauteur.

— V —

VALSE :

Danse tournante à trois temps, d'origine allemande. De nombreux compositeurs se sont inspirés de son genre : Weber, Schubert, Chopin, Brahms... Mais les valses les plus célèbres sont celles de Johann Strauss : *Le Beau Danube Bleu*, la *Valse de l'Empereur...*

VARIATION :

(Musique profane.) Forme musicale très ancienne, essentiellement instrumentale exposant un même thème sous divers aspects. J.S. Bach, Haydn, Mozart, Beethoven... ont écrit des variations.

VIRELAIS :

Poème du Moyen Age, petite pièce sur deux rimes avec refrain.

VIRTUOSE :

« Le virtuose n'est pas un outil passif fait pour exprimer les sentiments et les pensées d'autrui sans y ajouter quoi que ce soit de lui-même... Pour le virtuose, les œuvres ne sont en fait que les matérialisations tragiques et bouleversantes de ses propres émotions : il est appelé à les faire parler, pleurer, chanter, soupirer, à leur donner la vie en accord avec sa propre conscience. En sorte qu'il est comme le compositeur, un créateur » (Liszt, Correspondance).

VOCALISE :

a) Désigne un passage de virtuosité dans un chant.
b) Exercice dans le but d'assurer une bonne vocalisation : « faire des vocalises ».
c) Formule mélodique développée sur une voyelle, rapide ou très rapide. Les opéras italiens du XVIIe siècle les ont rendues habituelles.

Table des matières

PAGE

DEUXIÈME PARTIE

Les compositeurs et leurs œuvres

Le Moyen Age

Le classicisme au XVIIe siècle

Le XVIIIe siècle classique

Romantisme et post-romantisme au XIXe siècle

TROISIEME PARTIE

Index

des compositeurs et interprètes

C

D

E

F

G

P

R

W

X

Y

Z

Index
des instruments

Achevé d'imprimer
en mars mil neuf cent quatre-vingt-deux
sur les presses de l'Imprimerie Gagné Ltée
Louiseville - Montréal.
Imprimé au Canada

Dépôt légal : 1er trimestre 1982
Bibliothèque nationale du Québec
Bibliothèque nationale du Canada
Imprimé au Canada